Nikolaus Harnoncourt:
Der musikalische Dialog
Gedanken zu Monteverdi, Bach und Mozart

Deutscher
Taschenbuch
Verlag

Bärenreiter
Verlag

Von Nikolaus Harnoncourt
ist im Deutschen Taschenbuch Verlag erschienen:
Musik als Klangrede (10500)

Ungekürzte Ausgabe
1. Auflage August 1987
2. Auflage Juli 1988: 12. bis 19. Tausend
Gemeinschaftliche Ausgabe:
Deutscher Taschenbuch Verlag GmbH & Co. KG,
München, und
Bärenreiter-Verlag Karl Vötterle GmbH & Co. KG,
Kassel · Basel · London
© 1984 Residenz Verlag, Salzburg und Wien
ISBN 3-7017-0372-8
Umschlaggestaltung: Celestino Piatti
Umschlagfoto: Kees van den Berg, Eemnes,
Niederlande
Gesamtherstellung: C. H. Beck'sche Buchdruckerei,
Nördlingen
Printed in Germany ISBN 3-423-10781-2 (dtv)
　　　　　　　　　ISBN 3-7618-0814-3 (Bärenreiter)

Inhalt

DER MUSIKALISCHE DIALOG

Vorwort 9
Über das Klangbild der mittelalterlichen Musik 11
Musikinstrumente in der Kirche und außerhalb der
Kirche 28
Die große Neuerung um 1600 31
Zur Klangaesthetik: Ist häßlich schön? 34
Monteverdi – heute 36
Werk und Bearbeitung – die Rolle der Instrumente . . . 38
Werk und Aufführung 47

Bach und die Musiker seiner Zeit 52
Die Aufführungstraditionen 60
Das Concerto 62
Die Gambensonaten – idiomatischer Klang
oder ad libitum 66
Die Kantaten – Bachs zentrales Werk 71
Die Blasinstrumente in Bachs Kantaten 73
Bachs »Oboe da Caccia« und ihre Rekonstruktion 83
Das Parodieverfahren bei Bach 88
Zur ersten Aufführung der Matthäus-Passion durch
den Concentus Musicus 100
Die Matthäus-Passion – Geschichte und Tradition 104

Mozart war kein Neuerer 115
Mozarts chiaro-oscuro / Orchesterbesetzungen 117
Gedanken zu »Allegro« und »Andante« bei Mozart . . . 127
Vom Menuett zum Scherzo 138
Geschriebene und ungeschriebene Interpretations-
anweisungen bei Mozart 149

WERKBESPRECHUNGEN

Claudio Monteverdi
»L'Orfeo« – Dichtung und Musik, Tempi 165
Instrumentation und Bearbeitung von »L'Orfeo« 171
»Il Ritorno d'Ulisse in Patria« 180
»L'Incoronazione di Poppea« 187
Die Marienvesper (Vespro della Beata Vergine) 197

Johann Sebastian Bach

Die Brandenburgischen Konzerte 211

Die Johannes-Passion 227

Die Matthäus-Passion 237

Zur Interpretationsgeschichte von Bachs h-Moll-Messe   252

Wolfgang Amadeus Mozart

Mozarts Dramaturgie im Spiegel der »Idomeneo«-
Korrespondenz 273

Mozarts Requiem, sein einziges Werk mit autobiographi-
schem Bezug 287

Diskographie 290

Der musikalische Dialog

Vorwort

Hier wird eine Reihe von Vorlesungen, Vorträgen und Aufsätzen vorgelegt, in denen ich mich vorwiegend mit den Werken Mozarts, Bachs und Monteverdis auseinandergesetzt habe. Es ist dies keine wissenschaftliche Abhandlung, ich ziehe also nicht alle mir bekannten Quellen zur Untermauerung meiner Ansicht heran. Ich will ja hier nichts *beweisen,* sondern lediglich die persönlichen Erkenntnisse, die ich auf Grund intensiver theoretischer und praktischer Arbeit gewonnen habe, in allgemeinverständlicher Form weitergeben. Wenn ich auch die Quellen sehr kritisch und gewissenhaft benütze (siehe den Artikel über Quellenbewertung in meinem ersten Buch »Musik als Klangrede«), so gebe ich doch die Zitate in übersetzter Form wieder und verzichte auf einen Fußnoten-, Verweis- und Quellenapparat. Quellenzitate können meiner Meinung nach nicht als Beweismittel dienen, weil ja schon ihre Auswahl Absicht und Tendenz des Zitierenden verrät. Ich verwende sie lediglich zur Illustration. Dem fachlich eingehender interessierten Leser sei wärmstens empfohlen, das Quellenmaterial vollständig zu lesen. Dabei wird man auf zahlreiche Widersprüche – oder was man so nennt – stoßen. Man möge aber bedenken, daß sich gerade in den Widersprüchen, die ja natürlich nur Scheinwidersprüche sein können, die ganze Mannigfaltigkeit der Auseinandersetzung mit einem Thema offenbart. Nur die hanebüchenen Dinge und Gedanken sind entweder so oder so – tiefer betrachtet sind sie meist beides und noch viel mehr. In nahezu jeder Meinung ist auch ihr Gegenteil enthalten, und es bedarf manchmal nur eines sehr geringfügigen Anstoßes, um eine Äußerung in ihren Widerspruch kippen zu lassen. – Dem ehrlichen Partner muß man trauen, auch und gerade wenn er sich widerspricht, viel mehr als dem geistigen Bürokraten, dem es gelingt, alles in unwiderruflich richtige Kästchen einzuordnen.
50,5 Prozent Ja und 49,5 Prozent Nein heißt in der Demokratie: Ja. Sollte wirklich eine winzige Verschiebung

um ein Prozent daraus ein Nein machen können? So ist jede Aussage, jeder Entschluß aus vielen widersprechenden Komponenten zusammengesetzt, deren jede irgendwann zum Vorschein kommen kann.

Über das Klangbild
der mittelalterlichen Musik

Über den Klang der Musik vor 1500 wissen wir so gut wie nichts wirklich sicher. Das muß sich jeder, der sich mit dieser Musik befaßt, immer klar vor Augen halten und mit größtem Mißtrauen die Angaben jener prüfen, die etwas Sicheres zu wissen vorgeben. Was bis jetzt auf diesem Gebiet erreicht wurde, hat hypothetischen Charakter und wird ihn immer haben, weil diese Musik in ihrer wahren Gestalt ein für allemal verklungen ist. Was wir tun können, ist nur, uns anhand von Beschreibungen und von Bilddokumenten eine möglichst genaue Vorstellung der damaligen Praxis zu machen. Dabei dürfen wir aber niemals vergessen, daß der viel größere Teil der damaligen Musikausübung, vor allem auf weltlichem Gebiet, sich in mehr oder weniger regelgebundener Improvisation abspielte. Wir sind besonders hinsichtlich der tatsächlichen Wiedergabe dieser Musik weitgehend auf unser Stilgefühl angewiesen. Je tiefer wir die ganze geistige Situation jener Zeiten begreifen können, umso mehr wird uns diese Musik sagen. Ein totales Verständnis aber ist unerreichbar, und so wird die »Musik der Gotik« niemals mehr in ihrer ganz unverfälschten Gestalt erklingen – dazu müßten wir Menschen jener Zeit sein. Wir können uns dieser wahren Gestalt durch Einfühlung und Wissen nur mehr oder weniger nähern, je weiter wir dabei kommen, desto überzeugender wird das Ergebnis sein.
Es ist nun fast unmöglich, geordnet und verständlich über Klänge zu sprechen. Der Klang ist etwas, das sich jeder Beschreibung entzieht. Schon kurze Zeit nachdem ein Ton verklungen ist, sind seine besonderen Qualitäten in ihren Feinheiten kaum mehr genau in die Vorstellung zurückzurufen. Jeder von uns weiß, wie schwer es ist, den Klang eines Instrumentes, das man einmal gehört hat, sich wieder zu vergegenwärtigen, ihn sich mit allen seinen Nuancen vorzustellen. Dazu kommt noch, daß es so gut wie unmöglich ist, klangliche Qualitäten allgemein verständlich in Worte zu fassen. Es gibt keine sprachlichen Ausdrücke für sie. Wir

müssen uns mit bildlichen oder anderen Vergleichen, wie hell und dunkel, offen und gedeckt, behelfen. Diese Ausdrücke aber sind keineswegs eindeutig, sondern die meisten Menschen stellen sich ganz verschiedene Klänge unter denselben Worten vor. Die einzige Möglichkeit einer eindeutigen Beschreibung bietet uns die physikalische Analyse. Diese ist aber selbst in graphischer Darstellung so abstrakt, daß sich nur die wenigsten Menschen Klänge vorstellen können, wenn sie die Zahlen oder Kurven sehen, und daher für ein Gespräch über dieses Thema ungeeignet. Sie ist aber höchst wertvoll zur Unterstützung des Ohres bei systematischen Untersuchungen von Klängen.

Warum interessieren uns überhaupt die Fragen des Klanges? Worin bestehen die Zusammenhänge zwischen der komponierten Musik und ihrer klanglichen Reproduktion? Gibt es verbindliche Regeln, die die Wahl bestimmter Klangkombinationen bei der Wiedergabe, besonders von Alter Musik, verlangen? Für die allgemein geläufige Musik, sagen wir ab der Wiener Klassik, ist es für uns selbstverständlich, daß die Kompositionen genau instrumentiert sind. Das heißt, der Komponist bestimmt nicht nur den rein musikalischen Inhalt seines Werkes, sondern auch eindeutig und genau das Klangbild der Wiedergabe. Es gibt Werke für Cembalo, für Orgel, für alle gebräuchlichen Instrumente. Auch bei großen Besetzungen werden die einzelnen Instrumente genau vorgeschrieben. Die Komponisten haben bei der Komposition den Klang und die besondere Spiel- und Artikulationsweise dieser Instrumente genau im Ohr, sie schreiben instrumentengerecht. Je weiter wir nun zurückgehen, umso spärlicher und allgemeiner werden die Angaben: »Zum Singen und Spielen auf allerhand Instrumenten« ist eine häufige Anweisung für die Musik des 16. Jahrhunderts. Ganz selten finden sich auch bei mittelalterlicher Musik Hinweise auf bestimmte Instrumente, wie etwa beim »in Seculum viellatoris« des Bamberger Codex. Diese spärlichen Angaben bedeuten nun aber keineswegs, daß es normalerweise völlig gleichgültig war, auf welchen Instrumenten die Musik gespielt wurde. Die frühere Musik ist nicht derart in ihrer gänzlich ausgefeilten und endgültigen Gestalt komponiert wie die Musik späterer Zeiten. Man kann bei einem großen Teil der Werke nicht von einem speziellen Vokal- oder Instrumentalstil für bestimmte Instrumente sprechen, sondern die Musik wurde, je nachdem mit welchen Instrumenten gespielt wurde, diesen angepaßt; sie bot die kompositorische Substanz, die, je nach den verfügbaren Kräften, in unterschiedlichster Besetzung aufgeführt werden konnte. Die für die jeweiligen Instrumente typischen Spielfiguren wurden erst bei der Wiedergabe improvisiert. Ein Hauptgrund für diese den heutigen gegenüber gänzlich anderen Bedingungen liegt in der grundsätzlichen Andersartigkeit des Musikerberufes damals und heute: Ursprünglich, als die abendländische Musik noch nicht einmal in den Kinderschuhen steckte, als noch nichts aufgeschrieben wurde, waren der Komponist und der wiedergebende Musiker identisch, es wurde einfach öffentlich improvisiert, wie man heute sagen würde. Die Entfernung zwischen diesen beiden Polen, nämlich dem Komponisten und dem Ausführenden, wurde nun nach und nach immer größer, bedingt durch die Möglichkeiten der Notenschrift, Kompositionen zu fixieren, und durch den Wunsch der Komponisten, ihren Werken eine endgültige Form zu geben, bis schließlich vor gar nicht langer Zeit die absolute Trennung erreicht war: Der Musiker hat heute normalerweise keine Ahnung vom Komponieren, er hat ein geradezu sklavisches Verhältnis zum Notentext, den er vom Komponisten erhält. Seine Aufgabe ist es lediglich, möglichst perfekt in Technik und Ausdruck die Kompositionen anderer wiederzugeben. Die genaue Fixierung aller zu spielenden Verzierungen, wie sie im Spätbarock beginnt, wurde von den Musikern zunächst als eine Beleidigung und Erniedrigung empfunden. Im Mittelalter waren ja die Komponisten noch ausführende Musiker, und fast jeder Musiker war auch Komponist. Jedenfalls hatte jeder gute Musiker die Regeln der Komposition und der Improvisation zu beherrschen, und so war es selbstverständlich, daß die letzte Form der Werke erst bei der jeweiligen Aufführung entstand.

Ich möchte nun die Frage, für welche Musik welche Instrumente zu verwenden sind und wie weit wohl die Auswirkungen der vielfachen Verbote von Instrumentalmusik in der Kirche gereicht haben mögen, hier unbesprochen lassen. Der Komplex ist zu umfangreich, als daß er in einer prinzipiellen Erörterung der Fragen des Klanglichen unterzubringen wäre – ich möchte aber doch wenigstens auf den unglaublichen Unterschied zwischen der zweifellos und in großem Umfang gespielten Instrumentalmusik und den lächerlich wenigen erhaltenen Instrumentalkompositionen hinweisen – gegenüber einer Unzahl von Vokalwerken. Das kann durch zufällige Verluste im Laufe der Jahrhunderte nicht erklärt werden. Zwei Gründe dürften dafür wohl in Frage kommen. Erstens: Ein nicht geringer Teil der Instrumentalmusik wurde improvisiert. Zweitens: Die Instrumentalisten verwendeten die komponierte Vokalmusik, die sie selbständig veränderten und den jeweiligen Bedingungen und Möglichkeiten anpaßten. Das kann man aus den späteren Lauten-, Cembalo- und Orgeltabulaturen sowie Schulwerken, wie etwa dem »Tratado de Glosas« von Diego Ortiz aus dem Jahre 1553 und vielen anderen Quellen, entnehmen.

Der Wert eines Großteils der schriftlichen Quellen für die Erforschung der Musikpraxis des Mittelalters wird arg beeinträchtigt durch die jahrhundertelang bestehende Diskrepanz zwischen Theorie und Praxis, die gerade im Mittelalter weitgehend unüberbrückbar groß war. Die Theorie wurde als eine Sache für sich betrachtet. Man bezog sich immer wieder auf Boëthius (um 520), später auf Guido von Arezzo (ca. 1000 bis ca. 1050), auch noch zu einer Zeit, zu der die Praxis schon viel weiter fortgeschritten war – als *musicus* wurde der Theoretiker bezeichnet, die ausübenden Musiker wurden *cantores* genannt. Die gelehrten Theoretiker gingen mit Verachtung über die gesamte weltliche Musikpraxis hinweg, sie errichteten aber auch über der kirchlichen Musik ein rein theoretisches Lehrgebäude, eine Art Theorie als Selbstzweck, ohne Beziehung zur Praxis. Da man den Großteil der praktischen Musikübung nicht aufschrieb, entstand das für uns so mißverständliche Übergewicht der Theorie gegenüber der Praxis in der schriftlichen Überlieferung. Auf diese Tatsache hat Ernest Ferand in seinem grundlegenden Werk über die Improvisation in der Musik überzeugend und mit Nachdruck wiederholt hingewiesen. Jedenfalls gehört, nach dem Zeugnis Ekkehards von St. Gallen, die Instrumentalmusik wesentlich zur Erziehung der Adelsjünglinge im 9. und 10. Jahrhundert. Um 1200 zählen zu den Instrumenten, die ein gebildeter Mann beherrschen soll, Fidel, Flöte, Harfe, Rebec, Psalterium.

Natürlich hatte man eine ganze Reihe von ungeschriebenen Gesetzen, welche Instrumente gemeinsam verwendet werden können und welche nicht zusammenpassen. Bestimmte Kombinationen kommen auf den Bildern jener Zeit immer wieder vor, und Quellenwerke, wie Sebastian Virdungs »Musica getutscht«, aber auch Michael Praetorius, der zwar schon einer anderen Zeit zugehört, dessen Werke uns aber wichtige Aufschlüsse über das Klangempfinden und die Aufführungspraxis der vorangegangenen Zeit vermitteln, geben eine klare Vorstellung von den verschiedenen Möglichkeiten der richtigen Zusammenstellung des Instrumentariums. Diese Sicherheit im Disponieren mit vorhandenen Mitteln ist wohl das erste, was wir uns zu erwerben trachten müssen.

Für die Zeit von etwa 1200 bis 1500 bleibt das Instrumentarium ziemlich gleich. Am meisten verwendet wurden an Streichinstrumenten: Fidel, Rebec, Trumscheit; an Blasinstrumenten: Trompete, Pommer, Schalmei, Dudelsack, Portativ, Blockflöte, Querflöte; an Zupfinstrumenten: Harfe, Psalterium, Laute, Mandola, Gitarre; und an Schlaginstrumenten: Handpauke, Becken, Triangel und Schellentrommel. Besonders häufige Kombinationen sind bei zwei Instrumenten: Portativ und Fidel, Fidel und Laute, Portativ und Harfe, Portativ und Laute, relativ oft auch mit Sängern; bei drei Instrumenten: Fidel, Harfe und Portativ; Portativ, Laute und Harfe; Portativ, Fidel und Laute. Auf manchen Bildern sieht man statt des Portativs oder auch eines anderen Instrumentes eine Blockflöte.

Die Instrumente wurden damals entweder als laut/stark oder als leise/still bezeichnet. Zu den starken Instrumenten rechnete man Trompete, Schalmei, Dudelsack, Pauke; zu den stillen Fidel, Blockflöte, Laute, Harfe. Die starken wurden wohl in erster Linie im Freien benützt, während die Kammermusik in kleineren Räumen den stillen Instrumenten vorbehalten war. Für die Freiluftmusik mit Schalmeien,

Pommern und Trompeten vermutet Heinrich Besseler schon im 15. Jahrhundert einen Einheitsklang, wie er in den übrigen Sparten der Instrumentalmusik erst nach dem großen Wandel um 1500 zu finden ist.

Diesem überaus reichhaltigen Instrumentarium steht die menschliche Stimme gegenüber: das einzige, das sich, wenigstens physiologisch unverändert, bis in unsere Zeit erhalten hat. Trotzdem dürfen wir nicht annehmen, der Gesang habe damals so geklungen wie heute. Die Wurzeln der abendländischen Musik reichen in den Orient. Sowohl die früheste Instrumentalpraxis als auch die Choralmusik, der einstimmige Chor- und Sologesang in der Kirche, wurden aus dem Osten übernommen und nur ganz langsam zu dem umgeformt, was wir als abendländische Musik bezeichnen. Die Gesangstechnik der orientalischen Sänger war, und ist sogar noch heute, von der unseren grundverschieden. Prof. Hans Hickmann, der jahrelang in Ägypten gelebt hat, um an der lebendigen orientalischen Musikpraxis die Quellen der abendländischen Musik zu studieren, hat auf die Ähnlichkeit der Gesichtsstellung von Sängern auf alten Bildern mit der Gesichtsstellung orientalischer Sänger hingewiesen. Wir können uns also etwa bis über die Zeit um 1500 hinaus den Klang der menschlichen Singstimme so vorstellen, wie wir ihn heute etwa bei türkischen, ägyptischen und manchmal auch spanischen Volkssängern finden. Dieser Klang ist kehlig und nasal und umfaßt eine große dynamische Skala.

Bei den Instrumenten ist die Sache wesentlich schwieriger, weil sich praktisch keine Instrumente des 13. oder 14. Jahrhunderts erhalten haben. Wir sind also hier ausschließlich auf Bilder angewiesen. Die frühesten erhaltenen Instrumente stammen aus dem 15. Jahrhundert, doch handelt es sich hier (Rebec der Sammlung Figdor, Rebec in Modena) um Einzelstücke, die man kaum als repräsentativ für das Gebrauchsinstrumentarium ihrer Zeit betrachten kann. Außerdem sind diese Instrumente heute in einem Zustand, der eine ernsthafte Untersuchung ihres ursprünglichen Klanges ausschließt. Aus dem 16. Jahrhundert ist bereits eine ganze Reihe von Instrumenten erhalten, doch müssen wir beim Studium dieser Instrumente immer wieder überlegen, ob es sich dabei

16

um richtige Gebrauchsinstrumente handelt oder nicht vielleicht eher um Sammelobjekte, deren Wert schon damals hauptsächlich in ihrer Seltenheit und kunstvollen Ausführung lag. Es haben sich aus dieser Zeit ja vorwiegend die Sammlungen oder Kunstkammern, wie man sie damals nannte, fürstlicher Persönlichkeiten mit ihren reich ausgestatteten Prunkstücken erhalten. Erst etwa von der zweiten Hälfte des 16. Jahrhunderts an können wir uns ein ziemlich lückenloses Bild vom Instrumentarium, vom Klang der Instrumente und von ihrer Spieltechnik machen. Die Untersuchungen an den ältesten erhaltenen Instrumenten verlangen eine unbestechliche und kritische Überprüfung aller Angaben, besonders hinsichtlich des Alters der Instrumente, da die meisten frühen Instrumente undatiert sind und sowohl Privatsammler als auch gelegentlich sogar Museen eine durchaus verständliche Tendenz haben, ihre ältesten Instrumente vorzudatieren, um sie noch älter zu machen. Von Anfang fällt der von Michael Praetorius Jahrhunderte später noch erwähnte Unterschied zwischen den lieblichen und stillen und den starken Instrumenten auf. Ein Vermischen dieser beiden Arten ist klanglich sehr ungünstig und kommt auch auf Bildern kaum vor.

Ich möchte nun die wichtigsten Instrumente einzeln besprechen. Das am meisten verwendete Instrument war offenbar die *Fidel*. Es gab sie in den verschiedensten Formen, oval, achtförmig, am häufigsten in der bekannten gitarreähnlichen Gestalt. Die schriftlichen Quellen rühmen der Fidel hohe Qualitäten nach. So sagt Johannes de Groccheo um 1300 über die Fidel: »Unter allen Saiteninstrumenten scheint mir die Fidel den Vorrang zu verdienen.« Ulrich von Eschenbach spricht von der Süße ihres Klanges. Fideln aus dem Mittelalter sind nicht erhalten. Wie sie geklungen haben, wissen wir nicht, wir können nur, und das scheint mir der seriöseste Weg zu sein, nach den frühesten erhaltenen Instrumenten auf den Klang ihrer Vorgänger schließen. Das Kunsthistorische Museum in Wien besitzt eine Reihe der allerfrühesten erhaltenen Streichinstrumente aus der Zeit kurz nach 1500. Diese haben durchwegs einen außerordentlich schönen und süßen Klang. Sie sprechen sehr leicht an; Leichtigkeit ist überhaupt eines ihrer besonderen klanglichen Merkmale, keine Spur von Rauheit oder Härte. Daß dies kein Zufall ist, ist wohl daraus zu ersehen, daß dieses Klangbild auf *alle* erhaltenen Instrumente zutrifft. Ich selbst besitze ein Baßinstrument aus dem Jahr 1558, es ist etwas größer als ein Cello und hat noch die Gitarreform wie die alten Fideln. Auch dieses Instrument hat einen jedem musikalischen Menschen sofort auffallenden weichen und geschmeidigen, wunderschönen Ton, der sich sowohl vom Gambenklang als auch von dem eines Cellos eindeutig unterscheidet. An der souveränen Art der Ausführung, an der Wahl des Holzes und am Lack ist für einen Fachmann sofort ersichtlich, daß es sich nicht etwa um eine primitive Vorstufe auf dem Weg der Weiterentwicklung und Vervollkommnung des Streichinstrumentenbaues handeln kann, sondern um ein reifes und gekonnt gearbeitetes, jedem späteren Meisterinstrument ebenbürtiges Kunstwerk. Bei gründlicher Untersuchung all dieser Instrumente muß man wohl zu der Überzeugung kommen, daß die Streichinstrumente dieser Zeit eben nicht das Ergebnis tastender Versuche in Richtung auf ein erst später erreichtes Klangideal sind, sondern vollgültige, dem Klangideal jener Zeit restlos entsprechende Meisterwerke. Die Instrumentenmacher konnten ja damals schon auf eine jahrhundertealte Tradition, die bis in den Orient reicht, zurückblicken. Es ist nicht wahrscheinlich, daß die Fideln des 13. bis 15. Jahrhunderts viel schlechter geklungen haben als die frühesten erhaltenen Instrumente, jedenfalls wird sich das nach den Abbildungen und Skulpturen schwer beweisen lassen. In einigen abgelegenen Gebieten, so im Kaukasus oder am Balkan, finden sich in der Volksmusik gelegentlich fidel- oder rebecähnliche Instrumente. Sie als Basis für eine klangliche Erforschung der mittelalterlichen Instrumente zu verwenden erscheint mir aber aus mehreren Gründen sehr bedenklich. Derartige Volksstreichinstrumente sind klanglich meist weit entfernt von ihren Vorbildern in der Kunstmusik (etwa die Violinen der amerikanischen Hillbillies). Die Ähnlichkeit beschränkt sich auf das Äußere. Es ist ja auch klar, daß die Bauern, die sich solche primitiv ausgeführte Instrumente machten und

machen, nicht wetteifern konnten mit den professionellen
Streichinstrumentenmachern, die ihr Handwerk als raffinierte
und von Generation zu Generation vererbte Kunst pflegten.
Kein Mensch würde die Bauerngeigen des 18. und 19. Jahrhunderts als Basis für Untersuchungen des Streicherklanges
dieser Zeit betrachten, es wäre ja auch absurd.

Die *Blockflöten* des Mittelalters werden wohl ähnlich geklun-
gen haben wie die etwas späteren, etwa aus dem 16. Jahrhundert, von denen viele erhalten sind. Ihre bautechnischen
Hauptmerkmale, die Arbeit aus *einem* Stück, die sehr weite
Mensur, die großen Grifflöcher und der ziemlich hohe
Aufschnitt des Labiums, bedingen einen vollen samtigen
Ton, der sich stark von dem der heute allgemein geläufigen
Barockblockflöte unterscheidet. Die Barockblockflöten klingen viel heller, das heißt, ihr Klang ist wesentlich obertonreicher als der der Renaissanceflöten. Die Barockblockflöte
ist eben in erster Linie Soloinstrument, während die Renaissanceblockflöten, und wahrscheinlich auch die noch früheren Blockflöten, für das Ensemblespiel verwendet wurden.
Diese haben auch, ihrem Gebrauch entsprechend, einen viel
kleineren Tonumfang.

Den Klang der *Laute* sich vorzustellen ist nicht ganz leicht,
war sie doch im Mittelalter mit Metallsaiten bezogen und
wurde mit einem Federkielplektrum gezupft. Besaitet man
eine Renaissancelaute mit den entsprechenden Metallsaiten,
so bekommt man eine Vorstellung, wie die gotische Laute
ungefähr geklungen haben mag. Ich glaube nicht, daß der
Bau der früheren Instrumente wesentlich anders war als der
der Renaissancelauten, und so erscheint mir dieser Versuch
sinnvoll. Eine metallbesaitete Renaissancelaute klingt, mit
einem Federkiel gezupft, ähnlich einem alten niederländischen Spinett: sehr deutlich, aber nicht sehr laut, voll im
Grundton, aber doch mit obertönigem Glanz. Man spielt
darauf prinzipiell nur eine Stimme. Der Übergang zur
darmsaitenbezogenen und mit den Fingern gezupften Renaissancelaute dürfte wohl um die Zeit kurz vor 1500 fallen.
Von da an tritt die Laute als bevorzugtes Soloinstrument für
mehrstimmiges Spiel, ähnlich den Tasteninstrumenten, in
Erscheinung. Der Hauptunterschied zwischen beiden Arten

besteht nicht im Instrument an sich, sondern in der Besaitung und in der grundsätzlich verschiedenen Spielweise.

Über das *Portativ* läßt sich jedoch Genaueres sagen. Es war einige Jahrhunderte lang eines der meistverwendeten Instrumente. Obwohl kein Portativ mehr erhalten ist, ist sein Klang relativ leicht rekonstruierbar. Wir haben ein reiches Bildmaterial zur Verfügung, das zum Teil von geradezu photographischer Genauigkeit ist; man denke an die Bilder Memlings oder van Eycks. Außerdem wissen wir die Mensuren der Pfeifen und die Art der Windbeschaffung. Bei den frühesten Portativen hatten alle Pfeifen den gleichen Querschnitt, der mit der Größe eines Taubeneies angegeben wird; das bedeutet, daß sich der Klang von den unteren nach den oberen Tönen hin verändert: Die tiefen Pfeifen sind sehr eng mensuriert und haben daher einen streichenden Klang, die hohen sind extrem weit mensuriert und klingen flötiger und obertonärmer. Vom rein musikalischen Standpunkt aus gesehen muß das Portativ wohl zu den stillen Instrumenten gerechnet werden. Es wird ausschließlich mit solchen Instrumenten gemeinsam verwendet, und eine Balance zwischen Fidel, Harfe und etwa einem laut klingenden Portativ ist undenkbar. Hickmann erwähnt in seiner Arbeit über das Portativ die Modulationsfähigkeit, die diesem Instrument in alten Quellen nachgerühmt wird. Aus dem sehr reichhaltigen Bildmaterial über dieses Instrument geht hervor, daß die meisten Portative, vor allem die niederländischen, nur einen einzigen Balg hatten, der mit der Hand hochgezogen und niedergedrückt wurde. Das bedeutet einerseits, daß man mit so einem Instrument wie mit einem Blasinstrument atmen muß und nicht pausenlos weiterspielen kann, andererseits, daß man mit der Hand den Winddruck regeln kann, was in der Praxis von größter Bedeutung ist. Von der orgelbautechnischen Seite her sind auch in bezug auf Lautstärke und Klang relativ enge Grenzen gezogen. Die Lautstärke ist abhängig vom Winddruck und von der Mensur der Pfeifen, das heißt von deren Durchmesser, Labienbreite, Aufschnitt und so weiter. Den Winddruck kann man nicht beliebig wählen, er liegt bei etwa 50 mm Wassersäule. Einen größeren Winddruck könnte man dem Spieler kaum zumuten, da das Niederdrücken des Balges zu anstrengend wäre. Nur bei Portativen mit kleinen Bälgen könnte man einen etwas höheren Winddruck wählen, ohne die Kräfte des Spielers zu überfordern. Allerdings wäre dieses Instrument dann sehr kurzatmig. Es gibt aber noch einen zweiten wichtigen Grund für einen niedrigen Winddruck: Die sehr engen tiefsten Pfeifen lassen sich nur bei einem niedrigen Winddruck ohne Anwendung künstlicher Intoniermittel auf einen richtigen Ton bringen. Man könnte die höheren Pfeifen wohl stärker intonieren, das würde aber ein unmögliches Verhältnis der tieferen zu den höheren Tönen ergeben, da die höheren Töne von Haus aus eher hervorstechen als die tieferen. Außerdem wäre das für die Ohren des Spielers, die ja unmittelbar neben den Pfeifen sind, geradezu unerträglich. Wollte man einen schärferen Klang, müßte man höhere Aufschnitte und mehr Winddruck wählen, was wegen des zu großen Windverbrauches nicht wahrscheinlich ist und bei den auf den alten Bildern dargestellten Instrumenten auch ganz eindeutig nicht der Fall war. Man muß also sein Hauptaugenmerk darauf richten, daß die extrem engen tiefen Pfeifen überhaupt ansprechen und die extrem weiten hohen Pfeifen mit nicht zu vielen Nebengeräuschen erklingen. Die Möglichkeit, sich durch Regeln des Winddrucks mit der linken Hand intonationsmäßig den anderen Instrumenten anzupassen, ist von großer Wichtigkeit, auch kann man so den Klang sehr wesentlich beeinflussen. Zusammenfassend kann man sagen, daß das Portativ wohl das einzige mittelalterliche Musikinstrument ist, dessen Klang wir durch eine gewissenhafte Rekonstruktion einigermaßen genau erreichen können.

Relativ häufig verwendet wurde von der zweiten Hälfte des 15. Jahrhunderts an der stille *Zink*. Dieses problematische Instrument wurde immer als sehr schwer erlernbar bezeichnet. Den Klang dieses Instrumentes kann ich mir nach den in Museen erhaltenen Exemplaren des 16. Jahrhunderts, die meist verhältnismäßig leicht ansprechen, nur sehr geschmeidig und modulationsfähig vorstellen, vielleicht noch am ehesten einer Klarinette ähnlich.

Die *Harfe,* meist mit Darmsaiten bezogen, war wohl ziemlich leise und weich im Klang.

Von allen Blasinstrumenten am lautesten waren wahrscheinlich die *Schalmeien,* die aber in erster Linie zur Tanzmusik und
im Freien verwendet wurden. Ihr Klang war aber sicherlich
weder rauh noch vulgär. Ich hatte Gelegenheit, eine sehr
gute Aufnahme katalanischer Schalmeienbläser zu hören.
Wenn auch diese Instrumente den alten gegenüber schon
einigermaßen verändert sind, so stimmen sie doch in den
wesentlichen Punkten mit den alten Schalmeien weitgehend
überein; etwa in der Verwendung einer Pirouette am Rohr, in
den Mensuren und wahrscheinlich sogar in den Rohrblät-
tern. Ihr Ton ist sehr voll und ziemlich scharf, aber niemals
roh und keineswegs starr, wie dies von vielen Musikwissenschaftlern vom Schalmeienton behauptet wird, sondern
durchaus modulationsfähig. Die Spieler können also trotz
der Pirouette, einem Röllchen, das über das Rohr gesteckt
wird, sodaß nur ein Teil davon herausragt, den Ton mit den
Lippen beeinflussen, und zwar sehr wesentlich; das konnten
sie wohl auf den alten Schalmeien auch.
Zu Anfang des 15. Jahrhunderts etwa wurden aus den schon
längst verwendeten Trompeten die Zugtrompete und die
Posaune entwickelt, die von da an bis heute in nur wenig veränderter Form ein wichtiges Blasinstrument ist. Die frühesten uns erhaltenen Posaunen stammen aus dem 16. Jahrhundert, sie scheinen aber mensurmäßig den Instrumenten
des 15. Jahrhunderts, die wir nur von Bildern kennen, sehr
ähnlich zu sein, sodaß wir wohl auch auf ihren Klang
zurückschließen dürfen. Der Klang dieser Posaune, ich
denke besonders an ein Instrument aus dem Jahr 1551, das
ich, von einem hervorragenden Posaunisten gespielt, zu
hören Gelegenheit hatte, ist außerordentlich samtig und
cantabel. Der Ansatz des Tones ist sehr weich und voll, etwa
wie bei einer sehr alten Gambe. Die dynamischen Möglichkeiten sind größer als bei allen anderen Instrumenten jener
Epoche. Ich selbst besitze eine Posaune von etwa 1700, die
im Klang sehr ähnlich, in den Mensuren fast gleich dem
älteren Instrument ist. Der Bau und der Klang der Posaune
haben sich offenbar bis tief ins 18. Jahrhundert nicht wesentlich geändert.
Für die *Trompete* gilt weitgehend das bei der Posaune

Gesagte, nur mit dem Unterschied, daß ein sehr deutlicher Wechsel des Klanges von der Tiefe, wo der Ton scharf und schmetternd ist, zur Höhe, wo er sehr cantabel, viel leiser und fast streichend wird, zu beobachten ist. Das allerdings nur mit den originalen Mundstücken.

Wir sehen also, daß man sich schon eine gewisse Vorstellung vom Klang der Musik des Mittelalters und der Renaissance zu machen vermag, wenn auch diese Vorstellung sicher nicht genau mit den wirklichen, unwiederbringlich verlorenen und vergessenen Tönen jener Zeit übereinstimmen kann. Es bleibt also nicht sehr viel übrig vom scharfen und durchdringenden Klang, den so viele Musiker und Liebhaber sich für die mittelalterliche Musik vorstellen: Ein Großteil der am häufigsten verwendeten Instrumentenkombinationen, wie Fidel, Harfe, Blockflöte; Fidel, Portativ, Psalterium und andere, schließen diesen scharfen Klang auf jeden Fall aus. Die Verwendung von relativ scharfen Instrumenten, wie Schalmeien, ist wahrscheinlich auf ganz bestimmte Arten von Musik beschränkt und jedenfalls nicht als Normalfall zu bezeichnen.

Außerdem sind selbst diese Instrumente sicherlich bei weitem nicht so hart und rauh im Ton gewesen, wie man es heute vielfach annimmt. Und der vielumstrittene Zink? Die stillen Zinken, die für diese frühe Musik wohl in erster Linie in Frage kommen, haben einen ebenso weichen und um nichts lauteren Ton als etwa die Blockflöten; daß sie heute meist viel lauter klingen, liegt an den unzureichenden Kopien und an den Spielern, die das Instrument noch nicht genügend beherrschen. Anfänger spielen auf jedem Blasinstrument viel lauter, härter im Ansatz und rauher im Klang als fertige Bläser. Außerdem orientiert sich die heutige Renaissance des Zinkspiels derart am krummen Zink, daß der stille Zink entweder überhaupt nicht beachtet wird oder daß er wie ein krummer Zink, mit Mundstück, auf Trompetenart gespielt wird. Und die krummen und lauten Zinken gehören in eine Kategorie mit den Schalmeien.

Zur Bekräftigung meiner Überzeugung vom süßen und höchst qualitätvollen Klang der mittelalterlichen Musik einige Zitate: Walafried Strabo sagt im 9. Jahrhundert über die Orgel im Aachener Dom: »Süß war das Melos, das so auf die armen Sinne zu stürmen anfing, bis das Bewußtsein darüber verlor und selbst das Leben büßte ein Weib, vom Zauber des Klangs überwältigt.« Adam von Salimbene schreibt im 14. Jahrhundert: »In Pisa traf ich Mädchen und Knaben, die hatten Viellen, Zithern und andere Musikinstrumente, auf denen sie süßeste Weisen spielten, so daß es das Herz über die Maßen entzückte.« Giovanni da Prato sagt über Landini: »Der blinde Meister Francesco Landini begleitete auf dem Portativ seinen Gesang eigener Liebeslieder so süß, daß niemand unter den Hörern war, dem es bei der Holdseligkeit dieses wunderhaften Zusammenklanges nicht schien, als müsse sein Herz durch das Übermaß der erregten Freude die Brust sprengen.«

Diese und noch viele andere Beschreibungen zeigen uns nicht nur, daß die Musik damals mindestens ebenso wie heute die Zuhörer verzauberte und entzückte, sondern auch, und das ist für uns besonders wichtig und beherzigenswert, daß die Musiker damals ebensolche Menschen waren wie wir heute, daß in ihrem Aufführungsstil alles an Ausdruck und Empfindung war, dessen ein Mensch nur fähig sein kann, sicherlich aber nicht jene Objektivität, die man heute in falsch verstandener Ehrfurcht und Werktreue oft als besonders stilvoll fordert – wobei nur hölzerner Musealklang, aber niemals blutvolle, lebendige Musik entstehen kann.

Nachdem ich nun das mittelalterliche Instrumentarium und seinen wahrscheinlichen Klang besprochen habe, möchte ich nochmals auf den großen Wandel um 1500 hinweisen. In diese Zeit fallen einschneidende Veränderungen des Instrumentariums und der Klangvorstellung. Bis dahin liebte man Klangkombinationen aus ganz verschiedenartigen Instrumenten. Diese entsprechen in idealer Weise der burgundischen und der kompliziert polyphonen niederländischen Musik, deren Struktur so am schönsten deutlich gemacht werden konnte. Der zunehmenden Glätte der Kompositionstechnik entsprechend, wie sie für die Zeit nach Josquin kennzeichnend ist, wandte man sich dann homogeneren Klängen zu, die die mehr harmonisch betonte Klanglichkeit dieser Musik besser ausdrücken konnten. So wurden nun die

Instrumente familienweise vom Baß bis zum Diskant ausgebaut; die Blockflöten, die Gamben, die Posaunen und so
weiter. Diese Praxis ist dann für die Instrumentalmusik des
16. Jahrhunderts maßgebend und wird von Praetorius abschließend zusammengefaßt. Von den gotischen Musikinstrumenten scheiden um 1500 einige aus der Kunstmusik
aus: das Rebec, das Psalterium, das Portativ, der Dudelsack
und das Trumscheit. Die Fidel wird zur Lyra da Braccio
umgebildet, es entstehen die Gamben und Violen der uns
heute geläufigen Formen. Auch viele Blasinstrumente beginnen sich jetzt allgemein durchzusetzen: die Krummhörner
und Rankette, die krummen Zinken, die tieferen Pommern
und Blockflöten. Es ist wichtig, daß wir den Neueintritt
dieser Instrumente in die Musikpraxis vor Augen haben und
sie nicht für frühere Musik verwenden. Das gilt natürlich nur
für solche Instrumente, die keine unmittelbaren und ähnlich
gearteten Vorgänger haben, sondern wirklich neu hinzu-
kommen.

Welche Möglichkeiten haben wir nun, Musik der Gotik und
der Renaissance wiederaufzuführen? Hat es einen Sinn, zu
versuchen, auch das originale Klangbild wiedererstehen zu
lassen? Was ist auf diesem Gebiet schon gemacht worden und
mit welchem Erfolg? Meiner Überzeugung nach müssen wir
alles tun, was wir können, um diese Musik in einer Weise
wiederaufzuführen, die der ursprünglichen so nahe wie
möglich kommt. Ich bin ganz sicher, daß sich jede Kunst in
vollkommener Weise die Mittel schafft, die sie benötigt.
Damit will ich sagen, daß die Möglichkeiten der Komposition, der Notierung und auch der Wiedergabe (also das
Instrumentarium und die Spieltechnik) zu jeder Zeit für die
entsprechende Musik geradezu ideal waren. Alle Hypothesen
von unzulänglichen Instrumenten, schlechter Intonation,
mangelhafter Spieltechnik können widerlegt werden; sie
haben ihren Grund wohl in der Selbstüberschätzung der
meisten heutigen Musiker. Über die Tonqualitäten der alten
Instrumente habe ich schon gesprochen, und technisch
konnte man jedenfalls auf den Instrumenten alles einwandfrei herausbringen, was gefordert wurde. Immer wieder sind
die heutigen, sehr selbstbewußten Instrumentalisten über-

rascht, wenn sie Volksmusiker mit ganz einfachen Instrumenten, die den alten oft sehr ähnlich sind, die unglaublichsten technischen Schwierigkeiten mühelos meistern hören. Was auf den mittelalterlichen Instrumenten spielbar ist, kann man erst beurteilen, wenn man die Spieltechnik dieser Instrumente von Grund auf studiert, mit der gleichen Gewissenhaftigkeit, wie man sie beim Erlernen eines heutigen Instruments fordert. Leider wird dies fast nie gemacht.

Jedenfalls beweist ein Werk wie die Flötenschule von Silvestro Ganassi (1535), daß die damaligen Musiker alle Möglichkeiten dieses Instruments kannten und in selbst für heutige Begriffe geradezu unglaublich raffinierter Weise einzusetzen verstanden. An den erhaltenen historischen Blasinstrumenten, besonders an Blockflöten, kann man sehen, wie hervorragend die Alten ihre Instrumente ausstimmten. Die häufigen Klagen über unreine Intonation sind doch wohl ein Beweis dafür, daß man eine reine Intonation angestrebt und gehörsmäßig erfaßt hat. Wollte man etwa die heutige Musikpraxis beschreiben, dann müßte man auch die unreine Intonation vieler Musiker, ja ganzer Instrumentengruppen beklagen. Man kann natürlich zum Vergleich nur die Spitzenmusiker der jeweiligen Zeit heranziehen. Ein starkes Argument gegen die Vermutung, die Musiker hätten früher schlecht und unsauber gespielt, scheint mir auch in den Werken selbst zu liegen. Ich kann es mir nicht vorstellen, daß geniale Komponisten, die zudem immer selbst ausübende Musiker waren und deren Werke doch zweifellos für den Gebrauch ihrer Zeit bestimmt waren, ihre Werke wohl großartig komponierten, sie dann aber in mangelhafter Wiedergabe wieder entstellten; das ist doch wohl undenkbar.

Ein wenig beachtetes Gebiet ist die Frage der Stimmung. Für die Musik des Mittelalters und der Renaissance ist eine moderne gleichmäßige Temperatur nicht erwünscht. Sie wirkt bei dieser Musik hart und unbestimmt. In der Frühzeit der mehrstimmigen Musik, mancherorts wahrscheinlich bis ins 16. Jahrhundert, intonierte und stimmte man wohl pythagoreisch; das ergibt eine sehr schöne Melodik und völlig reine, entspannte Quint-, Quart- und Oktavklänge. Nur die Terzen sind zu groß und werden als Dissonanz empfunden und eingesetzt. Ab dem Ende des 14. Jahrhunderts etwa entdeckte man die sinnliche Schönheit der Terz. So verwarf man nach und nach die pythagoreische Stimmung zugunsten von terzenreinen Stimmungen, wie sie Henricus Arnaut von Zwolle (um 1440) und Arnolt Schlick (1511) beschreiben. Nun wirkte das Melodische etwas spröder, die Quinten und Quarten waren auch nicht mehr rein – aber um diesen Preis hatte man die absolut reinen Terzen und einen bis dahin nie gekannten Wohlklang gewonnen. Der klangliche Unterschied bei der Gegenüberstellung verschiedener Stimmungen – etwa der Pythagoreischen, der Schlickschen, der modern temperierten – ist sehr groß, und jeder musikalische Mensch, der so einen Vergleich hört, muß erkennen, daß die Musik jeder Stilrichtung, jeder Epoche in jener Stimmung, für die sie komponiert wurde, weitaus am besten und überzeugendsten klingt.

Musikinstrumente in der Kirche
und außerhalb der Kirche

Die Bedeutung der Musikinstrumente war in den Anfängen
der abendländischen Musik stetigen Wandlungen unterworfen. Die von Klerikern gesungene Kirchenmusik, direkte
Nachfolgerin antiken, vor allem orientalischen Kultgesanges,
wurde im frühen Mittelalter oft von zahlreichen Musikinstrumenten begleitet. Adelige und Mönche spielten in den
Klöstern und Pfalzen auf Orgeln, Flöten, Schalmeien,
Trompeten und vielerlei Schlaginstrumenten beim Gottesdienst. Später aber, zur Zeit des Rittertums, wurde das
Spielen von Musikinstrumenten vor allem von »fahrenden
Leuten« gepflegt, die sozial verachtet und korporativ als
sündhaft und ehrlos betrachtet wurden. (Der Spielmann
hatte nur »den Schatten einer Ehre«, um nach einer Beleidigung Genugtuung zu erlangen, durfte er nur den Schatten
seines Gegners züchtigen.) Die europäischen Musikinstrumente des Mittelalters waren teils direkt aus ihren antiken
Vorläufern entwickelt worden (Orgel, Harfe, manche Blas-,
Schlag- und Zupfinstrumente), teils waren sie durch vagie-
rende Gaukler oder auch durch Kreuzfahrer oder über das
maurische Spanien aus Kleinasien nach Europa gekommen.
(Die Laute und viele ihr verwandte Zupfinstrumente, ein
Großteil der Blasinstrumente, aber auch die Streichinstrumente – oder genauer gesagt, der Streichbogen, mit Hilfe
dessen Zupfinstrumente zu Streichinstrumenten umgewan-
delt wurden – waren, wie Werner Bachmann überzeugend
nachgewiesen hat, um die Jahrtausendwende aus dem Orient
übernommen worden.) Außerdem bildeten sich alle erdenklichen Mischformen. Alle diese Instrumente wurden von den
Spielleuten in erster Linie für Tanzmusik und zur Unter-
malung von Spielen und »Mummereyen« gebraucht. So
verband man mit dem Klang der Musikinstrumente bis in die
Neuzeit hinein heidnisch-schwelgerische Sinnlichkeit und
weltliches Vergnügen, die in der Kirche nichts zu suchen
hätten. Man wollte aber doch auch dort nicht auf die
festlichen und glanzvollen Instrumente verzichten und zog

sie immer wieder, wenn auch unter Protest der kirchlichen Behörden, heran. Nach und nach wurden diese Proteste spärlicher, der allgemeine Brauch stillschweigend toleriert.

Bis um 1500 wurde außer Tanzmusik kaum eigentliche Instrumentalmusik geschaffen. Das Improvisatorische, das Spielen aus der Eingebung des Moments heraus, kennzeichnet den Instrumentalsolisten oder Virtuosen, wie man ihn heute nennen würde. Wenn man aber mit einem Ensemble von Instrumentalisten musizieren wollte, was sehr häufig geschah, adaptierte man vorhandene Vokalwerke, indem man die einzelnen Stimmen durch improvisierte Hinzufügung entsprechender Verzierungen den technischen Möglichkeiten und der besonderen Spielweise der jeweils benutzten Instrumente anpaßte. Aus dieser Praxis entwickelte sich nach und nach ein eigener Instrumentalstil, vorerst noch ohne Unterscheidung der für bestimmte Instrumente typischen Idiome. So entstand im 16. Jahrhundert, besonders in Italien durch hier lebende Niederländer, die Form der Instrumentalcanzone, die später vom venezianischen Kreis der beiden Gabrieli formal, aber auch klanglich ausgebaut wurde. Waren die ersten Ricercari, wie man diese Canzonen zuerst nannte, etwa die Willaerts oder Palestrinas, eigentlich nur an der Textlosigkeit als Instrumentalmusik erkennbar, weil sie im durchimitierenden Satz der Vokalmusik jener Zeit geschrieben waren, so hatten die Meister um Gabrieli schon eine große Zahl von eindeutig instrumentalen Floskeln und Motiven entwickelt, ein Vokabular rein musikalischen textlosen Dialogs, das die echte Instrumentalmusik deutlich von der Vokalmusik scheidet. In den ersten Jahren des 17. Jahrhunderts finden sich bereits Werke mit konkreten, wenn auch niemals bindenden Besetzungsvorschlägen, und man kann auch schon typisch »bläserische« und »streicherische« Figuren unterscheiden. Auch die Doppel- und Mehrchörigkeit, eine besondere Errungenschaft venezianischer Klangregie, durch die der ganze Kirchenraum gleichsam von allen Seiten in Gesang gehüllt wurde (lebendige Stereophonie im 17. Jahrhundert!), wurde in der reinen Instrumentalmusik angewandt, man komponierte Instrumentalcanzonen, in denen zwei oder mehr Gruppen dialogartig miteinander musizierten. Dabei wurden diese Gruppen einerseits räumlich getrennt, andererseits klanglich voneinander abgesetzt, etwa indem man die eine Gruppe mit Bläsern, die andere mit Streichern besetzte, oder man trennte Gruppen mit hohen und tiefen Instrumenten. – All diese neuentdeckten Möglichkeiten instrumentalen Musizierens wurden, zuerst von Andrea und Giovanni Gabrieli, in großen mehrchörigen Motetten in die Vokalmusik eingebaut. Zwar hatte man auch schon vorher gelegentlich Instrumente die Singstimmen mitspielen lassen, aber dies war nun etwas ganz anderes: Die verschiedenen Gruppen sollten durch die mannigfaltigsten Kombinationen von Chören und Solosängern mit Instrumenten eine bis dahin nie gehörte Farbigkeit und Abwechslung in diese Raummusik bringen.

Die große Neuerung um 1600

Eine der radikalsten Umwälzungen in der Musikgeschichte vollzog sich um 1600. Hier wurde plötzlich die geheiligte Ordnung der abendländischen Musik durch einen bizarren Kreis von einflußreichen Altertumsforschern oder, besser gesagt, vermeintlichen Altertumserneuerern in Frage gestellt.

Bis dahin war die geistliche und weltliche Musik, waren die Motetten und Madrigale, prinzipiell mehrstimmig, gelegentlich homophon, in der Hauptsache aber polyphon, in durchimitierendem kontrapunktischem Stil geschrieben. Der Text war meist unverständlich, weil die Worte von den verschiedenen Stimmen nicht gleichzeitig erklangen. Er war auch keineswegs die Hauptsache; das eigentliche Kunstwerk war die raffinierte Relation der einzelnen selbständigen Stimmen zueinander, das komplizierte polyphone Gebilde. Diese Werke konnten ohne weiteres auch mit einem anderen Text gesungen werden, oder sie bildeten, textlos, die Basis für reine Instrumentalmusik, wobei die Instrumentalisten sie durch Abwandlungen und Verzierungen in ihr jeweiliges Idiom übersetzten. Diese höchst verfeinerte und weitgehend esoterische Musik kann man als Gipfel- und Endpunkt einer nahezu zweihundertjährigen Entwicklung ansehen.

Nun wurde plötzlich, von einem primär historisch orientierten Kreis in Florenz, der »Camerata« der Grafen Bardi und Corsi, behauptet, man habe die einzig wahre Musik entdeckt. Die griechischen Dramen, Zentrum der »Forschungsarbeit« jenes Kreises, seien im Altertum melodramatisch, gesungen, aufgeführt worden, und weil ja alles, was die alten Griechen kulturell gemacht hatten, als unübertreffbares Vorbild betrachtet wurde, behauptete man radikal, das »Melodramma«, die Monodie, sei die einzig richtige Musik. Doch damit nicht genug, man stellte sofort strenge Regeln auf (etwa Caccinis »Le Nuove Musiche«), nach denen einzig die Poesie Herrin der Musik sei, nach denen nur bestimmte Texte – die den klassischen Dramen und Hirtenspielen nachgebildet waren – würdig zur

Komposition waren, und schließlich verdammte man die gesamte damals gültige polyphone Musik als barbarisch und textzerstörend.

Natürlich konnte eine Idee, die Sprache und Musik als ein und dasselbe sieht, nur in einem Land wie Italien entstehen, wo die Sprache wirklich einen sehr melodramatischen und gesanglichen Zug aufweist. Dennoch muß es uns heute aufs höchste erstaunen, wie man eine hochentwickelte, reiche und in höchster Blüte stehende Musik, wie es die Madrigal- und Motettenkunst damals war, einfach wegwerfen, zerstören wollte, um das Phantom des rezitierenden Gesanges als einzig wahre Musik zu etablieren. Die Propagandaschriften der Camerata und ihrer bald zahlreichen Anhänger zeigen uns, mit welch revolutionärem Elan man am Werk war. Die Dogmen der neuen Richtung waren bei weitem strenger als die strengsten Regeln des traditionellen Kontrapunktes, die man bekämpfte. Die »Neue Musik« sei prinzipiell einstimmig, die Sprachmelodie bestimme das Melos, der begleitende Baß (Basso continuo) dürfe nur einfache Harmonien beisteuern, um bestimmte Worte hervorzuheben, aber niemals »musikalisch« Aufmerksamkeit erregen. Man müsse die Sprechweise der verschiedenen Volksschichten studieren und in den neuen Werken imitieren. Ein größerer Gegensatz als der zwischen der damals traditionellen Musik und der neuen Monodie ist nicht denkbar, es ist die wohl radikalste Revolution in der abendländischen Musikgeschichte.

Nun wäre aber das zu zerstörende Alte allzu stark und das als das einzig Wahre gepriesene Neue allzu schwach gewesen, um aus eigenem eine entscheidende Umwälzung zu bewirken, wenn nicht das größte musikalische Genie der Zeit, Claudio Monteverdi, die zukunftweisenden Möglichkeiten der neuen Richtung erkannt hätte. Er dachte gar nicht daran, die bedeutenden Errungenschaften des Alten Stils aufzugeben, aber er fand Wege, die neuen Ideen des Sprechgesanges zum dramatischen Rezitativ und zur Arie zu formen, und wurde so zum eigentlichen Schöpfer der Oper. Dabei vereinigte er alle damals bekannten Formen von Vokal- und Instrumentalmusik mit den zukunftsträchtigen

Grundideen der Florentiner Reformer, ohne sich durch deren Dogmen irritieren zu lassen.

Monteverdi benützte das alte vielstimmige Madrigal, dessen unerreichter Meister er war und blieb, für die Chöre seiner ersten Oper. In der Instrumentation ließ er sich vom überreichen Orchester der Intermedien (musikalischer Zwischenspiele zu Theaterstücken) inspirieren. Diese Intermedien hatten gegen Ende des 16. Jahrhunderts die eigentlichen Theaterstücke derart an den Rand gedrängt, daß sie selbst zur Sensation der Aufführung wurden; und dies vor allem wegen der unglaublich üppigen Orchesterbesetzung. Hier wurde alles aufgeboten, was es damals an Klängen gab: sämtliche Arten von Streichinstrumenten, wie Violinen, Gamben, Lyren, eine Vielzahl von Lauten und gitarreähnlichen Zupfinstrumenten, die mit Darm- oder Metallsaiten bespannt waren, Cembali, Virginale, Harfen, verschiedene Arten von Orgeln, Regale und ein enormes Blasorchester von Block- und Querflöten, Schalmeien vom Diskant bis zum Baß, Zinken und allen Arten von Blechblasinstrumenten. Diese Vielfalt an Klängen ist für heutige Begriffe kaum vorstellbar, sie übertrifft bei weitem die des spätromantischen Symphonieorchesters. Monteverdi war der letzte, der in seinem »Orfeo« dieses Orchester benutzte. So ist dieses Werk auch insofern besonders interessant, als darin die gesamte Klangpalette der Renaissance ebenso wie die neuesten Ideen des Sologesanges zur Anwendung kommen.

Zwischen »L'Orfeo« und Monteverdis erhaltenen Spätopern gibt es kein Bindeglied, da nahezu alle seine in den dazwischenliegenden dreißig Jahren geschriebenen dramatischen Arbeiten verlorengegangen sind. In »Il Ritorno d'Ulisse« und »L'Incoronazione di Poppea« herrscht eine völlig andere Klangwelt: das bunte Intermedienorchester ist verschwunden, statt dessen gibt es ein Begleit-(Continuo-)Orchester auf der Basis einer Streichergruppe mit wenigen Blasinstrumenten und einigen Akkordinstrumenten für die Rezitativ- und Arienbegleitung.

Zur Klangaesthetik: Ist häßlich schön?

Monteverdis Äußerungen (in seinen Briefen) sagen uns einiges über seine Vorstellung von vokaler und instrumentaler Tonbildung. Wir gehen ja heute grundsätzlich davon aus, daß der musikalische Klang *schön* sein soll, ein Klang ohne Nebengeräusche und Fehler. Ich bin aber überzeugt davon, daß der Hauptakzent bei Monteverdi auf der musikalischen Wahrheit, auf der optimalen Ausdeutung des Textes, des Wortes liegt, nicht auf der bloß klanglichen Schönheit. Um diese musikalische Wahrheit in Klänge umzusetzen, gibt es keine aesthetischen Grenzen. Es ist nicht möglich, mit dem Instrumentarium, das wir kennen, und mit dem, was wir über die Behandlung der Singstimme zur damaligen Zeit wissen, anzunehmen, daß der schöne, der absolut makellose Klang das Ideal war. Sehr häufig kann man doch mit einem Geräusch, mit einer Komponente von Häßlichkeit, dramatische Wahrheit viel eher erreichen als mit fehlerfreier Klangschönheit. Das ist heute vielleicht wieder leichter zu verstehen, weil wir in der modernen Musik ja auch nicht unbedingt und stets nach absoluter Tonschönheit streben.

Es gibt leider nur wenige Beschreibungen (darunter einige Monteverdis), wie die Klänge des damaligen Instrumentariums angewendet wurden. Doch diese wenigen sind schon so interessant, daß man sagen kann, die Schönheit des Klanges war in jedem Fall der dramatischen und musikalischen Wahrheit untergeordnet. Es ist auch bestimmt vom Standpunkt der allgemeinen Aesthetik her richtig, daß Schönheit viel stärker wirkt, wenn sie aus Häßlichkeit entsteht. Das ist ein um diese Zeit neues Prinzip; wir finden es auch in der Dissonanzbehandlung von Monteverdi, die ebenfalls ganz neuen Prinzipien folgt: Die Auflösung einer Dissonanz in eine Konsonanz soll im Zuhörer nach einem Gefühl der Spannung oder Beklemmung eine Erleichterung hervorrufen; ein Stück kann nun durchaus mit einer frei einsetzenden Dissonanz, gleichsam einem Blitz aus heiterem Himmel, beginnen – bis dahin unerhört! So ein Wechsel der Affekte wird nun ganz bewußt eingesetzt. Dasselbe Element der

Kontrastwirkung wird auch im rein Klanglichen angewandt. Dies geht schließlich so weit, daß Monteverdis Schüler in ihren Kompositionen gelegentlich besondere Effekte verlangen, wie man sie in Instrumentalstücken erst wieder im 20. Jahrhundert kennt, zum Beispiel das Streichen hinter dem Steg eines Saiteninstrumentes, wo man keinen bestimmten Ton, sondern nur ein kreischendes Geräusch erzeugen kann, oder das Klopfen mit dem Bogen auf ein Streichinstrument. Von Monteverdi selbst erfahren wir wohl nur deshalb wenig über solche Dinge, weil er uns nur sehr wenige Partituren hinterließ. Er leitete ja normalerweise die Aufführung seiner Werke selbst, ansonsten überließ er wohl die Einzelheiten der Ausführung den Musikern.

Über die Sänger sind wir natürlich noch weniger informiert. Doch können wir, wie ich glaube, aus Äußerungen Monteverdis schließen, daß auch für sie die Textinterpretation derart im Vordergrund stand, daß sie über die Schönheit der Stimmbehandlung gestellt wurde. Ich entnehme das auch daraus, daß, als Reaktion auf den dramatischen Sprechgesang, ungefähr in den letzten zehn Jahren von Monteverdis Leben das Belcanto erfunden wurde, als ob man dem echten melodischen Gesang den ihm gebührenden Platz wiedergeben wollte. Wahrscheinlich ist die Demonstration der reinen Textwahrheit von den Sängern zeitweise so übertrieben worden, daß sie schließlich zuletzt gar nicht mehr richtig sangen und, als Reaktion darauf, das Pendel dann in die andere Richtung ausschlug.

Monteverdi – heute

Monteverdi war eine schillernde, komplizierte Persönlichkeit, mit seinen genialen Einsichten sprengte er die Konventionen der schulmäßigen Musik. Er hatte das majestätische Selbstbewußtsein und die Sicherheit des Genies. In seinem langen Leben machte er einige große stilistische Veränderungen mit. Die wichtigste von allen war der Übergang von der Renaissance in das Barock. Er selbst war in vorderster Linie an allen diesen Stilwandlungen beteiligt.

Es ist kein Wunder, daß der neue Stil der persönlichen Emotionen, der grandiosen gebändigten Formlosigkeit gerade in Italien entstand. Von allen europäischen Nationen haben die Italiener das extrovertierteste Temperament, südliche Diskussionsfreude, eine herrliche Sprache, die schon nahezu Gesang ist, und glühende Leidenschaftlichkeit. Wir können italienische Musik viel besser verstehen, wenn wir die italienischen Menschen, die italienische Landschaft, das italienische Klima kennen.

Nun eine entscheidende Frage: Wenn wir uns mit Monteverdi und seinem Werk beschäftigen, müssen wir uns überlegen, was uns seine Musik bedeutet, was sie uns *heute* noch sagen kann. Hat sie nur den exotischen Reiz der »Alten Musik«, oder geht sie uns direkt etwas an? Es wäre vollkommen sinnlos, mit dem Interesse von Musikhistorikern oder Museumsmenschen *diese* Musik kennenlernen und verstehen, als »Alte Musik« aufführen zu wollen. Wir sind gegenwärtige, lebendige Musiker, keine Altertumsforscher; wir können nur Musik machen, die uns etwas sagt, die wir für wichtig halten. Monteverdi war ein leidenschaftlicher Musiker, ein kompromißloser Neuerer in jeder Hinsicht, ein durch und durch moderner Komponist. Er war ein erbitterter Feind alles Antiquierten, er hätte kein Verständnis für die Wiedererweckung von »Alter Musik«. Für uns ist Monteverdis Musik eben deshalb so interessant, weil sie niemals Alte Musik werden kann, sondern stets glühende, lebendige Musik bleibt.

Natürlich wollen wir die Erkenntnisse der Aufführungspraxis kennenlernen, den Sinn von Monteverdis Aufführungsbedingungen, aber wir wollen uns nicht in einen falschen Purismus flüchten, in eine falsche Objektivität, in falsch verstandene Werktreue – Monteverdi will das nicht, er ist ein Vollblutmusiker, und er ist Italiener. Also bitte keine Angst vor Vibrato, vor Lebendigkeit, vor Subjektivität, vor heißer Mittelmeerluft, aber *bitte viel Angst* vor Kälte, Purismus, vor »Objektivität« und leerem Historismus. Wir müssen die echten musikalischen Anliegen Monteverdis wieder verstehen und selbst zu lebendiger Musik machen können. Wir müssen als Musiker versuchen, das, was an Monteverdi aktuell war und was bestimmt für alle Zeiten aktuell bleiben wird, wieder neu zu sehen, es neu zu beleben, es mit unserem Gefühl, unserer Mentalität des 20. Jahrhunderts wiederzugeben – denn ins 17. Jahrhundert wollen wir bestimmt nicht zurückgehen. Die Erforschung der Aufführungspraxis ist sicherlich sehr wichtig, um zu einem wirklichen Verständnis zu gelangen. Wir müssen ja die Vielfalt der Möglichkeiten erkennen, um die für uns richtigen herauszufinden. Das bedeutet: Wir müssen versuchen, soviel wie möglich von dem zu verstehen, was Monteverdi wollte, um zu finden, was wir mit ihm wollen.

Werk und Bearbeitung –
die Rolle der Instrumente

Eine Oper aufzuführen, bedeutet heute offenbar nichts weiter, als die geeigneten Sänger zu verpflichten, einen kompetenten Dirigenten, einen Regisseur – und dann das Werk genau nach den Angaben des Komponisten zu realisieren. Das ist kein großes Problem, die Partituren Puccinis, Richard Strauss', Wagners, Verdis, Webers und Beethovens enthalten im großen und ganzen alles Wissenswerte. Jeder Ton ist vom Komponisten einem bestimmten Sänger, einem bestimmten Instrument zugewiesen, jeder weiß genau, wann er was zu spielen oder zu singen hat. So kann man das *Werk* auch in der extremsten Interpretation ohne weiteres erkennen.

Wenn ein Dirigent nun eine gänzlich andere, persönliche Klangvorstellung an solch einem Werk realisieren wollte – etwa die Gesangsstimme verzierend abändern, die Instrumentation und die Harmonisierung radikal verändern –, man würde dies nicht tolerieren, man würde es als einen Eingriff in das Kunstwerk, als eine unverzeihliche Zerstörung des vom Komponisten Gewollten und Geforderten ansehen. Man würde es beispielsweise nicht dulden, wenn jemand Wagners »Meistersinger« mit einem Orchester von Klavieren, Harfen, Gitarren, Saxophonen, Vibraphon, Harmonium, Celesta und Mandolinen aufführen würde. Es wäre wohl kaum möglich, der Fachwelt und dem Publikum die künstlerische Notwendigkeit derartiger Veränderungen plausibel zu machen. Die Autorität des Komponisten und die Unantastbarkeit des Werkes kann keinesfalls in Frage gestellt werden.

Gänzlich anders ist die Situation bei früheren Opern, etwa den Werken des 17. Jahrhunderts. Hier dulden wir nicht nur die eingreifende Bearbeitung, wir akzeptieren sie als selbstverständlich, da sie vom Werk her geradezu gefordert wird. Die Voraussetzungen sind offenbar grundverschieden. Daher wird, wo immer Opern, Oratorien oder andere musikalische Werke des 17. Jahrhunderts aufgeführt werden, auf eine

»Bearbeitung«, »musikalische Einrichtung«, »Instrumentation« oder wie man es jeweils nennt, hingewiesen. Der unbefangene Hörer wird sich wohl oft fragen, ob man diese Werke denn nicht unbearbeitet, so wie sie komponiert sind, aufführen kann. Müssen sich denn gerade bei solcher Musik heute immer noch irgendwelche »Bearbeiter« zwischen den Komponisten und den Hörer schieben – zu einer Zeit, in der nahezu die gesamte klassische Musik und sogar ein Teil der vorklassischen von allen Bearbeitungszutaten, scheinbaren Verbesserungen und Retuschen gereinigt zu hören ist? Hat denn der allgemeine Trend zur Werktreue, zur Ehrfurcht gegenüber dem Komponisten, ausgerechnet die großen Meister des 16., 17. und 18. Jahrhunderts ausgeklammert?

Die Beantwortung dieser Frage ist nicht einfach. Sie setzt Überlegungen und Stellungnahmen voraus zur geschichtlichen Wandlung der Begriffe: Werk, Komposition und Wiedergabe. Die Idee der »Werktreue«, in den letzten fünfzig Jahren zur Richtschnur erhoben, geht davon aus, daß jeder Komposition – mit nur geringfügigen Abweichungen – eine einzige ideale Wiedergabe entspreche, daß also jede Wiedergabe desto besser sei, je näher sie diesem Ideal komme. Diese Theorie mag für einen Teil der Musik des 19. und 20. Jahrhunderts gültig sein. Die Komponisten dieser Zeit haben ja versucht, ihre Absichten bis in die letzten fixierbaren Details festzulegen, um so den Raum für die Willkür der Interpreten auf ein Minimum zu reduzieren. Eine volle Einheit von Werk und Wiedergabe in diesem Sinne kann es allerdings nur in der schöpferischen Improvisation geben, wenn also Komponist und Interpret identisch sind.

Das Problem der »Werktreue« bezüglich älterer Musik ist dadurch belastet, daß unsere musikalische Erziehung und Ausbildung vorwiegend anhand der Werke der Spätromantik sowie des frühen 20. Jahrhunderts erfolgt ist und noch erfolgt, also eben jener Werke, deren Aufführungsweise vom Komponisten in größtmöglichem Ausmaß vorgeschrieben worden ist. Daß die Musik früherer Epochen unter anderen Voraussetzungen geschrieben wurde, daß für sie die Relation von Werk und Aufführung eine andere sein kann, muß erst erarbeitet werden. Eine gefährliche Verschleierung dieser

Probleme entsteht durch die Notenschrift: diese strahlt, wie jede Schrift, eine geradezu magische Suggestion auf den Leser und Interpreten aus. Die für verschiedene Epochen fast identische Notenschrift suggeriert, trügerisch, Sicherheit; sie kann folgenschwere Irrtümer in der Dynamik, in der Tempowahl, in der »emotionalen Behandlung« der einzelnen Stile verursachen. Sie kann, da in klassischer und vorklassischer Musik Ausdrucksbezeichnungen seltener sind oder sogar gänzlich fehlen, die emotionale Austrocknung dieser Musik auf dem Gewissen haben. Bei genauerer historischer Betrachtung müssen wir erkennen, daß unsere Notenschrift in keiner Epoche jene Eindeutigkeit besitzt, von der so viele Komponisten und Musiker träumen. Ist es nicht überraschend und schockierend, daß *alle* wichtigen Details, wie absolute und relative Tonhöhe, Tondauer, rhythmisches Verhältnis, Dynamik und so weiter, nicht eindeutig dargestellt werden können? Das Verständnis der Notenschrift ist von einer ungeschriebenen *Konvention,* einer Übereinstimmung zwischen Komponisten und Interpreten abhängig, die den Schlüssel für ihr gegenseitiges Verhältnis bildet.

Vereinfacht gesagt: Wir haben jahrzehntelang in gutem Glauben die gesamte abendländische Musik nach den Konventionen der Zeit etwa von Brahms gelesen und aufgeführt. Dabei kam es zu zwei prinzipiell verschiedenen, ja geradezu extremen Auslegungen, denen die gleichen Voraussetzungen, ja paradoxerweise sogar dieselbe Geisteshaltung zugrunde liegt: entweder wurden die »fehlenden« Bezeichnungen (Dynamik, Espressivo, Tempi, Besetzung) hinzugefügt, oder es wurde »werktreu« und »objektiv« lediglich das musiziert, was geschrieben ist. Unser Ziel hingegen muß sein, herauszufinden, was *gemeint* ist.

Da Opern des 16. und 17. Jahrhunderts seit einigen Jahren nun öfter aufgeführt werden, ist es wohl interessant, die Fragen der Bearbeitung, der adaequaten Aufführungspraxis und ihre Lösungsversuche zur Diskussion zu stellen. Als die Oper um 1600 in Florenz praktisch erfunden wurde, ging man davon aus, daß die griechische Poesie, vor allem natürlich die Dramen, in einer Art von Gesang »rezitiert« worden waren, und wollte diese Aufführungsart neu beleben. Es ging darum, griechische Dramen oder auch graecisierende Dramen lebender Dichter in – so glaubte man – authentischer Weise, zur Laute oder zum Cembalo, zu rezitieren. Die richtige Ausführung dieses neuerfundenen dramatischen Sologesanges wurde von Anfang an sehr genau, geradezu dogmatisch, beschrieben. Es hatte ja bis dahin ausschließlich mensurierte mehrstimmige Musik gegeben; jetzt wurde plötzlich vom Sänger verlangt, nur von der *Sprache* auszugehen (». . . wegen der jetzigen Gewohnheit und styli im Singen da man componiret und singet, gleichsam, als wenn einer . . . daher recitirte . . .«). Dieser Sprechgesang (die Monodie) wurde ungefähr nach dem Sprachrhythmus und der Sprachmelodie notiert, wobei aber immer wieder darauf hingewiesen wurde, daß es hier keinen Takt, sondern eben nur die Sprachbetonungen gebe und daß die Notation im $^4/_4$-Takt eine lediglich orthographische Notwendigkeit darstelle. Für dieses singende Sprechen (recitar cantando), durch das Ausdruck und dramatische Überzeugungskraft der *Sprache* gesteigert werden sollten, mußte eine gemäße Begleitungsart gefunden werden. Jeder musikalisch anspruchsvolle Baß, etwa im Sinne einer Gegenstimme zur Gesanglinie, würde ja von der Sprache ablenken, gleichsam die musikalische Seite – im Sinne der neuen Idee ungebührlich – verstärken. So wurde eine einfache akkordische Art des Begleitens üblich. Diese Art der Gesangsbegleitung war die vorerst wichtigste Aufgabe des »Generalbasses«. In diesem Stil ist sowohl die Ausführung der Gesangsstimme (vor allem rhythmisch), als auch die des Generalbasses (Wahl des Instrumentes, der Akkorde, des Rhythmus) auf vielerlei verschiedene Art *im Sinne des Komponisten* möglich.

Für die Begleitung dieser Rezitative gab es sehr genaue Ausführungsvorschriften, an die sich auch Monteverdi hielt; es durften nur Lauten, Cembalo, Orgel oder ähnliche Instrumente verwendet werden. Ein den Baß verstärkendes Cello kam nur dann in Frage, wenn die Baßlinie bedeutend hervorgehoben werden sollte. Lediglich besondere Situationen durften durch besondere Instrumentation hervorgehoben werden. Diese sparsame Begleitung war auch technisch notwendig, weil der rezitierende Gesang frei, also ohne strengen Rhythmus und vor allem ohne das skandierende Metrum schwerer und leichter Taktteile, auszuführen war.

Selbstverständlich muß der gesamte *Satz,* also alles, was auf den Akkordinstrumenten über dem Baß gespielt wird, improvisiert, also frei hinzugefügt werden. Es war eine der wichtigen Neuerungen des Übergangs der Musik vom 16. zum 17. Jahrhundert, daß plötzlich die Außenstimmen eine viel größere Bedeutung erhielten als das, was dazwischen liegt. Damit besteht nun die eigentliche Komposition in der Erfindung der Außenstimmen, und alles übrige kann und muß der Continuospieler selbst frei improvisierend bestimmen. Diese notwendige schöpferische Bearbeitung gehörte aber nicht zum »Werk«, sondern zur Aufführung. Diese Teilung in Werk und Aufführung war ein wesentlicher und neuer Aspekt der damaligen Musik.

Da also eine im heutigen Sinn exakte Instrumentation weder für das Continuo noch für das übrige Orchester üblich war, gab es eine Einteilung aller Instrumente in »Fundament«- und »Ornament«-Instrumente, die neben assoziativen Begründungen die tatsächliche Anwendung der Instrumente regelte. Die Fundamentinstrumente waren geeignet für die Ausführung des Generalbasses, auf ihnen wurden sowohl die Baßlinie als auch die füllenden und das harmonische Geschehen erläuternden Harmonien gespielt. Selbstverständlich improvisierend; das heißt, auch dort, wo nur Fundamentinstrumente begleiteten, ist die akkordische oder motivische Begleitung Sache der *Aufführung,* nicht der Komposition. (Diese Fundamentinstrumente sind, wie schon erwähnt, Cembalo, Virginal, Orgel, Harfe, Laute, Chitarrone und andere.)

Die Instrumente, auf denen man Einzelstimmen spielen konnte, nannte man Ornamentinstrumente (dazu gehören sämtliche Streich- und Blasinstrumente, aber auch Harfe und Laute, wenn sie melodisch und nicht akkordisch eingesetzt wurden). Die Baßlinie wird heute normalerweise stets von einem Fundamentinstrument (etwa dem Cembalo) *und* einem Ornamentinstrument (etwa Violoncello) gespielt; diese Verwendung entspricht dem Usus des 18. Jahrhunderts. In den

Anfängen der Generalbaßmusik (nach 1600) ließ man zwar auch häufig ein Streich- oder Blasinstrument (Violoncello, Violone, Dulzian, Posaune) den Baß mitspielen, aber nur dann, wenn er *motivisch,* von der Bewegung her, etwas zu »sagen« hatte; lediglich dem Sprechgesang unterlegte Stützakkorde hatte das jeweilige Fundamentinstrument alleine zu spielen.

Die Rolle der Ornamentinstrumente ist heute umstritten. Beschreibungen aus dem 17. Jahrhundert zeigen, daß der Ausbildungsstand der Berufsmusiker derart hoch war, daß man ihnen die Improvisation mehrstimmiger Sätze (wahrscheinlich mit einfachen Imitationen und unkomplizierter Harmonik bei tolerierten leichten Satzfehlern) durchaus zutrauen konnte. Jedenfalls dürften Skizzen und Notizen und eventuell auch Handzeichen des Kapellmeisters bereits ein einigermaßen geordnetes Musizieren kleiner Opernorchester ermöglicht haben. In der damaligen Zeit liebte man es, Besonderheiten der Kunst geheimzuhalten. So scheint es verständlich, daß keinerlei Aufführungsmaterialien, nicht einmal alle Ritornelli, vollstimmig ausgeschrieben erhalten sind. Die Bibliotheken bewahren nur, wie schon gesagt, das Grundkonzept der Werke.

Es gilt also zunächst, die Continuoinstrumente entsprechend den Figuren und dramatischen Situationen auszuwählen und aufzuteilen. Sie können nach zwei Prinzipien eingesetzt werden. Erstens: Jede der handelnden Personen wird stets von demselben Instrument begleitet. Zweitens: Eine bestimmte dramatische Situation wird mit bestimmten Instrumenten gezeichnet. Für die Verwendung der Ornamentinstrumente geben die Abstufungen zwischen dem reinen Sprechgesang auf einfachsten Stützakkorden über ariose Zwischenformen auf motivischen Bässen bis zu größeren arienartigen Formen deutliche Hinweise. Im Sprechgesang begleitet das Fundamentinstrument allein, so einfach wie möglich (der Hörer darf nicht durch die Kunst und Phantasie des Continuisten vom Wort abgelenkt werden, weder Cello noch Dulzian spielen mit). Bei ariosen Zwischenformen wird das Continuo reicher, doch stets improvisatorisch ausgeführt, ein oder mehrere Streich- oder Blasinstrumente zeichnen die Baßlinie als Gegenkontur zur Gesangslinie. Bei den größeren arienartigen Formen wird das Continuo sozusagen von Ornamentinstrumenten zusätzlich ausgeführt, hier spielt also das Orchester die Begleitung mit. Der Satz ist so einfach wie möglich, er darf niemals von der Hauptsache, Gesangsstimme und Baß, ablenken, muß aber doch klangliche Abwechslung zu den reinen Generalbaßstellen bieten. Außer diesen Formen gibt es noch das von Monteverdi in seinem »Combattimento di Tancredi e Clorinda« (1624) erfundene *Concitato*, ein von Instrumenten begleitetes Accompagnato-Rezitativ für wilde, zornige Stellen.

Für die Wahl der Instrumente hatte sich schon seit den Intermedien des 16. Jahrhunderts eine gewisse Assoziationssymbolik entwickelt: zärtliche und raffinierte Affekte mit Streichern (im Concitato auch für Zorn), pastorale und folkloristische mit Blockflöten und Schalmeien, erotische mit Flöten; Wassergötter, Tritonen sowie Unterweltklänge wurden mit Zinken und Posaunen, Götter und Herrscher mit Trompeten assoziiert. Monteverdi schreibt ausdrücklich in einem Brief: Wenn das Meer eine Rolle spiele, müsse man selbstverständlich Posaunen und Zinken nehmen. Vielleicht ist der hohle Klang dieser Instrumente wirklich eine sehr schöne Assoziation für Wasser – für den damaligen Hörer muß das jedenfalls eine Selbstverständlichkeit gewesen sein.

Eines der meistdiskutierten Probleme bei der Aufführung älterer Musik ist der Komplex der Improvisation und Verzierung. Es scheint, daß hier bei heutigen Aufführungen im Bestreben nach größtmöglicher Authentizität oft des Guten zuviel getan wird. Continuospieler demonstrieren kontrapunktische Fleißaufgaben, die zwar gelegentlich sehr kunstvoll, aber nur selten stilistisch und dramaturgisch passend ausfallen. In ganz besonderem Maß gilt das für die Frühzeit des Barock. Für improvisatorische Verzierungen der Sänger gibt es zwar zahlreiche Schulwerke, doch finden sich, gerade die Werke Monteverdis betreffend, mahnende Stimmen von Zeitgenossen, dem Notentext nichts oder nur möglichst wenig hinzuzufügen. Tatsächlich hat Monteverdi mehr Verzierungen selbst ausgeschrieben als jeder andere

Komponist seiner Zeit. Man könnte daraus schließen, daß er dort, wo er keine Verzierungen schrieb, nur sehr wenige gesungen haben wollte. In »L'Orfeo« finden wir sehr viele Verzierungen ausgeschrieben. Eine große »Arie« des Orfeo schreibt er einmal mit, einmal ohne Verzierungen; letzteres ist vielleicht als Version für einen Sänger gedacht, der diese schweren Verzierungen nicht ausführen konnte. Für Improvisation oder sonstige Freiheiten der Interpreten blieb in »L'Orfeo« im Vergleich zu den erhaltenen Spätopern wenig Raum. Die Regeln Caccinis gelten auch hier: daß Verzierungen nur dort anzubringen seien, wo dadurch die musikalische Aussage verstärkt werde.

Eine Oper Monteverdis oder seiner Zeitgenossen kann also heute ebensowenig wie damals ohne Bearbeitung, ohne musikalische Einrichtung aufgeführt werden. Heute muß ja jeder Musiker die von ihm zu spielenden Noten genau vorgeschrieben bekommen. Da er normalerweise als Orchestermusiker Werke aller Stilepochen zu interpretieren hat, ist er in keiner davon so zu Hause, daß er improvisierend einwandfrei geformte Gegenstimmen erfinden kann. So muß die Improvisation heute dort, wo sie über das relativ einfache Verzieren hinausgeht, ausgeschrieben werden. Die Notwendigkeit einer Bearbeitung kann aber leicht mißverstanden werden: Die Zeitgenossen Monteverdis hatten kaum Probleme dieser Art, da fast jeder Musiker ein mündiger Komponist und Theoretiker war, der genau wußte, was er zu tun hatte; sie waren nicht einfach Instrumentalisten oder Sänger, sondern Musiker im weitesten Sinne: Sie konnten komponieren und sich frei musikalisch-rhetorisch ausdrücken, und sie *wollten* dies auch. Man konnte ihnen nicht einfach detailliert ausgearbeitete Kompositionen zum Abspielen oder einen gegebenen Notentext zum Reproduzieren vorlegen. Schöpferische Improvisation war eine Selbstverständlichkeit, die Symbolik der Instrumentation war allgemein bekannt und bedurfte keiner Erläuterung. Die Sparsamkeit der Angaben in der alten Partitur ermöglichte es jedem Musiker, das Werk seinen Verhältnissen anzupassen, es mit den Mitteln aufzuführen, die zur Verfügung standen.

Die Notwendigkeit einer Bearbeitung also war den Wiederentdeckern der Barockoper klar, wenn man so ein histo-
risches Werk überhaupt aufführen wollte. Nun reicht das
Ausmaß der Möglichkeiten im 19. und 20. Jahrhundert, in
dem man die Musikdramen Wagners, die Opern Puccinis im
Ohr hat, natürlich viel weiter als in Monteverdis Zeit, in der
man ausschließlich Musik von Zeitgenossen kannte. Man ist
also heute, anders als vor 350 Jahren, durchaus in der Lage,
aus einer Oper Monteverdis mittels der Bearbeitung und
Instrumentation klanglich ein Werk des 19. oder 20. Jahrhunderts zu machen. Man kann aber auch versuchen, die
Intentionen des Komponisten mit den Mitteln und Möglichkeiten seiner Zeit zu realisieren. Die Frage bleibt heute
wie damals: Was dient der musikalischen Idee am besten,
wie kann das *Werk* heute am besten verständlich gemacht
werden?

Werk und Aufführung

In den Jahrzehnten zwischen »L'Orfeo« (1607) und »L'Incoronazione di Poppea« (1642) komponierte Monteverdi eine
große Zahl kleiner dramatischer Szenen, Soli, Duette, mit
und ohne Chor, in denen er an bestimmten, scharf abgegrenz-
ten Situationen sein musikdramatisches Vokabular aufbaute.
Diese Stücke konnten, allein von der Instrumentation her,
auf sehr unterschiedliche Weise wiedergegeben werden,
wofür Monteverdi etwa in seinem Brief vom 21. November
1615 ein interessantes Zeugnis gibt. ». . . Es wäre das Beste,
wenn die Aufführenden halbmondförmig aufgestellt würden. An den beiden Spitzen ein Chitarrone und ein Cembalo
für das Continuo, das eine für Cloris, das andere für Tirsi. Die
beiden sollten Chitarronen in den Händen halten, und
während sie singen und spielen, mit den anderen beiden
Instrumenten concertieren. Noch schöner wäre es, wenn
Cloris statt des Chitarrone eine Harfe hätte. Wenn dann nach
dem Dialog der Tanz beginnt, sollen so viele Sänger dazu
kommen, daß es acht werden, ebenso acht Viole da brazzo
sowie ein Contrabasso und ein Spinett zum Fundament. Es
wäre nett, wenn auch zwei kleine Lauten dabei wären . . .«
Man sieht also, es gab – im Rahmen aesthetischer und
stilistischer Grenzen und im Sinne einer akzeptierten Konvention – einen großen Spielraum für die Ausführung.
Man hat die Form, in der die beiden Spätopern Monteverdis
überliefert sind, häufig als skizzenhaft bezeichnet; die Gesangsstimmen sind komplett, dazu eine Baßlinie mit gele-
gentlichen Ziffern. Einige kurze Ritornelli sind dreistimmig
(im venezianischen Manuskript), vierstimmig (im neapolitanischen Manuskript) oder fünfstimmig (im Wiener »Ulisse«-
Manuskript) gesetzt. Es gibt einige Notizen, wie »Violini«
oder »tutti gli stromenti«, an Stellen, wo nur Gesang und Baß
notiert sind. Diese Schreibart sollte man nicht als skizzenhaft
bezeichnen; sie fixiert das *Werk,* die Komposition. Uns bleibt
die Frage nach der adaequaten *Aufführung.*
Vielleicht kann eine kleine geschichtliche Umschau die
Voraussetzungen klären helfen: Die Manuskripte sind wohl

kaum für Aufführungen verwendet worden; wenn sie auch Gebrauchsspuren tragen, so stammen diese viel eher von Schreibarbeiten und gelegentlichem Blättern als von wochenlangen Proben und Aufführungen. Es gibt in Venedig noch zahlreiche andere »Partituren« von Opern der Mitte und der zweiten Hälfte des 17. Jahrhunderts; die meisten von ihnen sind ähnlich angelegt. Einige enthalten Notizen über Orchestrierung, bei einigen gibt es an manchen Stellen leere Zeilen zwischen dem Gesang und dem Baß, manchmal mit ein paar Noten etwa im ersten Takt einer Arie. Es fällt auf, daß keine Aufführungsmaterialien vorhanden sind; mindestens mehrere Continuostimmen, Noten, aus denen die Sänger studierten, sowie Orchestermaterial wären selbst für die einfachsten Aufführungen damals unbedingt erforderlich gewesen. Auch in Frankreich wurden von der Mitte des 17. Jahrhunderts bis zur Mitte des 18. Jahrhunderts Opernpartituren in ähnlicher Weise geschrieben und gedruckt. Hier gibt es aber zahlreiche erhaltene Orchesterstimmen, aus denen man erkennen kann, daß die Instrumentation Sache der *Aufführung* war. Daher unterscheiden sich auch die verschiedenen Aufführungsmaterialien ein und desselben Werkes oft erheblich in Instrumentation und Stimmführung. Was in Frankreich von der Mitte des 17. bis in die Mitte des 18. Jahrhunderts üblich war, scheint in Italien nur für die Spanne des zweiten Drittels des 17. Jahrhunderts zu gelten. Daß die französischen Aufführungsmaterialien erhalten sind und die italienischen nicht, könnte auf einer unterschiedlichen Berufsauffassung der Kapellmeister beruhen. Den Franzosen war es offenbar unwichtig, ob ihre Version überliefert wurde oder nicht, die Italiener hingegen scheinen ihre Ideen eifersüchtig gehütet zu haben, so haben sie wohl alles Material nach den Aufführungen vernichtet.

Der Sinn der sehr einfachen Notation dieser »Opernpartituren« ist leicht zu erkennen. Die Oper war am Anfang des 17. Jahrhunderts noch eine sehr junge Gattung, die vor allem an kunstbeflissenen Höfen schnell Mode wurde, und es entwickelten sich an verschiedenen Orten ganz spezifische Stile und Aufführungsarten. Überall wurden Opernhäuser gebaut, jeder bessere Fürstenhof richtete eine Oper ein, in

Venedig wurden die ersten rein kommerziellen Opernunternehmen gegründet. An jedem dieser Häuser wollte man dieselben erfolgreichen und berühmten Stücke spielen, jedoch unter sehr unterschiedlichen Voraussetzungen. Maximale orchestrale und technische Möglichkeiten hatte man etwa am Kaiserhof in Wien, während manche der venezianischen Opernunternehmen sehr sparen mußten. War ein Komponist daran interessiert, seine Werke an mehreren Orten aufführen zu lassen, so mußte er sie so niederschreiben, daß sie der jeweilige Kapellmeister seinen lokalen Verhältnissen anpassen konnte; daher war es wichtig, soviel wie möglich offenzulassen. Es konnte also dasselbe Werk an einem Hof mit reichem Orchester in prunkvollem Klanggewand erscheinen, an einem anderen Ort aber nur mit den notwendigsten Begleitstimmen ausgestattet sein. Wesentlich dabei war, daß es sich nur um das Klanggewand handeln durfte und nicht um einen entscheidenden Eingriff in die Komposition, sozusagen lediglich um eine verschieden reiche Ausführung des Basso continuo. Das Werk ist daher auch in seiner einfachsten Realisation vollständig. Die so notierten Werke konnte man also in einer Minimalversion mit einem Cembalo und vier Streichern spielen, man konnte sie aber allen Anforderungen und Gegebenheiten anpassen, was eine der Aufgaben des jeweiligen Kapellmeisters war.

Diese große Freiheit des ausführenden Musikers, selbst gestaltend in das Werk eines Komponisten einzugreifen, findet eine Erklärung in folgender Überlegung: Der Komponist als schöpferischer Künstler wurde im 16. und 17. Jahrhundert längst nicht in dem Maß glorifiziert, wie dies seit dem 19. Jahrhundert der Fall ist. Wir können dies in allen Künsten beobachten; selbst die größten Maler haben ihre Bilder früher häufig nicht signiert, sie haben oft nur die Entwürfe selbst gemacht und überließen die Ausführung dann ihren Werkstattgehilfen. Eine ganz ähnliche Situation finden wir auch in der Musik. Man muß vielleicht die Arbeit eines Komponisten wie Monteverdi, der zeitweise viele Schüler hatte, so sehen, daß er das Gesamtkonzept mit dem Librettisten besprochen und die ihm wichtig erscheinenden Phrasen selbst ausgeschrieben hat, während er den Rest nur skizzierte und etwa seinem berühmtesten Schüler, Francesco Cavalli, zur Fertigstellung überließ. (Das mag auch einer der Gründe sein, warum man immer wieder die Handschrift Cavallis in den späteren Opern Monteverdis finden kann, was zu manchen Zweifeln an der Urheberschaft Monteverdis führte.) Von meinem Standpunkt als Musiker aus ist es gar nicht so wesentlich, ob alle hundertzwanzig Takte des Schlußduetts der »Poppea« von Monteverdi selbst stammen oder ob er vielleicht nur die Idee der Passacaglia skizzierte und Cavalli dann die endgültige Ausführung besorgte. Dieses Schlußduett verliert nichts von seiner Schönheit, auch wenn es zum Teil Werkstattarbeit sein sollte. An dieser Werkstattsituation kann man erkennen, daß dem Komponisten manche Details der Ausführung seines Werkes nicht so wichtig waren. So kommen wir also wieder zu dem Schluß: Der Bearbeitende, der selbst mitgestaltend Ausführende ist zur Realisation dieser Werke unbedingt notwendig.

Ein weiterer nicht unwichtiger Punkt zur Erklärung der gerüstartigen Notation dieser Werke ist die gesellschaftliche Situation der damaligen Künstler. Es gab um diese Zeit ja kein Urheberrecht − jeder Komponist mußte gewärtigen, daß ihm wichtige und schöne Gedanken von einem anderen gestohlen und dann publiziert wurden. Sie versuchten sich möglicherweise gegen solche Raubdrucke zu schützen, indem sie ihre Ideen nicht allzu genau niederschrieben. Für diese Erklärung spricht der Umstand, daß »L'Orfeo«, der in einem vom Komponisten autorisierten *Druck* erhalten ist, ausführlich notiert erscheint. Die Spätopern sind hingegen nicht gedruckt worden.

Der Librettist von »Ulisse« meinte schon wenige Jahre nach der Uraufführung, man könne diese Oper nicht mehr aufführen, weil der Meister gestorben sei, der als einziger genau wußte, wie sie aufzuführen sei. Ein neues Arrangement zu machen, würde allzu kostspielig und mühsam sein. Warum sollte eine solche Schwierigkeit bestanden haben, wenn die beiden Zeilen der Partitur (Gesangsstimme und Baß) wirklich schon die vollständige Oper wären? Ich meine, die Schwierigkeit lag darin, daß der Komponist in diesem Fall mit dem Ausführenden identisch war. Er konnte die

Instrumentation und Aufführungsweise ad hoc autoritativ bestimmen. Wir können uns den Vorgang einer Opernaufführung zur damaligen Zeit vielleicht so ähnlich vorstellen, wie wenn heute ein halb improvisiertes Musical aufgeführt wird: Es wird nur eine Skizze angefertigt, der Komponist notiert sich Akkorde und die eine oder andere melodische Wendung, eine Gegenstimme oder dergleichen. Das wird in knappster Form aufgeschrieben und verteilt. Mit solchen Angaben könnten intelligente und schöpferische Musiker sehr gut auch eine Oper aufführen – doch werden solche Notizen natürlich auch in keiner Bibliothek aufbewahrt, man wirft sie vielmehr nach der Aufführung weg, weil sie eben nur für diese eine Aufführung gemeint und brauchbar sind. Es ist daher wahrscheinlich, daß eine Aufführung, die ja einen beachtlichen schöpferischen Anteil am Werk selbst darstellt, mit den jeweiligen Aufführenden verschwand. In Venedig wurden alljährlich im Karneval zahlreiche Opern aufgeführt – Cavalli hat innerhalb von dreißig Jahren fünfundvierzig Opern geschrieben –, doch es gibt kein Aufführungsmaterial davon. Alles, was wir haben, sind diese Skelett-Partituren, die allerdings mit vielen Notizen versehen sind.

Bei Kenntnis dieser Prämissen stellt sich nun die Frage nach der Realisierung am konkreten Werk. Dabei muß meiner Ansicht nach eine musikalische oder kulturelle »Aktualisierung« ausgeschlossen werden – eine solche würde praktisch das Schaffen eines *neuen* Werkes, inspiriert durch das Werk Monteverdis, bedeuten. Monteverdis Opern sind aber als Kunstwerke autonom und vollkommen wie alle Meisterwerke, und es gibt daran nichts aufzubereiten oder anzupassen. Das Werk selbst zeigt die Realisierung: Monteverdis nur mit Mozart vergleichbare musikdramatische Ader, die Übersetzung seines Textverständnisses in klingende Bewegung und Geste, muß in Übereinstimmung mit seinen schriftlichen Äußerungen die Richtschnur jeder Aufführung sein.

Bach und die Musiker seiner Zeit

Johann Sebastian Bach hatte das barocke Prinzip der »Klang-rede« zur höchsten Vollkommenheit gebracht. Seine tradi-tionsgefestigte Erziehung in einer weitverzweigten Musiker-familie sowie seine persönliche Anlage und Neigung ließen ihn zu einem Komponisten werden, der bei aller Originalität seiner Ideen in erster Linie ein Vollender des Bestehenden war – weniger ein Zukunftweisender. Dabei war er in den drei Funktionen, die er in seiner ruhigen Karriere erfüllte, durchaus gleichmäßig erfolgreich und befähigt: als Organist in Arnstadt, Mühlhausen und Weimar, als Hofmusiker, -konzertmeister, -kapellmeister in Weimar und Köthen und als Kantor und Musikdirektor in Leipzig. Hätten ihn die Lebensumstände an einen großen katholischen Hof oder in eine unabhängige bürgerliche Stellung gebracht, und er hätte eine solche Entwicklung sicherlich begrüßt, wäre er unbe-dingt zum größten Opernkomponisten seiner Zeit gewor-den. Seine Fähigkeiten und Interessen umspannten sämtliche denkbaren Gebiete musikalischen Schaffens.
Ein zentraler Punkt des Aufbaues aller seiner Werke bildete die Rhetorik. Nur war dieses wesentliche Formgerüst jeder Barockmusik seit Monteverdi für Bach weit mehr als eine mehr oder weniger unbewußt eingesetzte Selbstverständ-lichkeit des Zeitstils. Bach baute seine Werke, und dies ist verbürgt, bewußt aus dem Rhetorischen auf, die »Klang-rede« war die einzige Form der Musik für ihn. (So urteilt sein Freund, der Rhetoriker Birnbaum, über ihn: ». . . Die Theile und Vortheile, welche die Ausarbeitung eines musikalischen Stücks mit der Rednerkunst gemein hat, kennet er so vollkommen, daß man ihn nicht nur mit einem ersättigenden Vergnügen höret, wenn er seine gründlichen Unterredungen auf die Aehnlichkeit und Uebereinstimmung beyder lenket; sondern man bewundert auch die geschickte Anwendung derselben, in seinen Arbeiten.«) Sein Freundeskreis, vor-wiegend Universitätsprofessoren, und hier wieder vorwie-gend Germanisten und Rhetoriker, und deren Äußerungen über ihn zeigen uns seine intensive lebenslange Beschäfti-

gung mit dieser Materie. So wurde er – indem er im Formalen, im Harmonischen, im Ausdrucksbereich, in der Melodik alle Möglichkeiten der bis dahin gefundenen Musik restlos ausschöpfte – gerade durch diese unermeßliche Fülle zur Basis alles Neuen nach ihm.

Da seine Werke sowohl emotional als auch rational bis ins Letzte durchgearbeitet waren, mußte er, als einziger Komponist seiner Zeit, die Grenzen zwischen »Werk« und »Aufführung«, die so wesentlich die Barockmusik bestimmen, immer wieder aufheben: Er schrieb dem Interpreten alle damals denkbaren Details der Ausführung seiner Werke vor, vor allem die Artikulation und die Verzierungen. Er mußte dies tun, weil es in seiner durchgearbeiteten Werksicht keine Interpretenfreiheit gab, weil für seine Werksicht Verzierungen nur dann einen Sinn hatten, wenn sie die Aussage verstärkten, wenn sie notwendig waren, und nur in dieser einzigen Form notwendig.

Natürlich durchbrach er dadurch das alte Prinzip des autonom gestaltenden Interpreten, doch könnten gerade seine komplexen Werke durch die kleinsten Mißverständnisse der Ausführenden derart entstellt werden, daß er nur seiner eigenen Auslegung vertraute. Bachs vorgeschriebene Verzierungen zeigen uns sein wohlbegründetes Mißtrauen dem Interpreten gegenüber. Hier tritt auch erstmals eine neue, sehr autoritäre Gesinnung des Komponisten zutage; denn indem er dem Interpreten sein Ureigenstes, die Verzierungen, wegnimmt, hebt er endgültig die vordem so wichtige Grenze zwischen Werk und Ausführung auf. Auf diesem Gebiet folgen ihm die Komponisten der folgenden Generationen: Der ausführende Musiker hat keinen Anteil mehr am Werk.

Mit dieser neuen Rolle konnten sich die Musiker nicht abfinden. Ein öffentlicher Streit, bei dem der Kapellmeister und Musikschriftsteller Johann Adolph Scheibe die Partei der entmündigten Musiker vertritt, und Bachs Freund, der Leipziger Rhetorikprofessor Johann Abraham Birnbaum, den Komponisten, ist überliefert und zeigt uns einleuchtend Gründe und Gegengründe. Scheibe kritisiert Bachs Kompositionsweise (Hamburg, 14. Mai 1737): »Der Herr Bach ist endlich in Leipzig der Vornehmste unter den Musicanten . . .

Man erstaunet bey seiner Fertigkeit (im Orgelspiel), und man kan kaum begreifen, wie es möglich ist, daß er seine Finger und seine Füsse so sonderbahr und so behend in einander schrencken, ausdehnen, und damit die weitesten Sprünge machen kan, ohne einen einzigen falschen Thon einzumischen oder durch eine so heftige Bewegung den Körper zu verstellen. Dieser grosse Mann würde die Bewunderung gantzer Nationen seyn, wenn er mehr Annehmlichkeit hätte, und wenn er nicht seinen Stücken durch ein schwülstiges und verworrenes Wesen das Natürliche entzöge, und ihre Schönheit durch allzugrosse Kunst verdunkelte. Weil er nach seinen Fingern urtheilt, so sind seine Stücke überaus schwer zu spielen; den er verlangt die Sänger und Instrumentalisten sollen durch ihre Kehle und Instrumente eben das machen, was er auf dem Claviere spielen kan. Dieses aber ist unmöglich. *Alle Manieren, alle kleine Auszierungen, und alles, was man unter der Methode zu spielen verstehet, druckt er mit eigentlichen Noten aus;* und das entziehet seinen Stücken nicht nur die Schönheit der Harmonie, sondern macht auch den Gesang durchaus unvernehmlich.«

Später, als der öffentliche Streit in vollem Gange ist, Scheibe sich aber noch nicht als Verfasser der Anti-Bach-Schrift bekannt hatte, greift er ihn noch auf seinem ureigensten Gebiet an: Die Grundursache von Bachs »Fehlern« sei, daß sich »dieser grosse Mann nicht sonderlich in den Wissenschaften umgesehen« habe, »die eigentlich von einem gelehrten Componisten erfordert werden«. Er habe sich viel zuwenig »um die Regeln bekümmert . . . die aus der Redekunst und Dichtkunst in der Music doch so nothwendig sind . . .« Scheibe spricht ihm ausgerechnet seine Kenntnis der Rhetorik ab, für die Bach weltweit berühmt war, und es ist natürlich kein Zufall, daß sein Verteidiger Birnbaum Rhetoriker ist. Dieser antwortete im Januar 1738: »Unpartheyische Anmerckungen über eine bedenckliche stelle in dem . . . Critischen Musicus« und widmet diese ausführliche und fundierte Antwort Bach! Wir dürfen annehmen, daß Bachs eigene Ideen in der Schrift des Freundes zum Ausdruck kommen. ». . . Derjenige soll noch gebohren werden, der das gantz besondere glück haben wird allen zu gefallen . . . Es braucht wenig nachsinnens so wird man hiervon mehr als eine ursache finden. Bald fehlt es an gründlicher einsicht in die zu lobenden oder zu tadelnden sachen. Man urtheilet von dingen, die man nicht verstehet. Bald wird man durch allzupartheyische affecten verblendet. Ein solches urtheil thut der wahrheit allzeit gewalt. Bald schreibt ein eigensinniger, dabey aber verderbter geschmack, der vernunfft gesetze vor. Was mit demselben übereinstimmet, wird allein des lobes würdig erkannt: was hingegen demselben zuwieder ist, als unbillig schlechterdings verworffen. Bald wird man durch das allgemeine urtheil der welt verführet. Man redet mehr nach den vorgefaßten meynungen anderer, als aus eigener überzeugung.« Birnbaum reagiert auf den (anonymen) Angriff Scheibes, weil ihn »theils die liebe zur wahrheit, theils auch die besondere hochachtung vor den wahrhafftig grosen Meister in der Music . . . verpflichtet desselben ehre zu retten . . . Der verfasser dieser stelle lobt an einem theile den Herrn Hof-Compositeur, am andern theile tadelt er Ihn desto schärfer. Bey genauer untersuchung, habe ich das Ihm beygelegte lob unvollkommen, die Ihm beygemeßenen fehler aber ohne grund befunden.« Birnbaum verurteilt in glänzender Sprache den raffinierten Ton, in dem Scheibe Bach erniedrige, daß er ihn einen »Musicanten« nenne und nicht einen »virtuosen« oder »grossen komponisten«, wie man die außerordentlichen Künstler nenne. »Der Herr Hof-Compositeur ist ein grosser Componist, ein meister der Music, ein virtuos auf der orgel und dem clavier der seines gleichen nicht hat, aber keinesweges ein musicant.« Birnbaum ist irritiert, daß ein so »gründlicher kenner wahrer musicalischer vollkommenheiten« wie Scheibe ausgerechnet Bachs Technik rühmt ». . . Warum rühmt er nicht die erstaunende menge seltener und wohlausgeführter einfälle; die durchführungen eines einzigen satzes durch die thone (Tonarten).« Nun wendet sich Bachs gebildeter Verteidiger den direkten Angriffen zu, zuerst dem Vorwurf des »mangels an annehmlichkeit«, es ist ein Plädoyer für den Kontrast in der Harmonie und gegen gefällige Glätte: ». . . Allein zu ablehnung dieser beschuldigung, könnte fast allein eine merckwürdige stelle des Englischen Spectateurs hinlänglich seyn. Dieser sagt: die Music sey nicht nur bestimmt zärtlichen ohren allein zu gefallen, sondern auch allen, welche einen rauhen thon mit einem angenehmen unterscheiden, das ist, welche dissonantzen wohl anzubringen und geschickt zu resolviren wissen. Die wahre annehmlichkeit der Music bestehet in der verbindung und abwechselung der consonanzen und dissonanzen ohne verlezung der harmonie. Die natur der Music verlangt dieselbe. Die verschiedenen, insonderheit traurigen leidenschafften können ohne diese abwechselung der natur gemäß nicht ausgedrückt werden.« Auch der Vorwurf von Schwülstigkeit und Verworrenheit wird brillant zurückgewiesen: »Was heist schwülstig in der Music? Soll es in dem verstande genommen werden, wie in der rednerkunst diejenige schreibart schwülstig genennet wird, wenn man bey geringen dingen die prächtigsten zierrathen verschwendet, und deren verächtlichkeit nur noch mehr an den tag bringt . . . dergleichen von dem Herrn Hof-Compositeur nur zu dencken, geschweige zu sagen, wäre die gröbste schmähung. Dieser componist verschwendet ja eben nicht seine prächtigen zierrathen bey trinck- und wiegen liedergen, oder bey andern läppischen galanterie stückgen. In seinen kirchenstücken, ouverturen, concerten und andern musicalischen arbeiten, findet man auszierungen, welche denen hauptsätzen, so er ausführen wollen, allzeit gemäß sind . . . Was heist in der Music verworren? Man muß ohnfehlbar die wortbeschreibung von dem was man überhaupt verworren nennet zu hülffe nehmen, wenn man errathen will wohin des verfassers meinung gehe. So viel weis ich, daß verworren dasjenige heisse, was keine ordnung hat und dessen einzelne theile so wunderlich untereinander geworfen und in einander verwickelt sind, daß man, wo ein jedes eigentlich hin gehöre, nicht absehen kann . . . Wo die regeln der composition auf das strengeste beobachtet werden, da muß onfehlbar ordnung seyn. Nun will ich nimmermehr hoffen, daß der verfasser den Herrn Hof-Compositeur vor einen übertreter dieser regeln halten wird. Ubrigens ist gewiß, daß die stimmen in den stücken dieses grossen meisters in der Music wundersam durcheinander arbeiten: allein alles ohne die geringste verwirrung. Sie gehen mit einander und wiedereinander; beydes wo es nöthig ist. Sie verlassen einander und finden sich doch alle zu rechter zeit wieder zusammen. Jede stimme macht sich vor der andern durch eine besondere veränderung kenntbar, ob sie gleich öfftermahls einander nachahmen. Sie fliehen und folgen einander, ohne daß man bey ihren beschäfftigungen, einander gleichsam zuvorzukommen, die geringste unregelmäßigkeit bemercket. Wird dieses alles so, wie es seyn soll, zur execution gebracht; so ist nichts schöners, als diese harmonie.« Wir erfahren in diesem Zitat Birnbaums wohl Bachs eigene Meinung zum Sinn seiner Polyphonie, der Charakterisierung der Einzelstimme sowie deren Relation zueinander.

Nun zum Natur- und Kunstbegriff. »Die rühmlichen bemühungen des Herrn Hof-Compositeurs sind dahin gerichtet, eben dieses natürliche, durch hülffe der kunst, in dem prächtigsten ansehn der welt vorzustellen. Aber eben das ist es, was der verfasser nicht zu geben will. Er sagt ausdrücklich: daß der Herr Hof-Compositeur die schönheit seiner stücken durch allzugrose kunst verdunckele. Dieser satz ist der natur wahrer kunst, von welcher hier die rede ist, zuwieder. Die wesentlichen beschäfftigungen wahrer kunst sind, daß sie die natur nachahmet, und ihr, wo es nöthig ist, hilfft. Ahmt die kunst der natur nach; so muß ohnstreitig unter den wercken der kunst, das natürliche allenthalben hervorleuchten. Folglich ist es unmöglich, daß die kunst denen dingen, bey welchen sie die natur nachahmet, und also auch der Music, das natürliche entziehen könne. Hilfft die kunst der natur, so geht ihre absicht nur dahin, sie zu erhalten, ja so gar in bessern stand zu setzen, nicht aber zu zernichten. Viel dinge werden von der natur höchst ungestallt geliefert, welche das schönste ansehn erhalten, wenn sie die kunst gebildet hat. Also schenckt die kunst der natur die ermangelnde schönheit, und vermehrt die gegenwärtige. Je gröser nun die kunst ist, das ist, je fleißiger und sorgfältiger sie an der ausbeßerung der natur arbeitet, desto vollkommener glänzt die dadurch hervorgebrachte schönheit. Folglich ist es wiederum unmöglich, daß die allergröste kunst die schönheit eines dinges verdunckeln könne. Sollte es also wohl möglich seyn, daß der Herr Hof-Compositeur, auch durch die gröste kunst, die er bey ausarbeitung seiner musicalischen stücke anwendet, ihnen das natürliche entziehen, und ihre schönheit verdunckeln könne?« Hier wird der barocke Begriff von Natur und Kunst sehr deutlich ausgesprochen: Die ungeformte Natur ist gleichsam das Rohmaterial für die Schönheit, die sie erst nach kunstvoller Formung erlangt. Der Garten ist also viel schöner als die wilde Natur, die geometrische Hecke schöner als der natürliche Baum.

Auch die Kritik an der Schwierigkeit Bachscher Stücke, die nur er selbst spielen könne, wird zurückgewiesen. Bach »handelt nicht unrecht, wenn er bey setzung derselben nach seinen fingern urtheilet. Sein schluß kann kein anderer als dieser seyn: wozu ich es durch fleiß und übung habe bringen können, dazu muß es auch ein anderer, der nur halbwege naturell und geschick hat, auch bringen. Und eben aus diesem grunde fällt auch die vorgeschützte unmöglichkeit weg. Es ist alles möglich wenn man nur will, und die natürlichen fähigkeiten durch unermüdeten fleiß in geschickte fertigkeiten zu verwandeln eyfrigst bemühet ist.«

Und was das so hart verurteilte Ausschreiben der Verzierungen betrifft, so hält er es »vor eine nöthige klugheit eines componisten. Einmahl ist gewis, daß dasjenige, was man methode (etwas zu verzieren) zu singen und zu spielen nennt fast durchgehends gebilliget und vor angenehm gehalten werde. Es ist auch dieses unstreitig, daß die methode, alsdenn erst das gehör vergnüge, wenn sie am rechten orte angebracht wird, hingegen dasselbe ungemein beleidige und die hauptmelodie verderbe, wenn sich der musicirende derselben am unrechten orte bedienet. Nun lehrnet ferner die erfahrung, daß man meistentheils die anbringung derselben dem freyen willkühr der sänger und instrumentalisten überläst. Wären diese alle von dem was in der methode wahrhafftig schön ist sattsam unterrichtet; wüsten sie sich derselben allzeit an dem orte zu bedienen, wo sie der hauptmelodie zur eigentlichen *zierde und besondern nachdruck* dienen könnte; so wäre es eine überflüßige sache, wenn ihnen der componist das in noten noch einmahl vorschreiben wollte, was sie schon wissen. Allein da die wenigsten hiervon genugsame wissenschafft haben; dennoch aber durch eine ungeräumte anbringung ihrer methode die haupt melodie verderben; ja auch wohl offt solche passagen hinein machen, welche von denen, die um der sache eigentliche beschaffenheit nicht wissen, dem componist leicht als ein fehler angerechnet werden könnten; so ist ja wohl ein jeder componist, und also auch der Herr Hof-Compositeur befugt, durch vorschreibung einer richtigen und seiner absicht gemäßen methode, die irrenden auf den rechten weg zu weisen, und dabey auf die erhaltung seiner eigenen ehre zu sorgen.« Hier wird also schonungslos die offenbare Unfähigkeit der Musiker bloßgelegt, Verzierungen zu improvisieren, die dem Inhalt und Wert der Bachschen Musik entsprechen. Nur der Komponist selbst kann den Ansprüchen, die sein Werk stellt, genügen.

Wenn wir versuchsweise ein Instrumentalwerk Bachs (etwa ein Adagio aus einer Solosonate für Violine oder die Flötenstimme zu »Aus Liebe will mein Heiland sterben« aus der Matthäus-Passion) der ausgeschriebenen Verzierungen entkleiden und versuchen, selbst welche zu erfinden, dann bemerken wir, wie bitter recht Birnbaum hatte. Diese Stücke, diese Stimmen *müssen* ausgeziert werden, aber keiner von uns Musikern, von Bachs Zeit bis heute, hat die Kraft der Phantasie eines Bach, alle Versuche müssen hilflos versanden angesichts der so natürlichen und einzig richtigen Verzierungen Bachs. Bach hatte recht – auch wenn die Musiker seiner Zeit dies nicht einsehen wollten.

Die Aufführungstraditionen

Bei der Aufführung älterer Musik ist die Tradition ebenso ein formender Faktor wie die Niederschrift des Werkes selbst. Jedes Musikstück erlebt durch seine wiederholte Aufführung im Laufe der Jahrzehnte und Jahrhunderte eine Formung, die mit der Zeit fast den Charakter des Endgültigen bekommt. All die vielen Interpretationen kopieren sich gleichsam übereinander, summieren sich zu einer »gültigen« Form, die bei neuerlichen Aufführungen nicht mehr umgangen werden kann. Die Möglichkeiten, die Hauptwerke der Musikliteratur so oder anders zu interpretieren, ohne Anstoß zu erregen, sind, was die elementaren Gestaltungsmerkmale, wie Tempo und Dynamik, betrifft, durchaus eng und werden immer enger. Abweichungen von dieser traditionellen Interpretation etwa in einer Beethovenschen Symphonie oder auch in einer Bachschen Passion empfindet der Hörer als Schock – die Tradition wird als eine Art von Läuterung, Herauskristallisierung des Endgültigen durch lange Bewährung aufgefaßt.

Nun muß man deutlich unterscheiden zwischen solchen Werken, die in ununterbrochener Folge von ihrem Entstehen bis heute aufgeführt wurden, und anderen Werken, die für einen kürzeren oder längeren Zeitraum aus den Programmen verschwunden waren. Die Kompositionen Beethovens etwa wurden seit ihrer Uraufführung ununterbrochen gespielt, die Tradition der Wiedergabe geht also unmittelbar auf den Komponisten zurück. In solchen Fällen ist die herkömmliche Meinung wohl richtig: Die in vielen Aufführungen entstandene traditionelle Interpretation hat sicherlich ein Höchstmaß an Authentizität.

Die Aufführungen Bachscher Oratorien durch Mendelssohn aber waren ein völliger Neubeginn nach vielen Jahrzehnten des Schweigens. Nun war der damalige Zeitstil, die Romantik, durchaus kraftvoll und lebendig, und man fühlte sich keineswegs verpflichtet, Bachs Werke im Sinne des Komponisten aufzuführen, vielmehr versuchte man, die von allen als »zopfig« empfundenen barocken Kompositionen zu »reinigen« und in modernem romantischem Stil wiederzugeben.

Man änderte sogar die Instrumentation, um den gewohnten modisch-symphonischen Klang zu erzielen. Unsere heutige Bach-Interpretation fußt auf diesen ersten Wiederaufführungen in der ersten Hälfte des 19. Jahrhunderts, mit denen sie durch eine lückenlose Kette von Aufführungen verbunden ist. Es ist wohl klar, daß *dieser* Tradition heute ein wesentlich geringerer Wert zukommt als einer, die direkt auf den Komponisten zurückgeht. Dennoch ist es keine Frage, daß in mehr als hundertjährigem Bemühen um das Werk Bachs, von Mendelssohn bis Furtwängler, Maßstäbe und Grundwahrheiten gefunden wurden, die wenigstens als Hörerfahrung von mehreren Generationen vorhanden sind.

Zu keiner Zeit hat man sich mit mehr Verantwortungsbewußtsein um das künstlerische Vermächtnis der Vergangenheit bemüht als heute. Man will nicht mehr die Interpretationen vergangener Jahrzehnte, die alten Bearbeitungen (Bach–Busoni, Bach–Reger, Stokowski und viele andere) interpretieren, weil man die zweifache Deutung – durch den Bearbeiter und den musizierenden Künstler – nicht für notwendig hält. Als Quelle will man heute nur die Komposition selbst akzeptieren und sie in eigener Verantwortung darstellen. Gerade bei Bachs Meisterwerken muß also heute wieder der Versuch gemacht werden, sie so zu hören und zu musizieren, als seien sie noch niemals interpretiert worden, als seien sie noch nie geformt oder entstellt worden. Es muß eine Interpretation versucht werden, bei der die gesamte romantische Aufführungstradition ignoriert wird. Alle Fragen müssen einmal neu gestellt werden, wobei keine andere feste Gegebenheit geduldet werden darf als Bachs Partitur als Fixierung eines zeitlosen Kunstwerks in einer durchaus zeitgebundenen Ausdrucksweise. Dieses Ignorieren der Aufführungstradition darf natürlich nicht zu einer künstlichen Anti-Stellung führen: alles anders zu machen als gewohnt; es kann ohne weiteres ein neu gewonnenes Ergebnis mit dem traditionell geübten übereinstimmen. Vor allem muß man so direkt wie möglich an die großen Meisterwerke herankommen, also das üppige Polster der Tradition dazwischenliegender Erfahrungen und Auslegungen beiseiteschieben und wieder von vorn anfangen.

Das Concerto

Der barocke Begriff des Concerto wird oft mit dem des Solokonzertes des 19. Jahrhunderts verwechselt, obwohl beide nicht viel mehr als den Namen gemeinsam haben. Ursprünglich, zu Anfang des 17. Jahrhunderts, bedeutete Concerto das gleiche wie Sinfonia oder Concentus, einfach harmonischer Zusammenklang, oder auch das Instrumental-ensemble, das die Musik spielt. Der Begriff kommt von »conserere« = zusammenfügen, schon seit Praetorius wurde aber auch »concertare« = wetteifern, wettstreiten als Ursprung des Begriffs genannt. Zweifellos hat diese zweite Ableitung, wenn sie auch etymologisch falsch ist, die Form zumindest des spätbarocken Concerto besser charakterisiert, ja sogar mehr beeinflußt als die erste, die lediglich das harmonische Gefüge umreißt. Das barocke Concerto ist kein Solostück mit dominierendem Solisten und begleitendem Orchester, wenn es auch heute noch oft in diesem Sinne aufgefaßt wird. Das Wesentliche des Concerto ist der Dialog, der Wettstreit verschiedener Klanggruppen. Ein Concerto kann also ebensogut ein Kammermusikstück für drei Instru-mente wie auch ein Orchesterwerk für fünfzig Musiker sein; es muß nur auf dem für diese Form typischen disputartigen Wechsel der musikalischen Aussage aufgebaut sein. Das formale Gerüst geben die Tuttistellen – sogar in Concerti mit Triobesetzung muß es solche geben –, bei denen alle Mitwirkenden, auch etwaige Solisten, gemeinsam dasselbe aussagen. Das »concertieren« kann sich zwischen mehreren Solisten oder zwischen Solisten und Ripienisten (»ripieno« = die ganze Besetzung, eine bessere Bezeichnung für das jeweilige Orchester) oder auch innerhalb des Orchesters abspielen.

Die wichtigsten technischen Mittel, mit denen diese Arten von Rede und Gegenrede deutlich gemacht wurden und deutlich gemacht werden sollen, sind die Artikulation – gleichsam die wortdeutliche Aussprache der musikalischen Rede – und die Dynamik. Über die Artikulation im Sinne der musikalischen Rhetorik hat man im 18. Jahrhundert sehr vieles geschrieben. Man könnte also auch heute recht gut erkennen, wie ein musikalisches Motiv gemeint ist und wie man es darstellen soll.

Weniger bekannt ist die Rolle der Dynamik. Da die Komponisten der Barockzeit so gut wie keine dynamischen Zeichen in ihre Werke schrieben und einige der wichtigsten Instrumente der damaligen Zeit (Orgel und Cembalo) nur stufenweise lauter und leiser spielen konnten, und weil auch einige formale Kennzeichen der Musik selbst darauf hinzudeuten schienen, glaubte man lange Zeit, Dynamik sei stets stufenweise, »terrassenförmig«, angewandt worden, abrupt und ohne Übergänge. Wenn auch an dieser Theorie ein winziger wahrer Kern ist, so zerstört sie doch, konsequent angewandt, den musikalischen Zusammenhang und macht »sprechendes« Musizieren unmöglich. In den alten Beschreibungen werden auch immer wieder sehr ausgeprägte dynamische Schattierungen auf kleinstem Raum, ja auf einzelnen Noten beschrieben, die die musikalische Aussprache verdeutlichen sollen.

Die großen dynamischen Unterschiede bestehen in der Concerto-Form zwischen Solo und Tutti, wobei prinzipiell das Tutti forte und das Solo piano sein soll. Der über das Orchester dominierende und triumphierende Solist ist diesem Stil völlig fremd. Diese gegenüber der heute üblichen umgekehrte Auffassung zeigt sich auch bei den Instrumenten: In der Barockzeit wurden von jeder Art verschieden große Instrumente gebaut, größere, lautere für die Ripienisten, kleinere, zarter und edler klingende für das Solospiel. So ist es auch durchwegs beabsichtigt, daß in manchen Solokonzerten der Solist an manchen Stellen von den Ripienisten übertönt wird, seine dort stets unwesentlichen Passagen nahezu unhörbar werden. In diesem Zusammenhang möge daran erinnert werden, daß musikalische Interpretation, die alle Details einer Partitur klar hörbar macht, in vielen Fällen durchaus fragwürdig ist. Ein Ton muß durchaus nicht aus dem Gesamtgefüge herauszuhören sein, um einen Sinn zu haben: Sein Klang kann eine Nuance hinzufügen, die nicht konkret gehört werden kann, deren Fehlen allerdings ein Verlust wäre; es kann aber auch im gänzlichen

Übertönen eines Sängers oder Instrumentalisten ein wesentlicher, vom Komponisten gewollter musikalischer Sinn liegen.

Bachs Violinkonzerte sind keine Virtuosenstücke. Es gab längst, und von Bach selbst, viel schwierigere und spektakulärere Soli für die Geige. Zu seinen äußerst schwierigen Solosonaten und -suiten für Violine war er durch die Bekanntschaft mit den besten deutschen Geigern seiner Zeit, Johann Paul von Westhoff und Johann Georg Pisendel, angeregt worden. Zu seinen Violinkonzerten inspirierten ihn die Solokonzerte Vivaldis. Obwohl Bach sich deutlich an die neue Vivaldische Form anlehnte, verzichtete er auf die geigerischen Finessen seines Vorbildes, um es hingegen an musikalischem Reichtum und Aussage weit zu übertreffen. Die von Bach vorgesehene Orchesterbesetzung war ebenso klein wie bei den Brandenburgischen Konzerten. Die den Violinkonzerten des 19. Jahrhunderts entsprechende Interpretationsart, den Solisten über das Orchester dominieren zu lassen, ist bei diesen Konzerten unrichtig; seine Rolle ist hier nicht die eines brillierenden Virtuosen, sondern eher die eines Vorsängers gegenüber einem Chor. So entsteht eine Dynamik, die sowohl die dialogische Form als auch das Solo-Tutti-Wechselspiel verständlich macht, wie schon gesagt: die Soli – piano, die Tuttistellen – forte. Diese Konzerte erfüllen die Idee des dialogartigen Konzertierens, ja gelegentlich sogar in Form von freundschaftlichen Streitgesprächen, in idealer Weise.

Die langsamen Sätze allerdings sind in den Solokonzerten der Barockzeit sehr oft als instrumentale Lieder oder gar Arien konzipiert. Da wird das Orchester tatsächlich zu einem Begleitinstrument, und der Dialog findet imaginär, zwischen dem Solisten und dem angesprochenen Zuhörer, statt. Die Begleitung ist meist sehr einfach, bei Bachs Konzerten sogar über einen Ostinatobaß gelegt. Da ein gleichbleibendes Ostinatomotiv einen steten Rhythmus fordert, das Violinsolo aber, scheinbar ohne Zusammenhang dazu, frei im Raum schwebt, ist hier der Solist zu barockem Rubatospiel aufgefordert: »das Verziehen oder Vorausnehmen der Noten rührend anzubringen«. Es wird in den alten Schulwerken, unter anderem von Leopold Mozart, genau beschrieben: »Viele, die von dem Geschmacke keinen Begriff haben, wollen bey dem Accompagnement einer concertirenden Stimme niemals bey der Gleichheit des Tactes bleiben; sondern sie bemühen sich immer der Hauptstimme nachzugeben ... Allein wenn man einem wahren Virtuosen, der dieses Titels würdig ist, accompagniret; dann muß man sich durch das Verziehen, oder Vorausnehmen der Noten, welches er alles sehr geschickt und rührend anzubringen weis, weder zum Zaudern noch zum Eilen verleiten lassen; sondern allemal in gleicher Art der Bewegung fortspielen: sonst würde man dasjenige was der Concertist aufbauen wollte, durch das Accompagnement wieder einreissen. Ein geschickter Accompagnist muß also einen Concertisten beurtheilen können. Einem rechtschaffenen Virtuosen, darf er gewiß nicht nachgeben: denn er würde ihm sonst sein Tempo rubato verderben. Was aber das gestohlene Tempo ist, kann mehr gezeiget als beschrieben werden. ... und es geht nichts nach dem Tacte: denn er spielt Rezitativisch.« Hier ist die ideale Art, einen rhythmisch frei spielenden (oder singenden) Solisten zu begleiten, sehr anschaulich beschrieben. Heutige Musiker wundern sich immer wieder, wenn sie erfahren, daß das feinfühlige Mitgehen mit den Solisten, das man heute meist als perfektes Begleiten bezeichnet, im 18. Jahrhundert geradezu als dessen Gegenteil galt! Man überträgt mit einer solchen Begleitart das Rubato des Solisten auf den gesamten Klangapparat und hebt es damit auf. Derart schwankende Tempi zeugen von schlechter Begleitung, nur auf dem Hintergrund eines steten Tempos kann der Solist seine subtile Kunst des zu-früh, zu-spät, eines schwebenden »ohngefähr« oder »ich weiß nicht wie«, wie man damals sagte, entfalten. Rhythmisch gesehen ist also das Nicht-Begleiten geradezu die ideale Begleitart.

Die Gambensonaten – idiomatischer Klang oder ad libitum

Es ist sehr interessant, anhand von Bachs Kammermusik zu untersuchen, wie wichtig oder unwichtig dem Komponisten die klangliche Realisation war; warum ein Werk gerade diesem Instrument zugedacht ist und nicht einem anderen. Jedenfalls war noch wenige Generationen vor Bach die klangliche Realisierung durchweg den Ausführenden überlassen, und selbst zu seiner Zeit gab es noch zahlreiche Werke, bei denen etwa ein Flötensolo ebensogut auf einer Oboe oder auf einer Violine gespielt werden konnte. Solange nicht die besonderen technischen Möglichkeiten oder die speziellen klanglichen Eigenschaften der verschiedenen Instrumente von den Komponisten bewußt eingesetzt wurden, ist diese ad-libitum-Besetzung auch durchaus legitim.

Bachs Musik ist gerade in dieser Beziehung besonders schwer zu begreifen, weil er niemals strengen und leicht durchschaubaren Prinzipien folgte, die sich ein für allemal anwenden lassen, sondern in jedem neuen Fall eine neue Lösung fand, die oft von allen früheren stark abweicht. Bach schrieb viele Werke, deren musikalische Substanz weder technisch noch klanglich ein bestimmtes Instrument fordert; in vielen anderen seiner Kompositionen ist die Spieltechnik der Instrumente kaum berücksichtigt, wohl aber sind ihre klanglichen Eigenschaften wesentlich; schließlich gibt es auch eine Reihe von Kompositionen, in denen die klanglichen *und* technischen Möglichkeiten des Instrumentes voll ausgenützt werden. Gerade Bachs Umarbeitungen von Werken fremder Komponisten oder auch eigener Kompositionen für andere Instrumente geben hier Aufschluß. Abgesehen von den Kompositionen für Instrumente mit begrenzten Gebrauchsskalen oder mit einem von vornherein festgelegten musikalischen Vokabular, wie etwa der Trompete und dem Horn, gibt es doch eine große Zahl von Kompositionen für Tasten-, Streich- oder Holzblasinstrumente, in denen das klangliche *und* technische Idiom so eindeutig festgelegt sind, daß das Soloinstrument unmöglich durch ein anderes ersetzt werden könnte. So ist etwa das 5. Brandenburgische Konzert ein echtes Cembalokonzert. Eine Umarbeitung, wie Bach sie bei Violin- oder Cembalokonzerten durchaus häufig vornahm, wäre bei diesem Werk undenkbar. Ebenso sind einige Sätze der Solosonaten und -suiten für Violine und für Violoncello gänzlich in der Sprache dieser Instrumente geschrieben. Auch die meisten Bläser- und Streichersoli in den Oratorien und Kantaten gehören hierher.

Am häufigsten scheint Bach die rein klangliche Seite der Instrumentation angewandt zu haben, sie dürfte ihm besonders wichtig gewesen sein. So verwendet er, ohne jede technische Notwendigkeit, ja, ohne ihre spezifischen Möglichkeiten auszunützen, eine Piccolovioline für das 1. Brandenburgische Konzert, eine umgestimmte Geige für die G-Dur-Triosonate BWV 1038 – in beiden Fällen ist es ihm eindeutig *nur* um die dadurch erreichte besondere Klangwirkung gegangen.

Ähnlich verhält es sich bei seinem Einsatz der Viola da Gamba. Dieses Instrument war zu Bachs Zeit gerade im Begriff, vom Podest des nobelsten und angesehensten Soloinstruments verdrängt zu werden, es war aber, besonders in Frankreich, noch immer in Mode. Die großen französischen Gambenvirtuosen und Komponisten Marin Marais und Antoine Forqueray hatten gerade ihre bedeutendsten Werke geschrieben, in denen die musikalischen, klanglichen und technischen Möglichkeiten dieses Instruments tatsächlich bis zur Neige ausgekostet wurden. Es kann mit großer Wahrscheinlichkeit angenommen werden, daß Bach diese Werke kannte. Trotzdem blieb er dabei, wie nahezu alle seine deutschen Vorgänger und Zeitgenossen, die Gambe vor allem im Hinblick auf ihre klanglichen Möglichkeiten einzusetzen.

Es scheint, als hätten die deutschen Komponisten die Gambe durchweg ganz anders gesehen als etwa die Engländer oder die Franzosen (die Italiener haben sie ja zugunsten der Violine fast vollständig ignoriert und so gut wie nichts für sie komponiert), die die Gambe zum vornehmsten und höchstentwickelten Soloinstrument neben der Laute und dem Cembalo gemacht hatten. Mit Ausnahme von August Kühnel und Johann Schenk, die sich an die französischen Vorbilder anlehnten, schrieben die deutschen Komponisten, etwa Heinrich Schmelzer, Johann Kaspar Kerll, Dietrich Buxtehude, Georg Philipp Telemann und Georg Friedrich Händel, für die Gambe technisch genauso wie für jedes andere Melodieinstrument, es ging ihnen also lediglich um den besonderen Klang des Instrumentes. ». . . der Klang der Gambe, zart und ein bißchen nasal, wie die Stimme eines Diplomaten«, schrieb Le Blanc 1740. Telemann machte im ersten Teil seiner Pariser Quartette eine Ausnahme und schrieb etwa in der Art des französischen Gambenvirtuosen Forqueray, für den dieser Part bestimmt war.

Bach schließt sich der deutschen Tradition in seiner Behandlung der Gambe durchaus an. Seine zahlreichen Gambensoli in den Kantaten und das der Johannes-Passion könnten technisch ebensogut auf anderen Instrumenten ausgeführt werden, der Komponist verlangt hier die Gambe ausschließlich wegen ihres besonderen Klanges und der damit verbundenen Assoziation. Eine Ausnahme bildet das Gambensolo in der Matthäus-Passion (Baßarie »Komm, Süßes Kreuz«), in der die Gambe gänzlich in der Manier der französischen Virtuosen eingesetzt wird.

Die drei Gambensonaten Bachs sind also Gambenmusik in einem ganz anderen Sinne als etwa die Sonaten und Suiten Marais' und Forquerays. Bei Bachs Gambensonaten sind die Gambe und das Cembalo absolut gleichwertige Partner, die einen weitgehend streng dreistimmigen Satz so auszuführen haben, daß die Gambe eine und die beiden Hände des Cembalisten die beiden anderen Stimmen zu spielen haben. Diese Kompositionstechnik, die Bach auch in seinen Violinsonaten anwandte, war für die damalige Zeit durchaus ungewöhnlich und neu. Das Besondere daran ist nicht sosehr, daß das Cembalo an Stelle des üblichen Generalbasses einen auskomponierten zweistimmigen Part spielt, sondern, daß Haupt- und Nebenstimmen auf beide Instrumente gleichmäßig verteilt sind, daß also auch die Gambe oftmals das Cembalo zu begleiten hat.

Die erste der drei Sonaten schrieb Bach ursprünglich für eine ganz andere Besetzung, nämlich als Trio für zwei Traversflöten und Basso continuo. In der Flötenversion liegen die beiden Oberstimmen in derselben Tonhöhe, die Baßstimme ist, wie bei jeder Triosonate, beziffert und wird mit improvisierter Harmonisierung ausgeführt. Bei der Gambenversion legte der Komponist die Stimme der 2. Flöte ohne größere Veränderungen um eine Oktave nach unten, als Gambenstimme, die Stimme der 1. Flöte und der Baß bilden nun den Cembalosatz, ohne hinzuzufügende Akkorde. Natürlich kommt in dieser Fassung der pure dreistimmige Satz viel stärker zur Geltung als in der harmonisierten Flötenversion. Hier liegt wohl auch der Grund für die Wahl des Instruments – denn dieses umgearbeitete Flötentrio kann man beim besten Willen nicht als idiomatisches Gambenwerk sehen. Die Komposition verlangt zart-sensible Instrumente mit feiner Dynamik; sowohl die Querflöte als auch die Gambe besitzen diese Eigenschaften. Die Gambe ist für die Oktavtransposition als Mittelstimme wohl besonders geeignet, weil sie leichter anzupassen ist als jedes andere Instrument. Es ist interessant und demonstriert wohl die Bedeutung der italienischen »Tempo«-Bezeichnungen in der Zeit Bachs, nämlich vor allem als Ausdrucksvorschriften, daß der dritte Satz dieser Sonate in der Gambenversion mit »Andante«, in der Flötenversion mit »Adagio e piano« bezeichnet ist.

Die zweite Sonate, in D-Dur, ist wohl die »gambenmäßigste« von allen. Wenn auch keine Akkordtechnik darin gefordert wird, so sind doch die technischen Anforderungen der beiden Allegrosätze typisch gambistisch. Die strenge Dreistimmigkeit wird im zweiten, dritten und vierten Satz stellenweise zugunsten eines continuobegleiteten Solos verlassen, wodurch die Gambe etwas mehr solistisch in den Vordergrund tritt. Trotzdem geht, um die Gleichwertigkeit der Partner zu unterstreichen, der großen, vom Cembalo begleiteten Gambenkadenz im letzten Satz eine kleinere, von der Gambe begleitete Cembalokadenz voran. Bei dieser Sonate ist der Gambenklang offenbar so sehr Teil der Komposition, daß sie nur sehr schwer auf anderen Instrumenten gespielt vorstellbar ist. Hört man sie auf einem Cello oder einer Viola, wirkt das Cembalo als Fremdkörper. Es ist mir nicht möglich, dies anders zu begründen, als daß Bach sie eben diesem Instrument intuitiv »auf den Leib« geschrieben hat. Einen fast konzertanten Charakter hat die dritte Sonate in g-Moll. Sie ist wesentlich komplizierter gebaut als die beiden anderen Sonaten. Man hat mehrfach die Vermutung ausge-sprochen, sie sei aus einem Konzert entstanden. Ich halte sie eher für einen Versuch, den bei der zweiten Sonate begonne-nen Weg bis zum Extrem fortzusetzen, wobei der Gegensatz Continuo–Obligato in der Cembalostimme etwa einem konzertanten Solo-Tutti-Gegensatz entspricht (genau wie im langsamen Satz des 5. Brandenburgischen Konzerts).

Die drei Sonaten sind also etwa in der Art eines Zyklus formal aufeinander aufgebaut: die erste ein purer dreistim-miger Satz, in dem jede der drei Stimmen mit den anderen absolut gleichwertig ist; die zweite behandelt die Gambe schon etwas mehr in einem nur ihr eigenen Idiom (auf welche Weise ist nicht erklärbar), der dreistimmige Satz wird an ganz wenigen Stellen durch continuobegleitetes Solo ersetzt; bei der dritten Sonate wird die neugefundene, stel-lenweise konzertante Schreibart weiter ausgebaut, wobei der *Form* der absolute Vorrang gegenüber der *Technik* des Solo-instrumentes eingeräumt wird. So ist diese Sonate wohl mit Bedacht auf die Spielbarkeit, aber ohne besondere Berück-sichtigung der speziellen Gambentechnik komponiert.

Diese drei Sonaten sind von Bach ausdrücklich für Gambe und Cembalo bestimmt. Sie sind auf diesen Instrumenten am leichtesten musikalisch plausibel wiederzugeben, da die notwendige Balance der Stimmen von selbst gegeben ist, und gerade die Gambe sich einerseits genügend vom Cembalo abhebt, andererseits sich besonders glücklich mit dessen Klang mischt, sodaß sowohl die notwendige Einheit als auch die notwendige Differenzierung des Klanges am ehesten erreicht werden kann. Es sind seltsame Werke gerade im Hinblick auf die Instrumentation und Klanglichkeit, da sie ja eigentlich Gambenmusik nur im Hinblick auf undefinierbare psychoakustische Eigenschaften sind. Eine derartige Einstel-lung zur Instrumentation war wohl nur in Deutschland möglich, wo die Sologambe ein eher exotisches Instrument war. Bach weist mit dieser impressionistischen Instrumenta-tion weit über seine Zeit hinaus.

Die Kantaten – Bachs zentrales Werk

Bei Bach kann man nicht unterscheiden zwischen »Gelegen-
heitskompositionen« oder »Auftragswerken« und solchen,
die ihm am Herzen lagen. So sind seine Kantaten seinen
berühmtesten Kompositionen – etwa der Matthäus-Passion,
um im geistlichen Vokalstil zu bleiben – in jeder Hinsicht
ebenbürtig. Daß Bach jemals routiniert gearbeitet hätte, daß
er sich in seinen Arbeiten wiederholte, habe ich noch nie
empfunden. Und wenn man, so wie wir, die Gelegenheit hat,
im Laufe vieler Jahre eine Kantate nach der anderen
aufzuführen oder aufzunehmen, staunt man fassungslos –
auch nach über einhundert aufgenommenen Kantaten –, wie
ein Mensch einen derartig überwältigenden Reichtum an
kompositorischer Originalität und an Inspiration bringen
kann. Ich muß noch immer sagen: Jede neue Kantate, jede
neue Arie ist ein Abenteuer, ist eine aufregende Entdeckung
für uns, und von Routine, von Wiederholung kann nicht die
Rede sein. Ich kenne keinen Komponisten, der die Skala
von strengster Kontrapunktik bis zu expressivster Romantik
immer wieder bis an die letzten Grenzen durchschreitet
wie Bach. Deshalb finde ich es unsinnig, zweitrangige Werke
zweitrangiger Komponisten auszugraben, ja sogar erst-
rangige Werke noch und noch zu repetieren, solange es von
diesen grandiosen Kompositionen noch keine einigermaßen
adaequaten Interpretationen gibt.
Es erschien uns also an der Zeit, Bachs Kantaten, als sein
zentrales Werk, in einer konsequenten Interpretation mit den
bestmöglichen uns erreichbaren Mitteln neu darzustellen.
Dazu gehören neben der Berücksichtigung der neuesten
Erkenntnisse der Aufführungspraxis der damaligen Zeit vor
allem die richtigen und richtig eingesetzten klanglichen
Mittel. Kein anderer Komponist verlangt ein derart reichhaltiges und kompliziertes Instrumentarium, kein anderer
Komponist legte offenbar derart großen Wert auf subtilste
Klangsymbolik wie Johann Sebastian Bach. Man kennt ja zur
Genüge die Schwierigkeiten, die er ständig bei der Zusam-
menstellung seiner Orchester hatte; wenn er dennoch immer

wieder die ungewöhnlichsten Kombinationen fordert, so können wir daraus auf die Bedeutung schließen, die er selbst den scheinbaren Nebensächlichkeiten der Instrumentation beimaß. Es gibt eine große Zahl von Problemen, die heute noch keineswegs wieder gelöst sind, ja man kennt nicht einmal alle Instrumente, die Bach in seinen Kantaten fordert. Dennoch, es werden Lösungen gefunden werden, die eine oder andere wird möglicherweise vorerst hypothetischen Charakter haben und erst unsere Nachfolger zu endgültigen Ergebnissen animieren.

Unsere Wiedergabe von Bachs Kantaten soll ein Versuch sein, sie in einer für die heutige Zeit sinnvollen Weise zu interpretieren. Das klassische Symphonieorchester, in welcher Besetzung auch immer, hat wirklich nichts zu tun mit dem farbigen Orchester Bachs, und der moderne Singverein, wie virtuos auch immer, hat nichts zu tun mit dem transparenten Knaben- und Jünglingschor der Bach-Kantaten. Wir sehen diese neue Interpretation durchaus nicht als eine Zurückwendung zu Altvergangenem, sondern als einen Versuch, diese große Alte Musik aus ihrer historischen Klangverquickung mit dem klassisch-symphonischen Klang zu lösen und mittels des transparenteren und charakteristischen alten Instrumentariums zu einer wirklich modernen Interpretation zu finden.

Die Blasinstrumente in Bachs Kantaten

Wenn man die Instrumentation und die Benennung der Instrumente in Bachs Kantaten betrachtet, so fällt auf, daß bei Bach neben den gängigen Bezeichnungen für die Streichinstrumente, die wir relativ sorglos in die moderne Nomenklatur übertragen (es gibt hier natürlich auch einige Ausnahmen, die leicht zum Fallstrick werden können), eine ganze Reihe von Namen für Blasinstrumente auftauchen, deren Bedeutung schwer herauszufinden oder sogar bis heute noch nicht endgültig entschlüsselt ist. Man muß davon ausgehen, daß die Termini im 18. Jahrhundert noch nicht mit der pedantischen Verbindlichkeit gehandhabt wurden, wie heute allenthalben – wohl beeinflußt durch die streng definierenden Formulierungen des modernen Bürokraten- und Juristendeutsch – gefordert wird.

Wir sind es gewohnt, jede Abhandlung mit einer Begriffsdefinition zu beginnen und uns dann strikte daran zu halten. Im 18. Jahrhundert war letzte sprachliche Eindeutigkeit keine besonders wichtige Forderung, strenge Logik und stets schlüssige Analogie war wenigstens in den Partituren jener Zeit noch kein Kriterium. Einige Beispiele: Heute werden am Beginn der jeweiligen Partiturzeile oder am Titel des jeweiligen Stimmheftes unbedingt die *Instrumente* genannt, damals konnte eine Stimmbezeichnung das Instrument bedeuten oder den Spieler oder eine Spielweise oder eine Lage auf einem Instrument bezeichnen. So kann der Ausdruck »Clarino« bedeuten, daß es sich um eine hohe Trompetenstimme handelt (die 4. Oktave der Naturtrompete, also von c″ bis c‴, wurde als Clarino bezeichnet. Die Musiker, die diese Lage beherrschten, waren die Clarinbläser; heute würde man sagen: 1. Trompeter) oder daß der 1. Trompeter hier zu spielen hat (auch eventuell auf einer Violine) oder daß ein anderes Instrument (etwa ein Horn) hier in der 4. Oktave, der Clarinlage, geblasen wird oder daß eine Zugtrompete (wohl von einem 1. Trompeter gespielt) zu verwenden sei oder . . . Über diese Fragen wird man in den Lehrbüchern der Zeit wenig Aufschluß gewinnen, weil man damals, als ihre Beantwortung jedem Musiker selbstverständlich war, kaum Verständnis für diese Probleme hatte, die zweihundertfünfzig Jahre später uns so viele Schwierigkeiten bereiten sollten, und weil unser systematisch-wissenschaftliches Denken nicht vorherzusehen war. Es ist also äußerst fragwürdig, mit unserer Methodik an Lehrbücher heranzugehen, die einer gänzlich anderen Denkweise zugedacht waren und ihr auch entsprechen.

Ich will nun die Blasinstrumente, die Bach in den Kantaten von BWV 1 bis 70 verlangt, hier anführen und darzustellen versuchen, welches Musikinstrument wirklich gemeint ist. Dabei wird einiges offenbleiben müssen, einige hypothetische Lösungen werden versucht. Ich glaube, daß in manchen Fällen dem Komponisten das Instrument nicht so wichtig war wie uns heute. Es kann sich hinter einer Bezeichnung wie »corno« (ich werde später noch darauf kommen) die Forderung verbergen, die Stimme »auf einem für Cantus-firmus-Verstärkung üblichen und geeigneten Blasinstrument« zu spielen – das kann ein Zink, eine Zugtrompete, ein Horn, eine Diskantposaune sein –, und es kann sein, daß der Komponist jede dieser Möglichkeiten durchaus als gleichwertig betrachtete. Die Vieldeutigkeit der Schreibart wäre allerdings auch dann erklärbar, wenn Bach jeweils ein ganz bestimmtes Instrument im Sinne gehabt haben sollte: Er schrieb ja stets für bestimmte, ihm bekannte Musiker und wußte daher, auf welchem Instrument sie spielen würden. Es kann sogar leicht sein, daß Bach gelegentlich die Bezeichnung übernahm, die der jeweilige Musiker selbst für sein Instrument gebrauchte.

Das am häufigsten verlangte Blasinstrument ist die *Oboe* (von Bach normalerweise korrekt französisch »Hautbois« genannt). Sie kommt in nahezu allen Kantaten vor (Ausnahmen: 4, 18, 51, 54, 59, 61). Selbst diese scheinbar so unmißverständliche Bezeichnung ist nicht eindeutig. Es gab damals eine Reihe von verschiedenen Oboentypen, einerseits in der Bauart (Form und Material des Schallbechers, Form des Instrumentes), andererseits in der Stimmung (es wurden verschieden große Instrumente gebaut, die in c', a, f, [c] standen). Jede dieser Arten konnte eine oder – regional verschieden – mehrere Bezeichnungen tragen, es konnte aber auch jede Oboe einfach als solche bezeichnet sein, und der Spieler mußte selbst wissen oder herausfinden, welches besondere Instrument gemeint war. Es lassen sich aber doch einige Prinzipien aus dem scheinbaren Chaos herausdestillieren: »Oboe«, »Hautbois« oder »Obboe« bedeutet ein in der Stimmung für den jeweiligen Part geeignetes Instrument: entweder die gewöhnliche Oboe in c' (Tonumfang c'–d''' ohne cis') oder eine Oboe in a (wie die Oboe d'Amore). Welches Instrument gemeint ist, kann man nur aus der Stimme erkennen, am Tonumfang, an der Tonart (Stücke in B-Tonarten sind auf einem A-Dur-Instrument nur sehr schwer spielbar), an der solistischen Verwendung von cis' (das auf der gewöhnlichen Oboe normalerweise nicht spielbar war), am Zusammenhang des Werkes (wenn unmittelbar davor und danach eine *bestimmte* Art der Oboe gefordert ist, muß sie auch im dazwischenliegenden Stück verwendet werden, da ja dieselben Spieler alle Arten spielten und für das Wechseln des Instrumentes doch einige Zeit erforderlich war und ist). Der Spieler hatte – und hat – also zu erkennen, welches Instrument der Oboenfamilie zu nehmen sei.

Wenn Bach den besonderen Klang eines ganz bestimmten Typus wünscht, bezeichnet er das Instrument stets genauer, etwa »Hautb. d'Amore« oder »Hautb. da Caccia«. Es ist also unkorrekt, wenn wir jede Oboe in a als »Oboe d'Amore« oder jede Oboe in f als »Oboe da Caccia« ansehen.

Instrumentationsmäßig verwendet Bach die Oboe vorwiegend als konturierende Klangfarbe im Einklang mit den Violinen. Dieser Verschmelzungsklang – er kann allerdings nur mit Barockoboen und Barockgeigen realisiert werden, da die modernen Instrumente klanglich stets isoliert bleiben – ist der eigentliche Tuttiklang des Barockorchesters. In diesen Violin-Oboen-Stimmen kommen häufig Töne vor, die zwar auf der Violine, nicht aber auf der Oboe ausführbar sind. Diese Töne wurden entweder mit irgendwelchen Tricks hervorgebracht, oder die Spieler oktavierten sie oder ließen sie weg. Ein Beispiel ist das cis' auf der gewöhnlichen Oboe. Dieser Ton kommt zwar gelegentlich (sehr selten) in den alten Grifftabellen vor (Halbdeckung der c'-Klappe), praktisch ist er aber so nicht ausführbar. Man kann durch eine Manipulation an der Klappe diese für cis′ oder c′ einrichten, wobei zu einer Umstellung etwa ein Takt Pause nötig ist. Im colla parte hat man das cis′ also wohl ausgelassen, im Solo kommt es im schnellen Wechsel mit c′ nicht vor.

Die eigentliche *Oboe d'Amore* (»Hautb. d'Amore«, »Hautb. d'amour« – Tonumfang a–h″, ohne ais oder b) hat auf Grund ihrer besonderen Bauart, vor allem wegen des kugelartig geformten Schallbechers, einen gedeckten, besonders süßen Klang. Sie wird heute transponierend notiert, das heißt, der Spieler betrachtet die Noten nicht als Klänge, sondern als Griffe (entsprechend der gewöhnlichen Oboe in c′). Bach schreibt normalerweise in Klangnotation, der Spieler muß dabei dieselben Noten auf jedem Instrument anders greifen. Gelegentlich, vor allem bei Soli, schreibt Bach transponierend; man kann annehmen, daß er sich dabei nach den Wünschen und Gewohnheiten der Spieler richtete.

Die Oboe d'Amore klingt als a-Instrument am besten und natürlichsten in den Kreuztonarten. Die Blasinstrumente waren damals ja keineswegs chromatisch, also mit gleichmäßig klingenden und spielbaren Halbtönen, konzipiert, sondern sie waren auf einer Gebrauchsskala (hier A-Dur) aufgebaut. Je weiter eine Tonart von dieser Gebrauchsskala entfernt ist, desto »schwieriger« klingt sie. Dies ist ein wichtiger Aspekt der Tonartencharakteristik.

Über die *Oboe da Caccia* wird später noch ausführlich berichtet werden. Auch für dieses Instrument schreibt Bach gelegentlich transponierend, gelegentlich in Klangnotation. Es ist ein ausgesprochenes Soloinstrument, das vor allem an besonders weichen, raffinierten Stellen und sehr häufig in ungewöhnlichen und »impressionistischen« Instrumentalkombinationen eingesetzt wird: mit Hörnern (Kantaten 1, 65), mit Blockflöten (Kantaten 13, 46, 65) oder überhaupt solistisch (Kantaten 6, 16, 27).

In zahlreichen Kantaten wird eine »Taille« verlangt: Dies ist eine Oboe in f (»Taille« – Mitte heißt in der französischen Musik des frühen 18. Jahrhunderts eine Mittelstimme, gewöhnlich die dritte, ob sie gesungen werden sollte oder für ein Streich- oder Blasinstrument gemeint war). Bei Bach bedeutet Taille stets »Taille d'hautbois« (obwohl die volle Benennung niemals vorkommt) und ist eine Tenoroboe in f. Dieses Instrument wird nicht für Soli eingesetzt, sondern nur zur Verdopplung von Gesangsstimmen oder der Streichinstrumente. Bach verwendet die Bezeichnung »Taille« schon in seinen frühen in Weimar geschriebenen Kantaten. Mit »Taille« ist kein bestimmter Instrumententyp gemeint, sondern, wie gesagt, eine Stimmlage. Es wäre demnach falsch, Taille mit Oboe da Caccia zu übersetzen, da *jede* f-Oboe als Taille eingesetzt werden konnte und kann, die Oboe da Caccia aber eine ganz bestimmte Oboenart dieser Stimmung darstellt. Natürlich kann man dieses Instrument als Taille verwenden.

Gelegentlich verlangt Bach »Flauti«, dies sind stets *Blockflöten* in f' (Tonumfang f' bis a'''). Wie bei allen Blasinstrumenten nutzt er den Tonbereich bis an die Grenzen des damals Spielbaren. Dieses Instrument war zu Bachs Leipziger Zeit schon im Begriff, aus der Mode zu kommen; Bach verwendet es noch für besonders subtile Klangkombinationen (in den Kantaten 13 und 46 mit Oboe da Caccia; in Kantate 25 drei Blockflöten im Orchester; in Kantate 39 zwei Blockflöten im Orchester und solistisch in einer Sopranarie; in Kantate 46 mit Streichern; in Kantate 65 mit Hörnern und Oboe da Caccia).

Die *Querflöte* bezeichnet Bach stets als Flauto traverso oder Traversière (Tonumfang d' bis a'''). Obwohl sie wegen ihrer »empfindsamen« Ausdrucksmöglichkeiten in der ersten Hälfte des 18. Jahrhunderts zu einem Modeinstrument wurde, verwendet sie Bach – im Vergleich etwa zur Oboe – relativ selten. Vorwiegend wird sie als Soloinstrument, für zarte Affekte oder für perlend fließende Virtuosität eingesetzt (Kantaten 8, 26, 55) oder für schattenhaft impressionistische Klänge (Kantaten 30 und 34 mit sordinierten Violinen).

Das *Fagott* (Tonumfang $\overline{B}$ bis g' ohne Cis) wurde im 18. Jahrhundert sehr oft als konturierendes Instrument auch den Baßgruppen reiner Streichorchester hinzugefügt. Es mußte nicht eigens erwähnt werden, und so scheint es in den Partituren Bachs nur relativ selten auf. Aus verschiedenen Indizien kann man aber schließen, daß Bach normalerweise mit diesem Instrument rechnete, auch bei reinen Streicherbesetzungen (ohne Oboen). Es sind aus derartigen Kantaten einige Fagottstimmen erhalten. Neben dieser Funktion zur Verstärkung der Baßgruppe – wozu das Barockfagott mit seinem holzig streichenden Klang hervorragend geeignet ist – hat Bach dieses Instrument gelegentlich auch vom Baß leicht abweichend oder umspielend eingesetzt (Kantaten 31, 42, 63, 66). Es ist allerdings sehr wahrscheinlich, daß der Fagottist, der ja ohnehin bei den Tuttisätzen der Kantaten mitwirkte und daher anwesend war, bei Arien mit zwei oder drei solistischen Oboen den Baß solistisch – ohne Violoncello – mit der Orgel ausführen sollte.

Viel komplizierter als bei den Holzblasinstrumenten sieht es bei den Blechblasinstrumenten aus. Ein Beispiel möge dies erläutern: Bei Kantate 48 verlangt die Original*partitur* »Tromba«, die originale *Stimme* »Clarino«, der autographe *Titel*umschlag »Corno«; hier gibt es also drei verschiedene Bezeichnungen Bachs für dasselbe Instrument! Die musikalischen Fakten zeigen, daß es eine Zugtrompete sein muß, da die geforderten Töne auf keinem Naturinstrument (Trompete oder Horn) spielbar sind. Offenbar konnte mit »Tromba« auch ohne den Zusatz »da tirarsi« eine Zugtrompete gemeint sein; »Clarino« bedeutet, wie schon erwähnt, sowieso kein Instrument, sondern die Lage der Naturinstrumente oberhalb des 8. Teiltones (sowohl beim Horn als auch bei der Trompete), im übertragenen Sinne kann auch der Bläser dieser Lage, also der 1. Trompeter, gemeint sein, wobei er ohne weiteres auch ein anderes Instrument, etwa Violine, spielen sollte (etwa Kantaten 31 und 43, Schlußchoräle). »Corno« schließlich war wohl ein allgemeiner Ausdruck für eine große Zahl nicht näher bezeichneter Blasinstrumente (wie etwa im angelsächsischen Bereich in der Musikersprache noch heute fast alle Blasinstrumente als »horn« bezeichnet werden), also für Trompete, Horn, Zugtrompete, Zink etc.

Die gewöhnliche *Naturtrompete* in B, C, D und F wird von Bach transponierend notiert (Tonumfang c bis d''', jeweils auf den Grundton transponiert).

Die Naturtonreihe:

stellt zugleich die spielbaren Töne dar, wobei der 7., 11., 13. und 14. Teilton unrein, nämlich zu tief, sind. Diese Fehler wurden einerseits von erstklassigen Musikern mit dem Ansatz ausgeglichen, andererseits wurden die so entstehenden, etwas unnatürlich klingenden Töne für die Affektgestaltung verwendet. Dies war umso sinnvoller, als die Naturtrompete mit ihren *reinen* Dur-Dreiklängen das Ideal der barocken Proportion (4:5:6 stellt den idealen Dreiklang dar und symbolisiert die Heilige Dreifaltigkeit) klingend verkörpert. Daher war dieses Instrument ausdrücklich und gesetzlich nur großen Festlichkeiten und hohen Standespersonen sowie privilegierten Städten vorbehalten. Die Hörer der damaligen Zeit waren derart vertraut mit der Naturtonreihe, daß sie jede Abweichung sofort erkannten; der Komponist konnte also eine Störung der Ordnung und des göttlichen Herrschaftsgefüges durch Verwendung der falschen Naturtöne eindringlich illustrieren. (Leider ist diese Assoziationsfähigkeit heute nicht mehr vorhanden.) So verwendet Bach die *schlechten* Töne, um Reizworte ausdrucksstärker zu gestalten; etwa in der Baßarie (Nr. 7) der Kantate 43 das Wort »Qual« auf einem b′, dem viel zu tiefen 7. Teilton. Gelegentlich beansprucht Bach die Ansatzkünste seiner Trompeter auch, um Zwischentöne zu produzieren, etwa h′, cis″ und gis′, wofür nicht immer der Affekt der Grund ist, sondern manchmal auch der Wunsch, die sonst allzu einfache »Trompetentonalität« zu erweitern.

Das *Horn* (in C̄, F̄, B̄, C – Tonumfang prinzipiell wie Trompete) setzt Bach vor allem bei romantisch-weicher Naturschilderung ein (»Wie schön leuchtet der Morgenstern«, Kantate 1 oder für die Wanderung der Weisen aus Saba, Kantate 65). In solchen Fällen bezeichnet er es normalerweise als »corno da (di) caccia« oder »corno parforce«, manchmal auch nur als »corno«. Die Notation ist stets transponierend, sodaß man etwa bei Kantate 1 erkennen kann, daß es sich um F-Hörner handeln muß, obwohl der Begriff »corno« ohne Zusatz auch für andere Instrumente stehen kann, wie Zugtrompete oder Zink; dann wäre es allerdings nicht transponierend notiert und beschränkte sich nicht auf die Naturtöne. Selbst wenn die Besetzung mit Hörnern auf diese Weise geklärt ist, bleiben schwerwiegende Fragen offen: etwa die nach der Tonhöhe. So ist vor allem bei Partien für C-Horn aus der Partitur nicht erkennbar, ob es sich um ein hohes oder tiefes Horn handelt (so wie notiert oder eine Oktave tiefer klingend). Diese Frage ist auch musikalisch nicht immer ohne weiteres zu beantworten, weil bei Blasinstrumenten sehr oft der Klang*eindruck* um eine Oktave vom effektiv gespielten Klang abweicht (etwa Kantate 65). So klingen hohe C-Hörner in der zweigestrichenen Oktave derart extrem hoch, daß diese besondere Wirkung durch einen besonderen Affekt des Stückes gefordert sein muß. Endgültig gelöst sind diese Fragen bis jetzt noch nicht. Auch spieltechnisch ergeben sich dabei gelegentlich heute noch unlösbare Probleme. So können die Hornisten mit den heute üblichen Mundstücken kaum höher blasen als a″, auf welchem Horn auch immer. Es ist aber sicher, daß man mit *Trompeten*mundstücken damals um einiges höher spielen konnte. Diese Technik des »Clarin«-Hornblasens ist aber noch nicht wiederbelebt und muß von Trompetern erlernt werden. Hier sind schon sehr vielversprechende Versuche im Gange. Natürlich wird dann das Horn nicht nur lagemäßig, sondern auch klanglich der Trompete angenähert – es sind also noch Entdeckungen spätbarocker Instrumentationskünste zu erwarten. Auch »Clarino« kann, wie bei Kantate 24, ein Horn meinen. Hier ist, schon durch den Schlußchoral, für den eindeutig ein F-Horn verlangt wird, die *Lagebezeichnung* »Clarino« auf das Horn angewandt, wie dies damals durchaus üblich war. Der dritte Satz ist für ein B-Instrument geschrieben. Diese Hornstimme wurde wohl ursprünglich in Trompetentechnik mit entsprechendem Mundstück gespielt.

Vor allem für Choral-Cantus-firmi verwendet Bach sehr häufig die *Zugtrompete,* die er mit »Tromba (oder auch Corno) da tirarsi« bezeichnet. Es gibt einige Trompeten aus dem

17. und 18. Jahrhundert, bei denen das Rohrteil, an dem das Mundstück sitzt, teleskopartig um je drei Halbtöne verlängert werden kann. Auf diesen Instrumenten lassen sich etwa ab a chromatische Skalen spielen, sodaß praktisch alle Choralmelodien ausführbar sind. Ob Bachs Trompeter ein derartiges Instrument zur Verfügung hatte oder diese Stimmen auf einer B- oder Es-Posaune (mit Trompetenmundstück) blies, wird sich kaum mehr nachweisen lassen. Letzteres ist durchaus möglich, da die damaligen Posaunen dieselbe Mensur (Rohrquerschnitt) hatten wie die Trompete und gelegentlich auch als Trompeten verwendet wurden – was allerdings aus Standesgründen ausdrücklich verboten war. Es gibt nur ganz wenige echte Soli für dieses Instrument (Kantate 46). Nicht alle Partien für Zugtrompete sind eindeutig gekennzeichnet, so wird dieses Instrument in Kantate 48 durch Clarino, Corno und Tromba (alle drei Bezeichnungen original) gefordert. Clarino soll wohl auf die hohe Lage hinweisen, die einen 1. Trompeter erfordert, bei Corno, einer allgemeinen Bezeichnung für ein geeignetes Blasinstrument, und bei Tromba muß man sich den Zusatz »da tirarsi« dazudenken, der sich aus den geforderten Noten von selbst ergibt. In Kantate 60 wird eine Cornostimme in D notiert (also transponierend), auch hier kann es sich wegen der verlangten Töne nur um eine Zugtrompete handeln, die hier möglicherweise ein D-Instrument war. Merkwürdig und vorerst unerklärlich ist die untransponierte Notation des Schlußchorals dieser Kantate.

Posaunen wurden von Bach in der traditionellen Weise als Verstärkung und Färbung im motettischen vierstimmigen Satz eingesetzt, also in Chorsätzen ohne obligates Instrumentarium. (Eine Ausnahme bildet Kantate 25, in der die Posaunen mit Blockflöten und Zink einen vierstimmigen Choralsatz cantus-firmus-artig innerhalb eines großen figurierten Chores spielen.) Bach schreibt manchmal vier Posaunen, manchmal drei Posaunen und Zink als traditionelle Oberstimme im vierstimmigen Bläsersatz. Es scheint, als wäre diese Unterscheidung bedeutungslos, da gelegentlich im vierstimmigen Posaunensatz die 1. Posaunen*stimme* mit »Cornetto«, also Zink, überschrieben ist. Das läßt sich damit erklären, daß eben der Zink grundsätzlich im Posaunenchor die Oberstimme spielte, ohne daß dies eigens erwähnt werden mußte. Abgesehen davon überschreitet die 1. Stimme (bis g″) dieser Sätze bei weitem den normalen Umfang selbst der Altposaune und müßte, wenn nicht auf dem Zink, dann auf einer Diskantposaune gespielt werden, die damals kaum mehr im Gebrauch war. Dennoch erscheinen mir beide Besetzungsarten (mit Zink oder Diskantposaune als Oberstimme) vertretbar zu sein, der Komponist wollte wohl den üblichen altgewohnten Bläserklang.

·Der *Zink* (Tonumfang a bis a″ [d‴]) war zu Bachs Zeit bereits vom verbreiteten Soloinstrument zum Bläserdiskant im Choralsatz abgesunken, er wurde wohl nur mehr von den Stadtpfeifern gespielt. Die offizielle und eindeutige Bezeichnung »Cornetto« kommt nur in wenigen Kantaten vor. Sehr häufig aber dürfte mit dem mehrdeutigen »Corno« dieses Instrument gemeint sein. (In manchen Quellen wird der Zink auch so genannt.) In Kantate 68 kommen *beide* Bezeichnungen vor. Zur Cantus-firmus-Verstärkung kommt ja nur ein Instrument in Frage, das nicht an die Naturtöne gebunden ist. Das Horn scheidet also aus (es ist auch durchaus kein typisches Cantus-firmus-Instrument, sondern wurde eher für Soli eingesetzt). Es bleiben nur der Zink und die Zugtrompete.

Bachs »Oboe da Caccia« und ihre Rekonstruktion

Johann Sebastian Bach war schon zu seinen Lebzeiten dafür berühmt, daß er sich mehr als andere Komponisten für die Musikinstrumente, deren Konstruktion und Klänge sowie für Fragen der Raumakustik interessierte. So erwähnen seine Söhne und Schüler immer wieder seine besondere Fähigkeit, die akustischen Bedingungen jedes Raumes sogleich zu erkennen und musikalisch auszuwerten. Es wurde ihm nachgerühmt, daß er bei Betrachtung eines Kirchenraumes sofort den idealen Standort und die optimale Disposition für eine zu bauende Orgel festlegen konnte. Die bedeutendsten Orgelmacher seiner Zeit berieten sich mit ihm über ihre Arbeit, führten ihm auch gelegentlich neue Instrumente zur Beurteilung vor – wie etwa Gottfried Silbermann sein neu erfundenes Hammerklavier (das Bach von der Idee her positiv, vom Ergebnis her negativ beurteilte, und damit einerseits den selbstbewußten Silbermann kränkte, andrerseits ihn aber zu den entscheidenden Verbesserungen inspirierte: Nach einer mehrjährigen Pause brachte er ein Instrument heraus, das allen Anforderungen gewachsen war). In sämtlichen Nachrufen wird Bach als »Erfinder« der Viola pomposa bezeichnet und dieser Tatsache große Bedeutung beigemessen.

Aus all dem kann man sehen, daß er ein ungewöhnlich großes Interesse an der ihm vorschwebenden klanglichen Realisation der Musik hatte, daß für ihn die Instrumentation einen für die damalige Zeit außerordentlichen Raum innerhalb der Komposition einnahm. Es findet sich im 18. Jahrhundert kein Komponist, der derart raffinierte und vielfältige Klangkombinationen aus dem verhältnismäßig einfachen Instrumentarium seiner Zeit herausholen konnte; es findet sich aber auch kein Komponist, der so viele verschiedene Instrumente mit solchen extremen Aufgaben betraut hat, daß noch heute weder die Musiker noch die Musikwissenschaftler in jedem Fall wissen, welches Instrument wirklich gemeint war. Hierher gehören Blasinstrumente wie: Corno,

Tromba oder auch Corno da tirarsi, Clarino, Lituus, Oboe da Caccia … usw. Natürlich muß man alle diese Bezeichnungen mit anderen Augen lesen als mit jenen, die an die streng determinierte Nomenklatur des 19. und 20. Jahrhunderts gewöhnt sind, und es werden in unserer Zeit wohl die gröbsten Fehler dadurch verursacht, daß italienische oder lateinische Bezeichnungen Bachs einfach wörtlich übersetzt werden (etwa: corno = Horn etc.). Voraussetzung zum richtigen Verständnis der Instrumentenbezeichnungen Bachs ist also eine sozusagen »barocke« Einstellung zur Nomenklatur.

In Bachs Leipziger Kantaten (nach 1723) und Oratorien taucht plötzlich ein neuer Name auf, der in der Musik bis dahin kaum bekannt war: »Oboe da Caccia«. (Gelegentlich wurde schon früher die Oboengruppe bei Jagden so genannt: Zedler-Lexikon 1732: »Jagd-Hautbois werden bey einem Haupt-Jagen nicht nur gebrauchet zu Abwechslung des Wald Geschreyes sich hören zu lassen; sondern müssen auch alle Morgen und Abende sämtlich mit ihrer angenehmen Music gehörigen Orts dem Ober-Jäger-Meister aufwarten.« Dabei handelte es sich jedoch wohl primär um eine Funktionsbezeichnung und nicht um den Namen eines Instrumentes.) Das bei Bach erstmalig eingeführte Instrument ist offenbar, wie die im vorigen Kapitel besprochene »Taille«, eine Oboe in F; während aber diese nur als Tutti-Instrument auftritt, ist jene ein ausgesprochenes Solo-Instrument. Es gibt keine Soli, die mit »Taille« bezeichnet sind, und kaum Tuttistellen mit der Bezeichnung »Oboe da Caccia«. Es existiert aber zu einer Kantate eine Taillestimme, in der eine Arie mit »Oboe da Caccia« bezeichnet ist. Taille konnte man eben alle Tenoroboen in F nennen, während die Oboe da Caccia eine Sonderform war, deren besonderer Klang Bach zu Soli inspirierte.

Nachdem wir bereits einige Konzerte gegeben und Schallplattenaufnahmen gemacht hatten (Kantaten, Johannes-Passion, Matthäus-Passion), bei denen wir verschiedene Arten von Tenoroboen als »Oboe da Caccia« eingesetzt hatten, begannen wir mißtrauisch zu werden. Es war allzu unwahrscheinlich, daß Bach sozusagen Taille-Soli einfach mit »Oboe da Caccia« bezeichnete. Es mußte also ein besonderes Instrument sein, das Bach in Leipzig vorgefunden hatte oder, was durchaus möglich wäre, dessen Erfindung er angeregt hatte. Zur Identifizierung dieses Instrumentes konnte nur die dafür geschriebene Musik und der Name als solcher, nicht aber irgendwelche Dokumentation herangezogen werden.

»Da caccia« konnte wohl nur ein Instrument bezeichnen, das irgend etwas mit Jagd zu tun hatte. Die musikalische Verwendung des Instrumentes ist diesem Schluß geradezu entgegengesetzt: Keines der uns bisher bekannten Soli ist irgendwie jagdartig, etwa in typischen $^6/_8$-Jagdmotiven oder auch nur in einem frischen »Freiluft-Affekt« geschrieben. Vielmehr sind alle besonders sensitiv, unbedingt zart und leise klingend; darauf weist auch die häufige Kombination mit der äußerst leisen Flûte traversière hin (Matthäus-Passion: »Er hat uns allen wohlgetan«... »Aus Liebe will mein Heiland sterben«, Johannes-Passion: »Zerfließe mein Herze...«). Was also war »da Caccia«, wenn nicht der Klang?

Durch Zufall sahen wir im Stockholmer Musikinstrumentenmuseum ein merkwürdiges Instrument: offensichtlich eine Tenoroboe in F, die aber halbkreisförmig gebogen und mit einem Schallbecher aus Messing versehen war. Dieses Instrument sah in der Hand eines Musikers wie ein großes Jagdhorn aus, der Schallbecher hatte dieselbe Form und befand sich gerade in Hüfthöhe, ebenso wie bei einem großen Parforcehorn. Erstaunlich war der eingravierte Name des Erbauers: »Johann Heinrich Eichentopf, Leipzig 1724«. Dieses Instrument hatte also der wohl berühmteste Leipziger Blasinstrumentenmacher dieser Zeit gebaut. Eichentopf war auch Blechinstrumentenmacher, so konnte er auf die Idee kommen oder dazu angeregt werden, ein Holzblasinstrument mit einer Messingstürze zu versehen. Beim notorischen Interesse Bachs für Instrumentenbau ist es völlig klar, daß er Eichentopf und seine Instrumente zumindest gekannt haben mußte; es fällt schwer zu glauben, daß dieses Zusammentreffen purer Zufall sein sollte: In Leipzig baut ein Instrumentenmacher genau in den entscheidenden Jahren Tenoroboen, die völlig von der Norm abweichen: Das normalerweise gerade gebaute Instrument wird halbkreisförmig gebogen und erhält einen Schallbecher wie ein Horn, das Instrument wird mit Leder überzogen – und zur selben Zeit komponiert Bach in Leipzig zahlreiche Soli für ein Instrument, das er »Oboe da Caccia« nennt und das bis dahin in der Musik nicht vorkam. Eine derart ausgefallene Instrumentenbezeichnung konnte ja nur verwendet werden, wenn sie den Musikern geläufig war. Natürlich waren den Leipziger Musikern die mondernsten Instrumente Eichentopfs bekannt, wenn dieser sie nicht sogar selbst spielte, wie das bei Instrumentenmachern seit jeher üblich ist.

Diese aufregende Kombination eines Holz- und Blechblasinstrumentes konnte leider nicht musikalisch überprüft werden, weil das Stockholmer Instrument unterhalb des Lederüberzugs offenbar in viele Teile zersprungen und total undicht war. Doch konnte es gründlichst untersucht und ausgemessen werden. Es stellte sich heraus, daß noch ein zweites, kongruentes Instrument – aus demselben Jahr und ebenfalls von Eichentopf – im Kopenhagener Musikinstrumentenmuseum lag. (Auch dieses Instrument ist nicht spielbar, wurde jedoch gleichfalls untersucht und ausgemessen.) Also handelte es sich nicht um ein kurioses Einzelstück, da ja mindestens zwei Instrumente bis heute erhalten sind. Offenbar wurde dieses Instrument Eichentopfs dann auch von anderen Instrumentenmachern nachgeahmt, denn in verschiedenen Museen existieren Instrumente aus der ersten Hälfte des 18. Jahrhunderts, die ebenfalls die charakteristische halbkreisförmige Biegung und den Lederüberzug haben. Freilich besitzen sie keine Metallstürzen (eine Spezialität, die sich wohl nur der vielseitige Eichentopf leisten konnte), aber ihre Holzbecher sind, anders als die der geraden Tenoroboen, extrem groß und förmlich als Imitation von Metallbechern gebaut, sogar der bei Hornstürzen typische schwarze Innenanstrich fehlt nicht.

Wir waren überzeugt, endlich die Bachsche »Oboe da Caccia« gefunden zu haben, *wenn* dieses Instrument musikalisch überzeugen konnte. Es durfte ja nicht einfach eine besonders reizvolle Form der Tenoroboe sein, sondern dieses eher rauhe und unhandliche Instrument mußte zu einem flexiblen und lieblich klingenden Soloinstrument werden.

Nun wurden die Instrumente Eichentopfs nachgebaut, bis in die letzten Einzelheiten der technischen Ausführung – diese geradezu blinde Genauigkeit war notwendig, denn wir wußten ja überhaupt nicht, wie sie klingen würden und klingen sollten. Wenige Tage vor den Aufnahmen für das Weihnachts-Oratorium waren sie fertig, und alle beteiligten Musiker, besonders aber die Bläser, die sie zu spielen hatten, waren auf Anhieb überzeugt. Wir sind nun sicher, daß damit die wirkliche »Oboe da Caccia« wiederentdeckt wurde. Das Instrument ist merkwürdigerweise leichter spielbar als seine »geraden« Vorfahren. Die weit ausladende Metallstürze gibt dem an sich dunklen Ton einen feinen metallischen Glanz. In bezug auf die Dynamik ist dieses Instrument von großer Flexibilität. Natürlich müssen die Musiker nun noch ihre Erfahrungen machen mit diesem Instrument, bis alle seine Möglichkeiten voll ausgeschöpft werden können, aber bereits so, wie es sich uns von Anfang an präsentierte, bedeutete es einen großen Schritt vorwärts. Die Altarie »Willkommen will ich sagen . . .« in Kantate 27 ist das erste echte Solo, das auf diesem Instrument gespielt und aufgenommen wurde.

Das Parodieverfahren bei Bach

Wort und Musik sind bei Bach auf eine innige Weise miteinander verbunden, die ihre Wurzel im frühen 17. Jahrhundert in Italien hat (siehe die Kapitel »Die große Neuerung
um 1600«, »Monteverdi – heute« und »Werk und Bearbeitung – die Rolle der Instrumente«).
Dieser unerhört direkte Zusammenhang ist für uns Musiker
von größter Wichtigkeit. Wir isolieren also nicht das
Musikalische vom Textlichen, versuchen nicht, einfach
schöne Musik zu machen mit mehr oder weniger gut dazu
passenden Worten, sondern wir sehen eine ideale Kombination von Wort und Ton und eine ideale Auslegung, die bei
Bach oft in mehreren Schichten geht. Das heißt, der Sänger
singt einen Text, das Orchester kommentiert diesen Text, es
begleitet ihn nicht nur, sondern legt ihn aus, erklärt seinen
Inhalt in dem Sinne, den Bach ihm geben wollte. Es ist also
die Idee der Predigt dahinter. Allerdings einer Predigt von
einer Vielschichtigkeit, von einer Gleichzeitigkeit an verba-
ler Aussage und musikalisch-rhetorischer Auslegung, in der
sogar das Gestische im Sinne des alten Musikdramas enthalten ist, wie sie rein gesprochen undenkbar wäre. Die
Erkenntnis dieser Mehrschichtigkeit setzt allerdings eine
genaue Analyse durch den Interpreten voraus; so muß jeder
Instrumentalpart eine eigene rhetorische Ausformung bekommen, die oft gegensätzlich zum gesungenen Text ist; erst
im Zusammenwirken erschließt sich der meist moralisch-
pädagogische Sinn.
Dieser innige Zusammenhang zwischen Musik und Wort
wird von vielen Musikwissenschaftlern mit dem Hinweis auf
das von Bach ziemlich oft geübte Parodieverfahren – die
Umtextierung ein und derselben Komposition von einer
weltlichen auf eine geistliche Fassung (etwa »Herkules am
Scheidewege« / Weihnachts-Oratorium) – in Frage gestellt.
(Übrigens wurde das Parodieverfahren schon hundert Jahre
früher von einem der rigorosesten Verfechter innigster
Wort-Ton-Beziehung, Claudio Monteverdi, angewandt; die
»pianta della Madonna« etwa ist eine Neutextierung des
»Lamento d'Ariana«, die perfekte Anpassung erfolgte, ähn-

lich wie später bei Bach, durch feinste rhythmische und melodische Änderungen.) Ich glaube allerdings auch bei Bach an die Einheit von weltlicher Ur- und geistlicher Endfassung. Bemerkenswerterweise parodierte Bach immer weltlich–geistlich, niemals umgekehrt.

Der Vorgang, ein Werk praktisch nur umzutextieren, um so die musikalische Substanz weiterverwenden zu können, ist in der Musikgeschichte sehr häufig anzutreffen. So wurden etwa für einen großen Teil der evangelischen Kirchenlieder zu Luthers Zeit einfach allgemein bekannte weltliche Lieder, oft geradezu »Schlager« sehr drastischen Inhalts, durch einen sakralen Text »kirchenfähig« gemacht. Mit derartigen Mitteln brachte man das Volk ganz bewußt in der Kirche zum Singen.

Durch die Beschäftigung mit Bachs Musik wurde dieses Verfahren allgemein bekannt und in den Mittelpunkt heftiger Diskussionen gerückt. Wird doch dadurch die Frage nach einer sinnvollen Wort-Ton-Verbindung in äußerst radikaler Weise aufgerollt. Man weiß ja, daß in der Barockzeit die Musik praktisch als eine Rede in Tönen verstanden wurde, daß der musikalische Affekt und der Wortaffekt stets korrespondieren mußten, und in ganz besonderem Maße weiß man dies von Bach. Nun wurde die Rolle Bachs als musikalischer Prediger, Ausdeuter der evangelischen Lehre, von mancher Seite extrem hervorgehoben, was auf der Gegenseite dazu führte, daß man ihm diese Rolle gänzlich absprach, da bei ihm die Musik überhaupt keinen Textbezug habe, weil er sie ja jederzeit umtextierte, parodierte. So wurde er von den einen als geistlicher Prediger bezeichnet, von den anderen aber als reiner Kapellmeister apostrophiert, dem es lediglich um die absolute Musik ginge und dem jeder religiöse oder gar konfessionelle Aspekt gleichgültig wäre. Als Beispiel dafür wird die Widmung der Missa (Kyrie und Gloria aus der h-Moll-Messe) des Protestanten Bach an den katholischen König von Sachsen, mit einem Angebot, jegliche Art von geistlicher und weltlicher Musik zu schreiben, angeführt.

Ein besonders interessantes Beispiel ist die Kantate Nr. 30 a. Bach hatte sie zum 28. September 1737 als Huldigungsmusik für den Herrn auf Wiederau, Johann Christian von Hennicke, komponiert. Als geistliche Kantate »Freue dich, erlöste Schar« wurde sie vermutlich neun Monate später, am 24. Juni 1738, in Leipzig aufgeführt. Es ist auch interessant, daß die Aufführungsdaten von weltlichem und geistlichem Gegenstück bei vielen Werken auffallend nahe beisammen sind (so auch beim Weihnachts-Oratorium). Da normalerweise beide Versionen vom selben Dichter stammen (hier von Christian Friedrich Henrici – Picander), liegt der Schluß nahe, daß sowohl die weltliche als auch die geistliche Kantate von vornherein gemeinsam konzipiert wurden, wodurch natürlich das Verfahren und sein Wert in gänzlich anderem Licht erscheinen. Denn es macht wohl einen großen Unterschied, ob man musikalisches Material einfach aus Zeitmangel wiederverwendet und dabei einen neuen Text mehr oder weniger gewaltsam appliziert, oder ob dem Komponisten schon von vornherein beide Texte vorliegen und er das Werk bereits auf seine endgültige geistliche Fassung hin anlegt. So ließe sich auch der oft bemerkte merkwürdige Umstand erklären, daß die geistliche Zweitfassung, die Parodie also, künstlerisch überzeugender und geschlossener wirkt als die weltliche Urfassung; selbst dann, wenn an einzelnen Stellen der ursprüngliche Text auch in der musikalischen Auslegung noch durchschimmert. Es ist sicherlich deprimierend für einen Komponisten vom Range Bachs, all sein Genie und seine Arbeit in eine Huldigungskantate zu investieren, die auf einen einzigen Anlaß beschränkt ist und daher nie wiederaufgeführt werden könnte. So ist es mehr als verständlich, wenn der Komponist schon bei der Komposition dieses Werkes zugleich die zweite, endgültige Version im Auge hatte. Besonders erleichtert wird dieses Verfahren, wenn ein gewandter und routinierter Textdichter zur Verfügung steht, der die Pläne und Ideen der Komponisten kennt und auf sie eingehen kann.

Die barocke Gottesvorstellung und die barocke Einstellung zum Herrscher sind derart ineinander verzahnt, das hierarchische Denken derart ausgeprägt, daß eine Identifikation beider Gestalten durchaus nicht blasphemisch wirkte. Gott war sozusagen der höchste Herrscher, aber auch der König oder sonst ein Regent stand immerhin so unerreichbar weit vom normalen Sterblichen – seit dem Barock wohnte er auch in kirchenähnlichen Prunkbauten, den Schlössern, die keine Ähnlichkeit mehr mit einem normalmenschlichen Wohnhaus hatten –, daß die Kluft zwischen der eigenen bürgerlichen Person und dem Fürsten als unüberbrückbar empfunden wurde. Der Fürst war gleichsam ein »höheres Wesen«. (Am Hofe Ludwigs XIV. mußten die Meßbesucher mit dem Rücken zum Altar, dem König zugewandt sitzen, Gott konnte sozusagen nur über den König, den »Halbgott«, erreicht werden.) So ist es durchaus natürlich, daß derselbe Jubelchor die Huldigungskantate und die Kantate zum Johannisfest einleitet. Der erste Chor ist in Form eines stilisierten Bourrée-Rondos geschrieben, wobei die ersten beiden Textzeilen als Bourrée I dreimal wiederkehren, zweimal variiert, unterbrochen von den restlichen drei Zeilen. Der »Affekt« der ersten Gruppe ist Jubel, der der zweiten eine neutralere Erklärung dafür. Die beiden Texte sind genau gleich aufgebaut. Wenn wir die gesamten Texte der beiden Kantaten vergleichen, fällt auf, daß sogar die Rezitative als genaue textliche Parodien gearbeitet sind, ein sehr schwerwiegendes Indiz für die oben erklärte Annahme, daß von vornherein beide Werke gemeinsam angelegt worden waren. Umso bemerkenswerter ist es, daß Bach diesen ursprünglichen Plan – ein solcher muß es gewesen sein, sonst hätte Picander nicht die Texte mühsam gleichartig aufgebaut – nicht ausführte, sondern trotz der genauen Textkorrespondenz gänzlich neue Musik dazu schrieb. Man sieht, die Übereinstimmung genügte ihm schließlich nicht; um die Rezitative überzeugend textgetreu zu gestalten, mußte er sie dann doch neu komponieren. Im ersten Rezitativ geht die Übereinstimmung sogar so weit, daß der festliche Teil der weltlichen Version »dein Name soll geändert sein . . .« vierstimmig gesetzt ist, was bei der geistlichen Version »es freue sich wer immer kann . . .« noch viel sinnvoller wäre; also wahrscheinlich schon im Hinblick auf diese komponiert wurde; dennoch genügte schließlich die Wortauslegung im einzelnen nicht Bachs Ansprüchen für die geistliche Kantate; so verzichtete er hier auf die Parodierung.

Chor
Freue dich, erlöste Schar,
Freue dich in Sions Hütten.
Dein Gedeihen hat itzund
Einen rechten festen Grund,
Dich mit Wohl zu überschütten.

Rezitativ (Baß)
Wir haben Rast,
Und des Gesetzes Last
Ist abgetan.
Nichts soll uns diese Ruhe stören,
Die unsre liebe Väter oft
Gewünscht, verlanget und gehofft.
Wohlan, es freue sich, wer immer kann,
Und stimme seinem Gott zu Ehren
Ein Loblied an,
Und das im höhern Chor,
Ja, singt einander vor!

Arie (Baß)
Gelobet sei Gott, gelobet sein Name,
Der treulich gehalten Versprechen und Eid!
Sein treuer Diener ist geboren,
Der längstens darzu auserkoren,
Daß er den Weg dem Herrn bereit'.

Rezitativ (Alt)
Der Herold kömmt und meldt den König an,
Er ruft; drum säumet nicht
Und macht euch auf
Mit einem schnellen Lauf,
Eilt dieser Stimme nach!
Sie zeigt den Weg, sie zeigt das Licht,
Wodurch wir jene selgen Auen
Dereinst gewißlich können schauen.

Arie (Alt)
Kommt, ihr angefochtnen Sünder,
Eilt und lauft, ihr Adamskinder,
Euer Heiland ruft und schreit!
Kommet, ihr verirrten Schafe,
Stehet auf vom Sündenschlafe,
Denn itzt ist die Gnadenzeit.

Kantate »Angenehmes Wiederau«, BWV 30 a

Chor
Angenehmes Wiederau
Freue dich in deinen Auen!
Das Gedeihen legt itzund
Einen neuen, festen Grund,
Wie ein Eden dich zu bauen.

Rezitativ (Baß)

SCHICKSAL: So ziehen wir
In diesem Hause hier
Mit Freuden ein;
Nichts soll uns hier von dannen reißen.
Du bleibst zwar, schönes Wiederau,
Der Anmut Sitz, des Segens Au;
Allein,

ALLE: Dein Name soll geändert sein,
Du sollst nun Hennicks-Ruhe heißen!

SCHICKSAL: Nimm dieses Haupt, dem du nun untertan,
Frohlockend also an!

Arie (Baß)

SCHICKSAL: Willkommen im Heil, willkommen in Freuden,
Wir segnen die Ankunft, wir segnen das Haus.
Sei stets wie unsre Auen munter,
Dir breiten sich die Herzen unter,
Die Allmacht aber Flügel aus.

Rezitativ (Alt)

GLÜCK: Da heute dir, gepriesner Hennicke,
Dein Wiedrau sich verpflicht',
So schwör auch ich,
Dir unveränderlich
Getreu und hold zu sein.
Ich wanke nicht, ich weiche nicht,
An deine Seite mich zu binden.
Du sollst mich allenthalben finden.

Arie (Alt)

GLÜCK: Was die Seele kann ergötzen,
Was vergnügt und hoch zu schätzen,
Soll dir Lehn und erblich sein.
Meine Fülle soll nichts sparen
Und dir reichlich offenbaren,
Daß mein ganzer Vorrat dein.

Choral
Eine Stimme läßt sich hören
In der Wüste weit und breit,
Alle Menschen zu bekehren:
Macht dem Herrn den Weg bereit.
Machet Gott ein ebne Bahn,
Alle Welt soll heben an,
Alle Täler zu erhöhen,
Daß die Berge niedrig stehen.

ZWEITER TEIL
Rezitativ (Baß)
So bist du denn, mein Heil, bedacht,
Den Bund, den du gemacht
Mit unsern Vätern, treu zu halten
Und in Genaden über uns zu walten;
Drum will ich mich mit allem Fleiß
Dahin bestreben,
Dir, treuer Gott, auf dein Geheiß
In Heiligkeit und Gottesfurcht zu leben.

Arie (Baß)
Ich will nun hassen
Und alles lassen,
Was dir, mein Gott, zuwider ist.
Ich will dich nicht betrüben,
Hingegen herzlich lieben,
Weil du mir so gnädig bist.

Rezitativ (Sopran)
Und obwohl sonst der Unbestand
Den schwachen Menschen ist verwandt,
So sei hiermit doch zugesagt:
Sooft die Morgenröte tagt,
Solang ein Tag den andern folgen läßt,
So lange will ich steif und fest,
Mein Gott, durch deinen Geist
Dir ganz und gar zu Ehren leben.
Dich soll sowohl mein Herz als Mund
Nach dem mit dir gemachten Bund
Mit wohlverdientem Lob erheben.

Rezitativ (Baß)

SCHICKSAL: Und wie ich jederzeit bedacht
Mit aller Sorg und Macht,
Weil du es wert bist, dich zu schützen
Und wider alles dich zu unterstützen,
So hör ich auch nicht ferner auf,
Vor dich zu wachen
Und deines Ruhmes Ehrenlauf
Erweiterter und blühender zu machen.

Arie (Baß)

SCHICKSAL: Ich will dich halten,
Und mit dir walten,
Wie man ein Auge zärtlich hält.
Ich habe dein Erhöhen,
Dein Heil und Wohlergehen
Auf Marmorsäulen aufgestellt.

Rezitativ (Sopran)

ZEIT: Und obwohl sonst der Unbestand
Mit mir verschwistert und verwandt,
So sei hiermit doch zugesagt:
Sooft die Morgenröte tagt,
Solang ein Tag den andern folgen läßt,
So lange will ich steif und fest,
Mein Hennicke, dein Wohl
Auf meine Flügel ferner bauen.
Dich soll die Ewigkeit zuletzt,
Wenn sie mir selbst die Schranken setzt,
Nach mir noch übrig schauen.

Arie (Sopran)
Eilt, ihr Stunden, kommt herbei,
Bringt mich bald in jene Auen!
Ich will mit der heilgen Schar
Meinem Gott ein' Dankaltar
In den Hütten Kedar bauen,
Bis ich ewig dankbar sei.

Rezitativ (Tenor)
Geduld, der angenehme Tag
Kann nicht mehr weit und lange sein,
Da du von aller Plag
Der Unvollkommenheit der Erden,
Die dich, mein Herz, gefangen hält,
Vollkommen wirst befreiet werden.
Der Wunsch trifft endlich ein,
Da du mit den erlösten Seelen,
In der Vollkommenheit
Von diesem Tod des Leibes bist befreit,
Da wird dich keine Not mehr quälen.

Chor
Freue dich, geheilgte Schar,
Freue dich in Sions Auen!
Deiner Freude Herrlichkeit,
Deiner Selbstzufriedenheit
Wird die Zeit kein Ende schauen.

	Arie (Sopran)
ZEIT:	Eilt, ihr Stunden, wie ihr wollt,
	Rottet aus und stoßt zurücke!
	Aber merket dies allein,
	Daß ihr diesen Schmuck und Schein,
	Daß ihr Hennicks Ruhm und Glücke
	Allezeit verschonen sollt!

	Rezitativ (Tenor)
ELSTER:	So recht; ihr seid mir werte Gäste!
	Ich räum euch Au und Ufer ein.
	Hier bauet eure Hütten
	Und eure Wohnung feste,
	Hier wollt, hier sollet ihr beständig sein!
	Vergesset keinen Fleiß,
	All eure Gaben haufenweis
	Auf diese Fluren auszuschütten!

	Arie (Tenor)
ELSTER:	So wie ich die Tropfen zolle,
	Daß mein Wiedrau grünen solle,
	So fügt auch euern Segen bei!
	Pfleget sorgsam Frucht und Samen,
	Zeiget, daß euch Hennicks Namen
	Ein ganz besondres Kleinod sei!

	Rezitativ (Sopran, Baß, Alt)
ZEIT:	Drum, angenehmes Wiederau,
	Soll dich kein Blitz, kein Feuerstrahl,
	Kein ungesunder Tau,
	Kein Mißwachs, kein Verderben schrecken!
SCHICKSAL:	Dein Haupt, den teuren Hennicke,
	Will ich mit Ruhm und Wonne decken.
GLÜCK:	Dem wertesten Gemahl
	Will ich kein Heil und keinen Wunsch versagen,
ALLE:	Und beider Lust
	Den einigen und liebsten Stamm, August,
	Will ich auf meinem Schoße tragen.

Chor
Angenehmes Wiederau,
Prange nun in deinen Auen!
Deines Wachstums Herrlichkeit,
Deiner Selbstzufriedenheit
Soll die Zeit kein Ende schauen!

Vergleichen wir die Texte der Chöre und Arien, so finden wir eine so unglaublich enge Übereinstimmung, daß es fast peinlich wirkt, dieselben Lobes- und Huldigungsworte an Christus und an den Emporkömmling Hennicke gerichtet zu sehen. Im ersten Chor ist die Übereinstimmung total; die erste Arie ist in beiden Fällen ein Willkommensgruß, in der geistlichen Version gilt er Johannes dem Täufer. Hier könnte man überlegen, ob die Triolenketten im ersten Teil vielleicht eher dem Wort »Freuden« entsprechen als »Name« – andererseits ist der Lobesjubel sehr überzeugend ausgedrückt. In der zweiten Arie ist die Komposition unbedingt schon auf die geistliche Version abgestimmt, und die weltliche ist sozusagen nur eine vorausgenommene Verwendung des Materials. Der außergewöhnliche Charakter des Klangbildes, der unruhige verschleierte Affekt ist dem geistlichen Text in jeder Phase adaequat, als Aussage des Glückes in der Huldigungskantate ist dies bei weitem weniger überzeugend (die Rufe auf dem Text »schreit« liegen dann auf »sein« u. v. a.). Das gleiche gilt für die dritte Arie, auch hier ist die Text-Musik-Korrespondenz erst bei der geistlichen Version wirklich erreicht. Die intensiven Akzente mit dem forte-Einsatz des Orchesters auf »hassen« (»ich will nun hassen«) malen bei weitem nicht so zwingend »ich will dich halten«. In der vierten Arie ist die Textübereinstimmung in beiden Fällen nahezu identisch, man kann wohl die aufsteigenden Intervallsprünge vor der Fermate (Takt 44/45) sowohl als Auslegung von »rottet aus und stoßt zurücke« wie auch als ungeduldige Bitte »bringt mich bald in jenen Auen« verstehen. Das nachfolgende Rezitativ und die Arie der Elster wurden nicht in die Kirchenkantate übernommen, der Vergleich kann also erst beim letzten Rezitativ fortgesetzt werden. Hier ist keine Übereinstimmung mehr erkennbar, wenn man davon absieht, daß beide Versionen mit einem beruhigenden Arioso enden, um den kontrastierenden Effekt des Schlußchores – letztlich leicht verändertes da capo des Eingangschores – voll zur Geltung zu bringen.
Wir sehen also, die Bach neuerdings oft zugeschriebene Leichtfertigkeit bezüglich der Einheit von Wort und Musik kann man hier nicht finden. Im Gegenteil, die Arbeitsweise,

schon das weltliche Werk, das ja nur einen Tagesbedarf befriedigt, im Hinblick auf seine endgültige Verwendung als Johannis-Kantate anzulegen, zeigt uns deutlich die Gewissenhaftigkeit, mit der Bach derartige zweifach benutzte Kompositionen behandelte. Die weltliche Version bekam dann eher den Charakter einer Vorstudie.

Zur ersten Aufführung der Matthäus-Passion durch den Concentus Musicus

Es geschieht selten, daß ein oftmals aufgeführtes Werk im ausführenden Musiker völlig neue Saiten zum Klingen bringt. Normalerweise wird es immer wieder in sehr ähnlicher Weise dargestellt, einmal besser, einmal weniger gut. Besonders schöne Aufführungen bleiben im Gedächtnis, ohne sich aber in wesentlichen Punkten von den übrigen abzuheben. Nun musizierten wir Bachs Matthäus-Passion. Da die Besetzung der Doppelchörigkeit wegen etwas größer ist als bei den Werken Bachs, die wir bisher gespielt hatten, kamen einige Musiker aus Holland und Belgien hinzu. Jeder von uns hatte die Matthäus-Passion schon viele, viele Male gespielt, an der ersten Oboe, Violine, Viola, dem Cello, der Orgel – bei den alljährlichen Aufführungen zu Ostern. Niemand erwartete ein umwälzendes Erlebnis bei einem so bekannten Werk, auch nicht, wenn man es zum ersten Male mit Originalinstrumenten spielt.

Wir hatten schon lange vorher mit den Orchesterproben begonnen. Dabei bemerkten wir immer wieder, wie wenig wir das Werk eigentlich kannten, obwohl jeder von uns seine Stimme nahezu auswendig spielen konnte. Die kleine Besetzung (drei 1. Violinen, drei 2. Violinen in jedem der beiden Orchester, sonst alles einfach besetzt) und die klar zeichnenden alten Instrumente mit ihrer klanglichen Buntheit ließen den kompliziert-vielstimmigen Satz in bisher nie gehörter Weise sich entflechten. Die einzelnen Stimmen bekamen beinahe von selbst ein völlig neues Gesicht, jede für sich und vor allem im Zusammenklang mit den übrigen Instrumenten.

Wir hatten schon oft am Sinn der fein differenzierten Artikulationen gezweifelt, die Bach in seinen eigenhändig geschriebenen Stimmen und in seiner Partitur verlangt, da sie normalerweise gleichsam in einem herrlich-harmonischen Klangbrei ertrinken. Nun konnte man bemerken, wie sich jeder einzelne Musiker wieder am eigenen sprechenden, wohl-artikulierten Spiel selbst erfreute, weil alles präsent blieb, weil das Gewebe des Miteinander und Gegeneinander mit einem Mal sinnvoll wurde. Wie bei jedem großen Musikwerk zeigte sich auch hier wieder deutlich, wie die Gewichte unserer so oft als historisierend abgestempelten Bemühungen tatsächlich verteilt sind. Was wir hier machten, war keine Restauration irgendeines historischen Klangbildes, keine museale Wiederholung vergangener Klänge; das war eine moderne Aufführung, eine Interpretation des 20. Jahrhunderts. Für uns Musiker ist in jedem Fall das Instrument das beste, dessen Klänge und Technik uns bei der Interpretation helfen, uns inspirieren. Das Barockorchester ist für uns solch ein Instrument. Hier finden wir immer wieder neue Anregungen, es ist eine für unsere Ohren noch völlig unverbrauchte Klangwelt, deren Reichtum uns dem Reichtum der Musik Bachs angemessen erscheint.

Da erst auf den letzten Proben unmittelbar vor der Aufnahme auch der Chor dabei war, waren wir natürlich schon auf das höchste gespannt, wie sich dies auf unsere neu gefundene Klangbalance auswirken werde. Schon die Aufstellung war ungewohnt; wir plazierten die beiden Chöre und Orchester einander gegenüber an den Enden des Saales – so hatten wir die echte Zweichörigkeit, wie Bach sie in seiner endgültigen Fassung der Matthäus-Passion fordert. Als wir so das erste Mal den Eingangschor musizierten, blieb wohl jedem von uns der Atem weg: Die Matthäus-Passion ist sicherlich seit Bachs Zeit nicht mehr mit so kleinen Chören und Orchestern aufgeführt worden, und doch war alle Monumentalität, alle Größe des Werkes da, auch klanglich. Der große hohe Saal tönte von allen Seiten. Fragen und Antworten der Gläubigen und der Tochter Zion wogten hin und her: »Sehet – wen? – den Bräutigam – seht ihn – wie? – als wie ein Lamm.« Noch nie hatten wir den Sinn, auch den musikalischen Sinn dieses kolossalen Dialogs so intensiv begriffen. Als dann vier Knaben und die Orgel den Choral »O Lamm Gottes unschuldig« wie einen Silberfaden über das unbeirrt fortschreitende Chorgeschehen legten, begriffen wir auch hier zum erstenmal den Sinn der neuen Balance: Der Chorsatz bleibt stets der alleinige Träger des musikalischen Geschehens – der Choral darf ihn niemals übertönen oder seiner Durchhörbarkeit berauben –, er muß vielmehr als Ahnung die Realität des Chores überhöhen. Bachs überliefertes Material gibt uns recht: Die eigenhändige Partitur bringt den Choral – ohne Text – in der rechten Hand der beiden Orgeln, gleichsam den Sinn des Passionsgeschehens hinter dem Vordergrund des Chores aus der Ferne erhellend (damals waren diese Choräle ja allgemein bekannt, sodaß der Komponist die Melodie gleichsam als »Textzitat« verwenden konnte). Bach schrieb diese Partitur erst etwa 1740, als er die Matthäus-Passion schon wiederholt aufgeführt hatte, also jedesmal *ohne* gesungenen Choral. Erst etwa zwei Jahre später schrieb Bach, größtenteils eigenhändig, ein komplettes Aufführungsmaterial für das Werk, und *nur* in diesem Material befindet sich ein Blatt für Ripiensoprane, auf dem dieser Choral textiert steht. Wahrscheinlich hatte Bach damals einen etwas größeren Jahrgang von Knabensopranen und wollte auch die Ripienisten, die nach seinem Zeugnis nur fürs Choralsingen zu brauchen waren, einsetzen. Es können nicht mehr als drei oder vier Knaben gewesen sein.

Jedenfalls wurden unsere Erfahrungen von den Orchesterproben, daß sich in dieser Besetzung und Interpretation die altbekannte Matthäus-Passion als ein aufregend neues Werk entpuppte, nun auch mit dem Chor mehr und mehr bestätigt. Immer wieder wurde anläßlich von Schallplattenaufnahmen mit Originalinstrumenten und kleiner Besetzung der Verdacht ausgesprochen, die »Monumentalität« sei manipuliert und der Klang sozusagen von den Aufnahmetechnikern hochgedreht: Ein derart klein besetzter Chor und Orchester, noch dazu mit alten Instrumenten, könne unmöglich einen so vollen, in seiner Art sogar machtvollen Klang ergeben. Derartige Manipulationen haben wir niemals erwogen, weil sie überhaupt nicht nötig waren. Natürlich müssen Größe und Akustik des Saales den Klangmitteln entsprechen. Ist das der Fall, und es war so bei dieser Matthäus-Passion, dann ist der Eindruck ebenso monumental wie bei den üblichen groß besetzten Aufführungen, nur eben viel klarer und transparenter.

Wir hatten befürchtet, daß unser Prinzip, jedes Werk so aufzuführen, als hätten wir es niemals vorher musiziert, ja, als wäre es noch niemals aufgeführt worden, daß dieses Prinzip bei der Matthäus-Passion nicht mehr realisierbar sei angesichts der übermächtigen Assoziationen aus vielen, vielen Aufführungen. Und dann geschah es doch ganz von selbst, ausgehend vom Orchesterklang und vom wunderbar durchsichtigen Klang des Knaben-Männer-Chores: Die Matthäus-Passion war völlig neu für uns, wir haben sie niemals vorher musiziert noch je gehört, es gab keine Assoziationen.

Die Matthäus-Passion –
Geschichte und Tradition

Wenn wir alljährlich vor Ostern die Passionsoratorien Bachs hören, denken wir kaum daran, daß diese Musik fast zweihundertfünfzig Jahre alt ist und daß der Komponist eine derart lange Lebensdauer seiner Werke wohl auch in seinen kühnsten Träumen nicht erwarten konnte. Damals schrieb man die Musik noch für einen bestimmten Anlaß, sie *mußte neu* sein, sie mußte den Hörer fesseln – durch überraschende, noch nie gehörte Wendungen. Vielleicht führte man ein besonders bedeutendes Werk nach einigen Jahren wieder auf, der Hörer konnte ja nicht alles schon beim ersten Mal begriffen haben, aber nach einigen wenigen Aufführungen wurde es endgültig ins Archiv verbannt. Bachs Matthäus-Passion wurde zu seinen Lebzeiten etwa dreimal aufgeführt, unter der Leitung des Komponisten, dann lag sie fast hundert Jahre lang im Archiv. Mendelssohn studierte die Partitur und war von der Größe dieser Musik so überwältigt, daß er die Matthäus-Passion 1829 in Berlin aufführte, erstmalig seit Bachs eigener letzten Aufführung.

Wir dürfen uns diese Aufführung Mendelssohns nicht als eine Restauration im Sinne von Bachs eigenen Interpretationen vorstellen. Dazu war das Musikleben der Romantik viel zu aktuell, dazu war Mendelssohn selbst zu sehr schöpferischer Musiker. Es war vielmehr eine Transposition dieses größten Werkes des Spätbarock in die Klangwelt der Romantik.

Bei den meisten heutigen Aufführungen ist diese romantische Tradition noch deutlich spürbar, nicht zuletzt in der Formung des Orchesterklanges durch die Dirigenten. Es wird bei diesem Werk oftmals tatsächlich ein romantischer Orchesterklang erzielt. Trotz aller Schönheit, vielleicht sogar einer gewissen Überzeugungskraft, die eine derartige Interpretation vermitteln kann, erkennt und fühlt man doch, daß Wesentliches so nicht zum Ausdruck gebracht werden kann. Der heutige Musiker sollte sich fragen, ob es denn wirklich keine andere Möglichkeit gibt, sich in ehrlicher Weise mit den Werken Bachs auseinanderzusetzen, als sie im Stil und mit den Mitteln der Spätromantik wiederzugeben.

Es scheint absurd, daß wir ein Werk von 1729 heute (im letzten Drittel des 20. Jahrhunderts) im Geiste und mit den klanglichen Mitteln von 1870 interpretieren und hören wollen. Es muß doch auch andere, der heutigen Zeit besser entsprechende Wege geben. Da es heute kein einigermaßen verbindliches musikalisches Idiom gibt, das eine echte Übertragung der Matthäus-Passion in Klang und Geist unserer Zeit erlaubt, bleibt wohl nur der andere Weg: die ja auch bereits historische und abgeschlossene Entwicklung der Romantik und Spätromantik zu überspringen und in Klang und Geist auf das Original zurückzugehen.

Immer wieder wird darauf hingewiesen, wie tragisch sich Bach mit unzulänglichen Mitteln durch seine Leipziger Aufführungen ringen mußte und daß diese Unzulänglichkeiten nicht durch »originalgetreue« Aufführungen heute wiederholt werden sollten. Bachs Brief an den Leipziger Rat, »Kurtzer, iedoch höchstnöthiger Entwurff einer wohlbestallten Kirchen Music«, ist wirklich ein erschütterndes Dokument, aber nicht, weil Bach sich mit so kläglichen Mitteln begnügen mußte, sondern weil er die nach heutigen Begriffen wirklich minimalen Besetzungen für seine Aufführungen nur unter größten Schwierigkeiten zusammenbringen konnte. Man hat nirgends den Eindruck, daß er eigentlich lieber mehr Musiker oder Sänger hätte, als er fordert, aber man sieht, daß er diese Kräfte wirklich braucht; und doch war er immer wieder gezwungen, mit noch weniger Leuten auszukommen. Auch die Klage über die Qualität der Musiker muß man mit Bachs Augen sehen: Er hatte in Köthen ein ausgesprochenes Solistenensemble geleitet, die Leipziger Stadtmusiker waren sicherlich seinen hohen künstlerischen Ansprüchen nicht ebenso gewachsen, vielleicht mit Ausnahme der führenden Leute. Es ist aber bekannt, daß er seine Kompositionen stets den vorhandenen Kräften anpaßte; wo er keinen erstklassigen Chor hatte, schrieb er einen sehr einfachen Chorsatz, wo er Spitzenkräfte hatte, forderte er ihnen das Letzte ab. Auf Kritiken über die Schwierigkeiten der Werke Bachs antwortete der Rhetorikprofessor Birnbaum (Leipzig 1739): ». . . Allein, da freylich der Herr Hofcompositeur so glücklich nicht ist, seine Stücke allezeit lauter

Virtuosen vorlegen zu können, so bemüht er sich doch zum wenigsten, theils, die es noch nicht sind, durch Angewöhnung an etwas schwerere Stücke, dazu zu machen: theils bedient er sich, wo dieses nicht möglich ist, allerdings der nöthigen Behutsamkeit, seine Arbeit nach der Fähigkeit derer, die sie aufführen sollen, einzurichten.« Dies war auch das selbstverständliche Prinzip der Komponisten damals, spielbar und sangbar zu schreiben, man hätte ja die Fehler nicht den Ausführenden, sondern stets dem Komponisten angelastet. Neben Hindemith, der in sehr klarer Weise die Aufführungen der Werke Bachs mit den Mitteln, für die sie geschrieben worden waren, forderte, weil sie unbedingt optimal seien, ist auch das Wort H. J. Mosers, des Bach-Sängers und Musikwissenschaftlers, nicht von der Hand zu weisen: ». . . uns ungewöhnlich vorkommende Anforderungen an die Stimme beruhen gerade auf Bachs großer Vertrautheit mit den Fähigkeiten des Gesangsorganes, und da er wie alle vor-beethovenschen Tonsetzer nicht völlig frei phantastisch schuf, sondern in weitem Umfang streng empirisch auf die ihm zur Verfügung stehenden Individualitäten hin (freilich zweifellos im Höchstmaß des ihnen Erreichbaren) geschaffen hat, so wird man in den Bachschen Vokalwerken ziemlich getreue Portraits seiner gesanglichen Interpreten widergespiegelt finden dürfen.« Man darf also Bach nicht in eine Reihe stellen mit den Komponisten des 19. Jahrhunderts, die stets mehr im Hinblick auf die Zukunft komponierten und meist nicht in Verbindung mit einer tatsächlichen Aufführung. Bachs Kirchenwerke wurden für bestimmte Aufführungen geschrieben, für bestimmte Verhältnisse, wenn schon nicht qualitativer, so doch mindestens quantitativer Art.
Natürlich sind die Fragen von Besetzung und Instrumentation untrennbar miteinander verknüpft. Sämtliche Instrumente wurden in den letzten zweihundertfünfzig Jahren klanglich so tiefgreifend verändert, daß dieselbe Besetzung, die mit den Instrumenten des 18. Jahrhunderts ideal aufeinander abgestimmt ist, mit heutigen Instrumenten ein total verzerrtes Klangbild ergibt. Es geht also nicht nur um die kleine Besetzung, sondern um die angemessene Balance und um die Farben der Klänge.

Es fällt schwer, sich vorzustellen, daß dieses Werk, das wir so oft in wunderschönen Aufführungen von hundertfünfzig bis zweihundert Sängern und Instrumentalisten gehört haben, eigentlich Kammermusik ist – was die Besetzung betrifft. Es ist nicht leicht zu verstehen, daß nichts weggenommen wird von der Größe dieses Werkes, wenn es von nur wenigen musiziert wird, daß seine Vielfalt und sein Reichtum gerade in der kleineren Besetzung viel stärker hervortreten. Die klangliche Einheit von Arien und Chören ist nur in kleiner Besetzung zu erzielen. Es mag schon sein, daß bei einem Rückgriff auf die Mittel der Bach-Zeit der Hörer anfangs durch mangelnde »Monumentalität« enttäuscht wird. Aber muß denn die Größe eines solchen Werkes mit Hilfe von Klangmassen ausgedrückt werden? Ist es nicht möglich, daß die klare Durchhörbarkeit, die bessere Balance der vokalen und instrumentalen Mittel die in dieser Komposition liegende Größe noch viel besser, weil adaequat zum Ausdruck bringt? Das Verhältnis Chor–Orchester, die Relation Bläser–Streicher ist tatsächlich mit Originalinstrumenten und Knabenchor von Anfang an befriedigend darstellbar. Wir sind überzeugt und haben es in zahllosen Aufführungen immer wieder festgestellt, daß dabei die Balance in allen Details und ohne künstliche technische Eingriffe stimmt. Von einem normalen »modernen« Symphonieorchester ausgeführt (in Wahrheit kann man es nicht modern nennen, weil es der unveränderte hundertjährige Klangkörper der Spätromantik ist), wird stets das Streichorchester einen Klangteppich über alles breiten, die diffizile Instrumentation schon des ersten Chores geht im romantisch-satten Streichersatz unter. Man meint Brahms zu hören, und tatsächlich hat sich Brahms von diesen Klängen stark beeinflussen lassen. Dieses romantische Klangbild der Bachschen Passionen hatte seit der ersten Wiederaufführung in Berlin durch Mendelssohn, zu Ostern 1829, Generationen von Hörern verzaubert. So ist es heute nicht leicht und stellt an den Hörer ähnliche Anforderungen wie an den Musiker, alle diese Erfahrungen und Erlebnisse zu überspringen und wieder dort anzuknüpfen, wo diese Musik zum ersten Mal gespielt wurde.
Natürlich wissen wir, daß wir auch mit all unseren Original-

instrumenten und Knabenchören keineswegs eine Aufführung des 18. Jahrhunderts gleichsam keimfrei in die heutige Zeit übertragen können, als kolossale Fleißaufgabe praktischer Musikwissenschaft, wir wollen dies auch gar nicht. Zuviel ist seither musikgeschichtlich geschehen. Sowohl die Musiker als auch die Hörer der heutigen Zeit, die mit Beethoven, Brahms und Strawinsky musikalisch aufgewachsen sind, musizieren und hören ein Werk Bachs mit gänzlich anderen Ohren als die Musiker und Hörer zu Bachs Zeit, die lediglich Buxtehude, Kuhnau und Reinken kannten. Wir wollen tatsächlich mit den Mitteln des 18. Jahrhunderts eine Interpretation des 20. Jahrhunderts machen. Es wäre uns als Musikern völlig unmöglich, auf historischen und authentischen Instrumenten des 18. Jahrhunderts zu musizieren, wenn diese keine anderen Vorzüge hätten als ihre Authentizität. Tatsächlich bieten sie uns aber reichste klangliche und technische Anregungen, die die Interpretation ständig beeinflussen. Das ist der einzige und wirkliche Grund, warum wir so beharrlich auf den Originalinstrumenten musizieren. Es ist also die freie Entscheidung des Ausführenden, ein Werk optimal darzustellen, nicht aber der Traum des Historikers, ein vergangenes Klangbild wiederzubeleben. Für uns verbinden sich beim Spiel auf den originalen Instrumenten der Klang und die musikalische Substanz in idealer Weise – es ist also wirklich keine Entscheidung des Historisten, sondern eine Entscheidung des lebendigen Musikers, diese Instrumente zu verwenden. Wir verstehen *musikalisch,* warum gewisse Tonverbindungen auf den Blasinstrumenten fremdartige und ungleichmäßige Farben haben müssen, und es gefällt uns für diese Musik viel besser als die gleichmäßige Glätte des modernen Instrumentariums.

Ähnlich verhält es sich mit dem Chorklang. Nicht, daß ein Knaben-Männer-Chor technisch besser sänge als ein gemischter Chor – er eignet sich klanglich viel besser für diese Musik, und deshalb musizieren wir die großen Oratorien Bachs in dieser Zusammensetzung, wo immer wir können. Auch die schönsten Frauenstimmen mischen sich niemals so ideal mit den alten Instrumenten wie Knabenstimmen. Man könnte hier einwenden, daß wir die Musik zu sehr vom

Materiellen, vom Klang her sehen. Natürlich wissen wir, daß auch noch so feine und raffinierte Klangunterschiede nicht die musikalische Substanz verändern. Für den Musiker ist die Frage des Klanges dennoch entscheidend, weil die Klänge, die Stimme, die Instrumente anregend, inspirierend auf das Musizieren zurückwirken und so fast unbemerkt tief in die musikalische Gestaltung eingreifen.

Eine interessante und wichtige Frage betrifft die Gesangssolisten, die Bach für seine Aufführungen zur Verfügung hatte: etwa ob es hier eine Diskrepanz zwischen Möglichkeiten und einer Idealvorstellung gab. Bach hatte jedenfalls für seine Passionsoratorien ausschließlich männliche Solisten, Knaben für Sopran und eventuell Alt, Männer für Alt, Tenor und Baß. Der gelegentlich geäußerten Meinung, Knaben könnten diese Musik ausdrucksmäßig nicht ausschöpfen, muß wohl entgegengehalten werden, daß es einerseits immer wieder hochmusikalische Kinder gibt, die schon sehr früh eine ganz natürliche und durchaus adaequate musikalische Ausdruckskraft erreichen, andererseits aber sollte man bedenken, daß der Stimmwechsel damals um drei bis vier Jahre später lag, sodaß Bach durchaus mit siebzehn- oder achtzehnjährigen Sopransolisten rechnen konnte, während die Knabensolisten heute elf bis höchstens vierzehn Jahre alt sind. Natürlich bedingen derart verschiedene stimmliche Voraussetzungen, wie sie ein Knabe oder eine Frau mitbringen, eine total veränderte Klangbalance zwischen dem Sänger und den begleitenden Instrumenten.

Besonders groß, bedeutsam, aber auch problematisch sind die beiden Altpartien in der Matthäus-Passion. Es ist sehr wahrscheinlich, daß Bach diese Partien, die extreme Atemtechnik erfordern, nicht für Knaben-, sondern für Männeralt schrieb. Damals wurde ja das Falsett, die Kopfstimme des Baritons, noch selbstverständlich als *Altus,* das heißt *hohe* Männerstimme, eingesetzt. Es ist seit jeher und überall in der Welt üblich, diese Bereiche der menschlichen Stimme auszunützen, und zwar nicht nur dort, wo Frauen aus religiösen Gründen nicht singen durften, sondern auch wegen des eigenartigen Reizes und der besonderen, durch nichts anderes zu ersetzenden Klangfarben dieses Vokalregisters. (Ein bekanntes Beispiel dafür aus der alpinen Volksmusik ist das Jodeln, wo es sogar als hervorragend »männlich« gilt, besonders hohe Töne zu erreichen.) Bach hatte seine geistlichen Kantaten für seine Thomaner geschrieben, die aber oft durch Sänger und Musiker des Telemannschen Collegium musicum verstärkt wurden. Man nimmt an, daß in diesem Collegium von Zeit zu Zeit sogar Sopranfalsettisten sangen, denen Bach seine anspruchsvollsten Soli zugedacht haben mag (etwa »Jauchzet Gott in allen Landen«). Die männliche Altstimme ist viel schlanker und transparenter als der Frauenalt, weil sie eben eine hohe und keine tiefe Stimme ist. Dadurch entspricht sie auch in idealer Weise dem Knabensopran.

Bei der Besetzung der Solopartien ist wohl die Hauptschwierigkeit, für die drei Baßsolisten – Christus, Soloarien und Soliloquenten des 1. Chores, Soloarien des 2. Chores – Sänger zu finden, deren Stimmen sich klanglich in der richtigen Weise voneinander abheben. Der Tonumfang der drei Baßpartien ist genau gleich groß (G beziehungsweise A bis e′), es fällt jedoch auf, daß die Christusworte immer wieder den ganzen Tonraum durchmessen, während der Solist des 1. Chores, der ja auch die Petrus-, Pilatus- und Judasworte zu singen hat, bis weit in den zweiten Teil des Werkes nur bis zum d hinuntersingt. Pilatus unterschreitet erstmals dieses d, dann allerdings bis zum G im Rezitativ »Was soll ich denn machen mit Jesu, von dem gesagt wird, er sei Christus?« Der Christussänger muß also die am tiefsten, dunkelsten wirkende Stimme haben, der Bassist des 2. Chores die nächsthöhere und der Solist des 1. Chores die hellste Stimme. Es ist sicher einleuchtend, daß von allen neun Solisten Christus die Basis, das Fundament sein muß. Dies entspricht auch der barocken Proportionslehre, bei der der Grundton die Unitas, Gott symbolisiert. Ungewohnt ist es heute, die Bösen – Judas, den Hohenpriester und auch Pilatus – höher, das heißt baritonaler zu hören als Christus. Die Assoziation: schwarzer Baß = Bösewicht, die aus der Oper des 19. Jahrhunderts kommt, ist sicherlich die Ursache dieser Verschiebung.

Die Matthäus-Passion von Bach basiert vom Text her auf

drei Ebenen, dem Bibelwort, der betrachtenden Dichtung Picanders und evangelischen Chorälen, die seit alters zur Passionszeit gesungen wurden und die Bach in sein Werk einbaute, um die Anteilnahme der Gemeinde am Passionsgeschehen zu symbolisieren. Der Bibeltext wird, soweit er nicht in direkter Rede einer Volksmenge oder handelnden Personen zugewiesen ist, von einem Erzähler, Evangelisten, gesungen.

Die Begleitung der Rezitative war zu Bachs Zeit Regeln unterworfen, die damals jedem Musiker geläufig waren, heute aber vielfach unbekannt sind, sodaß die heutigen Interpretationen oft in geradezu elementarer Weise voneinander abweichen. Das geht weit über »Auffassungsunterschiede« hinaus. So haben die Orgel und das Cello bei den Seccorezitativen die Baßtöne niemals ausgehalten. Die Notation in langen Notenwerten war eine orthographische Gewohnheit; das harmonische Geschehen zwischen der Singstimme und dem Baß (der allerdings nach dem Anschlag des Akkords nur noch in der Phantasie des Hörers weiterklang) ist im Notenbild sichtbar. Durch diese allgemein geübte Praxis, nur die jeweils neuen Akkorde kurz anzugeben, konnte man die Worte sehr gut verstehen. Noch 1774 schreibt Jean Baumgartner in seiner Violoncelloschule: ».. . es gibt zwei Arten Recitative, das begleitete (accompagnato) und das gewöhnliche (secco) . . . es ist gegen die Regel, in dieser Begleitart den Ton auszuhalten. Man muß pausieren, bis die Baßnote sich ändert.« Diese Vortragsweise, die auch in zahlreichen anderen Quellen beschrieben wird, unterschied die Rezitative klanglich sehr deutlich von den Arien. Sie sollten als natürlicher und sehr gut verständlicher Sprechgesang ausgeführt werden. Darauf kam es den Komponisten in erster Linie an. Schon Heinrich Schütz erklärte: »Der Evangelist hält nicht länger auf einer Sylben, als man sonsten in gemeinen langsamen und verständlichen Reden zu thun pfleget.« Die Orgel durfte in den Rezitativen nicht durch Registerwechsel die Aussage des Textes illustrieren. Zur Begleitung der Rezitative und der kammermusikalisch besetzten Arien wurde nur ein achtfüßiges Gedackt genommen.

Sehr auffallend ist bei der Matthäus-Passion die unterschiedliche Schreibweise der Evangelisten-Rezitative in der Partitur und der autographen Orgelstimme. Dieser Unterschied
hat zu zahlreichen und zumeist verwirrenden Spekulationen
Anlaß gegeben. Die Partitur wurde nach 1741 geschrieben,
die Stimmen offenbar kurz darauf. Nun ist es ein Prinzip der
Musikwissenschaft, die späteste Quelle als Dokumentation
des endgültigen Willens des Komponisten anzusehen. In
diesem Fall also betrachtete man die Schreibweise der
Stimmen als Korrektur der Partitur. Abgesehen davon, daß
es sehr unwahrscheinlich wäre, wenn Bach, nachdem er sich
mehr als fünfzehn Jahre mit diesem Werk auseinandergesetzt
hatte, noch eine derart eingreifende Änderung anbringen
wollte, wäre es auch unglaublich, daß er ausgerechnet bei der
Matthäus-Passion plötzlich einen neuen Stil der Rezitativbegleitung einführen wollte. In sämtlichen geistlichen und
weltlichen Kantaten und in der Johannes-Passion hatte er die
Rezitative ebenso notiert wie in der *Partitur* der Matthäus-
Passion.

Nun wurde ja, wie gesagt, bei den Rezitativen jede neue Harmonie nur *kurz* angespielt. Bach notierte also in der *Continuostimme* der Matthäus-Passion ausnahmsweise das, was tatsächlich gespielt werden sollte, und nicht, wie in der Partitur, die üblichen, orthographisch richtigen langen Baßnoten. Wahrscheinlich wollte er sichergehen, daß die in der Cellostimme kaum erkennbaren Unterschiede zwischen dem kurz zu spielenden Evangelisten-Rezitativ und dem in vollen Notenwerten auszuhaltenden Recitativo accompagnato der Christus-Rezitative nicht zu Verwechslungen Anlaß gaben. Es gibt also hinsichtlich der Rezitative keinerlei Unterschied zwischen der Originalpartitur der Matthäus- und der Johannes-Passion, dieser Unterschied findet sich nur irreführend in den modernen Nachdrucken, weil der Befund der Stimmen fälschlich als Bachsche Korrektur angesehen wird.

Die auffallendsten Unterschiede zwischen den traditionellen Aufführungen und dem Versuch, auf die Quellen zurückzugehen, ergeben sich wohl beim Tempo und bei der Artikulation. Zur Zeit Bachs war es kaum notwendig, Tempoangaben den einzelnen Sätzen voranzustellen, weil den musikalischen Formen, den einzelnen Taktarten und Bewegungsabläufen bestimmte Tempi zugeordnet waren, die jeder Musiker kannte. Heute ist man geneigt, das Fehlen von Bezeichnungen als totale Freiheit für den Interpreten auszulegen, was natürlich falsch ist. Am größten sind die Tempounterschiede der verschiedenen Interpretationen bei der zentralen Stelle des Werkes »Wahrlich dieser ist Gottes Sohn gewesen«. Diese Worte des römischen Oberhauptmannes, der durch die Naturereignisse beim Tod Jesu gleichsam bekehrt wurde, versteht Bach als Glaubensbekenntnis der Gemeinde. Daher wurde hier auch, wie in den Chorälen, die Doppelchörigkeit aufgehoben. Die verschiedenen Interpreten sind sich offenbar einig über die Bedeutung dieser Stelle, sie versuchen ihr jedoch häufig mit einer extremen Verlangsamung gerecht zu werden. Die Tempodifferenzen verschiedener Aufführungen betragen hier weit mehr als das Doppelte.

Wenn man also die musikalischen Prämissen von Bachs Zeit

zur Grundlage der heutigen Aufführungspraxis seiner Werke macht, ergeben sich, wie wir gesehen haben, wichtige Unterschiede zur meist immer noch üblichen romantischen Aufführungstradition. Selbst im Rahmen des dramatischen Ablaufes ist die Wirkung auf den Hörer wesentlich größer, wenn barocke Rhetorik, die ja die Musik emotional inspirierte, die Aufführung bestimmt und nicht romantisches Pathos. Dies gilt selbst für die Choräle, deren Ausführung ja durch die ständige kirchliche Praxis seit Jahrhunderten mehr oder weniger feststehen sollte; auch hier wollen die der romantischen Tradition verpflichteten Aufführungen den jeweiligen Textinhalt vordergründig bis zum letzten ausschöpfen, als wäre es ein musikalisches Gemälde – dabei wirkt sogar der Text in einfacher strophenhafter Ausführung viel inniger und tiefer.

Mozart war kein Neuerer

Wie rätselhaft ist Mozarts Musik! Alle Motive, Wendungen, Phrasen – alles, was man das musikalische Vokabular nennen könnte – kommen uns bekannt vor. Alle Komponisten seiner Zeit haben dieselbe »Sprache« gesprochen. Mozart war kein Neuerer seiner Kunst wie Wagner oder Monteverdi, er hatte an der Musik nichts zu reformieren; in der Tonsprache seiner Zeit fand er alle Möglichkeiten, das zu sagen, das auszudrücken, was er wollte. Alles, was wir als typisch »mozartisch« zu erkennen glauben, finden wir auch in den Werken seiner Zeitgenossen. Mozarts persönlicher Kompositionsstil läßt sich nicht definieren, er ist nicht vom Zeitstil abgehoben – außer durch unfaßbare Größe. Ohne Unerhörtes, Nie-Dagewesenes in der Technik der Musik zu erfinden oder zu benutzen, konnte er, genau mit denselben Mitteln wie die anderen Komponisten seiner Zeit, in seiner Musik Einsichten vermitteln wie kein anderer neben ihm. Das erscheint uns rätselhaft, das können wir nicht erklären und nicht verstehen.

Mozart schrieb wie alle Komponisten des 18. Jahrhunderts nur für seine Zeitgenossen, und auch unter diesen nur für die »wahren Kenner«; es war ihm voll bewußt, was »Effekt« mache, womit er beim weniger gebildeten Publikum raschen Beifall erzielen könne, und er verschmähte dies keineswegs, wenn es nicht auf Kosten seiner eigentlichen Intentionen ging. Sein wirkliches Publikum war der relativ kleine Kreis der musikgebildeten Kenner. An diese wendet sich seine Musik, von ihnen verstanden zu werden war sein Anliegen; und er wußte, daß er von *diesen* Menschen, von *diesem* Publikum verstanden wurde. Das verzweifelte Gefühl des in seiner Zeit unverstandenen Künstlers, der Werk für Werk in eine verständnislose Welt setzt – etwa in der Zuversicht auf eine verständnisvolle Nachwelt –, hat mit Mozart und seiner Kunst nichts zu tun. Im Gegenteil: Seine Musik konnte wohl nur von seinen Zeitgenossen in ihrem vollen Reichtum begriffen werden. Hier mußte sie den Nerv treffen, erwecken, aufstören und verändern. Die folgenden Generationen konnten seine Kunst in ihrer Gesamtheit gar nicht mehr begreifen, weil dem intensiven und komplizierten dramatischen Vokabular der Mozartschen Klangsprache gänzlich neue, das Gefühl unmittelbar ansprechende Stilrichtungen folgten. Zum »Verständnis« dieser neuen Musik des 19. Jahrhunderts war außer allgemeiner Musikalität keine musikalische Bildung erforderlich.

Mozarts chiaro – oscuro
Orchesterbesetzungen

Im Rahmen der heutigen Überlegungen zur klassischen Musik nimmt Mozart einen ganz eigenartigen Platz ein. Die Klischeevorstellung zur Wiener Klassik heißt: *Beethoven* – der wilde, wuchtige, ungezähmte, der allenthalben die Formen der Konvention sprengt – *ist das Zentrum*. Alle anderen Komponisten bewegen sich entweder auf ihn zu (Haydn und Mozart), oder sie setzen ihn fort, gehen auf ihn zurück (Brahms). *Haydn,* der Wegbereiter, der die symphonischen Formen auslotet und in seinen späten Symphonien schon gelegentlich »nahezu beethovensche« Wucht und Größe erreicht. *Mozart,* das sensible jugendliche Genie, das stets im Rahmen apollinischer Harmonie bleibt. Es gibt bei ihm keine Härten, keine großen Kontraste. Seine Musik ist mit kleiner Besetzung zu realisieren. Alles ist natürlich, von vollkommener Harmonie; große Emotion, große Dynamik bei der Wiedergabe stört diese Harmonie, ist »romantisch« und daher unmozartisch. *Schubert* hingegen wird als reiner Romantiker und Lyriker gesehen, bei ihm sind die großen Kontraste aus anderen Gründen unerwünscht: er ist ja kein »Dramatiker«, beethovensche Wucht ist nicht seine Sache.
Diese in unendlich vielen abgewandelten Formen allgemein verbreitete Einteilung ist noch viel falscher, als sie richtig ist: Bei der Vielfalt legitimer Auslegungsmöglichkeiten ist es natürlich unmöglich, in solchen Vorurteilen *nur* Falsches auszusagen, aber es ist hier wirklich fast alles verzerrt und unrichtig. Um »dramatische« Kontraste in der Musik auszudrücken, muß man absolut kein »Dramatiker« im Sinne einer Theaterbegabung sein. Schubert ist bestimmt kein Opernkomponist, in diesem Sinne nicht dramatisch, und dennoch verlangen seine Partituren »dramatischere« Ausbrüche als die aller Zeitgenossen. Wenn man die handschriftlichen Partituren Schuberts und nicht die im Umkreis von Brahms abgemilderten und geglätteten Ausgaben studiert, findet man extreme crescendi von mehrfachen ppp bis mehrfachen fff, die unvermittelt, ohne überleitendes Diminuendo, in

leisestem ppp zusammenbrechen. Schuberts Akzente, die er oft raffiniert für die verschiedenen Instrumentengruppen unterschiedlich vorschreibt, sind die schroffsten, die in seiner Zeit geschrieben wurden. Die für die damalige Zeit durchaus nicht »normale« Instrumentation mit Trompeten, Hörnern und Posaunen (häufig bei Schubert) – neben den Holzbläsern – unterstreicht diese extreme Dynamik; wir müssen ja bedenken, daß die damaligen Blechblasinstrumente keineswegs den vollen, runden Klang der heutigen hatten, sondern daß sie im Fortissimo scharf und schmetternd klangen. – Schuberts Partituren sind voll von einer geradezu grellen Dynamik, ich muß bei seiner Musik an E. T. A. Hoffmann denken. Inmitten und zwischen diesen Explosionen wirken die zarten, unendlich lyrischen Stellen äußerst zerbrechlich und rührend. Heutige Interpreten – abgesehen von den Kammermusikern – halten sich in der Regel an die alte »brahmsgemilderte« Schubert-Ausgabe, ja sie glätten sogar hier noch alle verbliebenen Härten und Schrecken. Das Schubert-Bild der meisten Musikliebhaber basiert nun auf unendlich vielen solchen Aufführungen. Ich glaube, man würde eine hypothetische original Schubertsche Aufführung – die es ja tragischerweise nie gegeben hat – bedenkenlos und empört als »unschubertisch« empfinden und verurteilen. »Schubert ist schließlich nicht Beethoven!«

Nicht anders bei Mozart. Seine Musik verkörpert heute die höchste Stufe abgeklärter heiterer Harmonie. Beglückt preist man jene Interpretationen, bei denen elysische Vollkommenheit herrscht, keine Spannung bezüglich der Tempi, die absolut »natürlich« sein müssen, bezüglich der Dynamik, die keineswegs schroff sein darf. Es wird kein Konflikt, keine Verzweiflung fühlbar. Diese Musik ist auf ihr weises Lächeln und auf beruhigende, vollkommene Harmonie reduziert. Eine Interpretation, die diese geheiligte Konvention nicht achtet, ist also »unmozartisch«, sie rückt – wieder einmal – Mozart zu sehr in die Nähe Beethovens.

Mozarts Musik ist meiner Meinung nach auch deshalb so vollkommen, weil sie all dies tatsächlich enthält, aber sie sagt noch unendlich viel mehr. Sie enthält die ganze Fülle des Lebens vom tiefsten Schmerz bis zur reinsten Freude. Sie trägt die bittersten Konflikte aus, oft ohne eine Lösung anzubieten. Es ist sehr oft erschreckend direkt, wie sie uns den Spiegel vorhält. Diese Musik ist viel mehr als schön, sie ist furchtbar, im alten Sinn dieses Wortes: erhaben, alles durchschauend, alles wissend.

Mozarts Zeitgenossen, die ja seine Musik vor allem von seinen eigenen Interpretationen her kannten, empfanden sehr deutlich, daß diese Musik sich von allem unterschied, was man damals hören konnte. Die Dichte der musikalischen und emotionalen Aussage forderte den Hörer bis an seine Grenzen: mehr konnte man nicht ertragen. Immer wieder finden wir Äußerungen von musikverständigen Zeitgenossen, ja auch von seinem Vater, die auf diese Überforderung der Hörer hinweisen. Er möge etwas »leichter«, weniger kompliziert in der Ausarbeitung der einzelnen Stimmen schreiben, man komme mit dem Verständnis nicht mit – er möge in der Harmonik (harte Dissonanzspannungen) nicht so weit gehen usw. Aus all diesen Meinungen spricht, neben der Bewunderung des Genies – kaum einer der Kritiker bezweifelte, daß Mozart der größte Komponist seiner Zeit war –, eine gewisse Verstörung über die aufwühlende Wirkung seiner Klangsprache; soll und darf Musik solches sagen? Es gab natürlich auch viele Stimmen, die Mozarts Tonsprache akzeptierten, ja, wenn auch erschrocken, verstanden. So sei seine g-Moll-Symphonie ». . . Feurig . . . tief bewegt . . . leidenschaftlich ergriffen . . . furchtbar schön . . . schwärmerisch . . .« Oder diese Symphonie sei ». . . das große Gemälde einer leidenschaftlich ergriffenen Seele, die vom Wehmütigsten bis zum Erhabensten übergehet . . .« Diese zwei Äußerungen wurden etwa zwölf Jahre nach Mozarts Tod niedergeschrieben. Auch in der folgenden Generation, die immerhin schon Beethoven hatte ertragen müssen, wird immer wieder Kritik dieser Art über Mozart geäußert. So etwa vom bedeutenden Züricher Philosophen und Musikwissenschaftler Hans Georg Nägeli in seinen Vorlesungen über Musik in Stuttgart und Tübingen 1826 (Mozart wäre damals gerade 70 Jahre alt gewesen): Mozart habe eine übersteigerte Neigung zu Kontrasten, er sei ». . . unter den ausgezeichneten Autoren der allerstilloseste . . .«, er sei

».. . zugleich Schäfer und Krieger, Schmeichler und Stür- mer. .. weiche Melodien wechseln häufig mit scharfem schneidenden Tonspiel, Anmut der Bewegung mit Unge- stüm. Groß war sein Genie, aber ebenso groß sein Genie- fehler, durch Kontraste zu wirken.. .« Es sei ».. . un- künstlerisch. .. wenn etwas nur durch sein Gegenteil Wir- kung gewinnen muß. .. Dieser Stylunfug Mozarts ist in vielen seiner Werke vielfach nachzuweisen. ..« — Ich empfinde diese Kritik als klassisches Beispiel einer Ablehnung, die auf Verständnis beruht. Der Konflikt besteht im unterschied- lichen Ausgangspunkt: Was soll Musik? (Ähnlich sehe ich fünfzig Jahre später die negativen Kritiken Eduard Hans- licks durchaus nicht als Irrtümer eines blöden Kritikers, sondern als wohlfundierte Äußerungen eines hochqualifi- zierten Fachmannes, der von anderen Prämissen ausgeht als der Autor.) — Ich finde Nägelis Kritik großartig, nicht weil ich sie teile, sondern weil ich daran erkennen kann, welche Wirkungen diese Musik damals noch hatte — ich nehme allerdings an, daß Nägeli eher die Partituren als bestimmte Aufführungen beurteilte. Andrerseits bin ich überzeugt, daß Nägeli, wenn ihm die Werke Mozarts nur von heutigen Aufführungen her bekannt wären und er die Partituren nie gesehen hätte, niemals zu einer solchen Beurteilung gekom- men wäre.

Mozarts Werke enthalten nämlich tatsächlich all das, was Nägeli verurteilt. Die Personen — seien es die leibhaftigen der Opern, seien es die imaginären der Instrumentalmusik — sind wirklich alles zugleich: Schäfer und Krieger, Schmeichler und Stürmer, sie sind sympathisch und widerlich; je nach- dem, von welcher Seite sie gerade betrachtet oder beleuchtet werden. Es sind wirkliche Menschen mit allen Facetten menschlicher Möglichkeiten und nicht schematische ein- dimensionale Figuren — das macht sie so lebendig, so erschreckend wahrhaftig. Nicht gut oder böse, hart oder liebevoll, sondern alles zugleich. Es wechseln tatsächlich auf engstem Raum weiche Melodien mit schneidenden Antwor- ten. Der musikalische Dialog beruht auf größten Kontrasten; eine rührende Bitte wird von einem riesenhaft und herzlos brutalen »Nein« hinweggefegt. Das »chiaro — oscuro«, das

Weiß-Schwarz der Kontraste, in der Musik normalerweise auf die Dynamik bezogen, war anerkanntermaßen eine der größten Stärken Mozarts; er wandte es aber viel umfassender als seine Zeitgenossen auch in den Bereichen der Ausdruckskontraste an. Jedenfalls war damals eines noch klar: Wenn man die Gegenüberstellung härtester Kontraste in der Musik aus aesthetischen Gründen ablehnte, *mußte* man in erster Linie die Musik Mozarts ablehnen, denn sie war geradezu auf dieser Art von Dialog aufgebaut. Es ist durchaus kein »Stylunfug«, sondern ein höchst künstlerisches Mittel, etwas »durch sein Gegenteil Wirkung gewinnen« zu lassen. Allerdings ein Mittel, das zu Mozarts Zeit nicht mit derselben Selbstverständlichkeit angewandt wurde wie etwa heute, damals schockierte es. Mozarts Tonsprache wurde zu seiner Zeit von konservativen Aestheten wegen ihrer Kraßheit abgelehnt. Heute, nachdem man diese Tonsprache in mehreren Generationen abgeflacht, glattgebügelt, versüßt und harmonisiert hat, in einer Weise, die man aus den Partituren der Werke nicht erklären kann, heute erschrickt man wieder, genau wie zu Mozarts Zeit, wenn einem da und dort seine Werke in ihrer schon fast unbekannten Urgestalt begegnen. Es ist eine dialektische Sprache, die gerade heute wieder sehr aktuell ist.

Die eben erwähnte Glättung beruht natürlich zum Teil auch auf dem spätromantischen Klangideal, dem man heute noch weitgehend frönt: einem weich-vollen dunklen Streicherklang, zu dem möglichst dunkel timbrierte Bläser gemischt werden. Die Dynamik ist wogend und stufenlos; diesem Klang und dieser Dynamik werden die Klarheit und Durchhörbarkeit geopfert. Die Spieltechnik (bei den Streichern spielt man sehr oft auf tiefen Saiten in höheren Lagen) und der Klang der heutigen Orchesterinstrumente tun das Ihrige dazu. Bei den Blasinstrumenten wurde der Einschwingvorgang (die ersten charakterisierenden Momente der Tonbildung) soweit wie möglich verkürzt, wodurch das jeweils Spezifische, die Unterscheidbarkeit der einzelnen Instrumente und Klangfarben verringert wird. Der somit nahezu nebengeräuschfreie Ton schmiegt sich in die Schwelldynamik der Streicher. Ein charakteristisches Schmettern der

Blechblasinstrumente ist erst ab einem sehr lauten Fortissimo möglich. Es wird daher bei Mozart praktisch nie angewandt.

Zur Zeit Mozarts spielte man auf den Streichinstrumenten möglichst in den unteren Lagen (nur für die hohen Stellen ging man auf der obersten Saite in die entsprechende Lage), dadurch klangen sie heller und zeichnender. Die Holzbläser klangen rohriger oder schalmeiartiger, die Blechbläser viel schlanker und farbiger. Die Hörner und Trompeten waren ja als Naturinstrumente einerseits wesentlich länger als die heutigen Ventilinstrumente – wodurch der Ton farbiger und obertonreicher war –, andrerseits besonders in der Gegend des Schalltrichters enger mensuriert und dünner ausgehämmert, sodaß sie schon in einer mittleren Forte-Dynamik Schmetterklänge hervorbringen. So wirkte jeder Forte-Einsatz des Blechs zusammen mit den Pauken, die man damals mit gewöhnlichen Holzschlegeln spielte, wie ein Stich – heroisch oder aggressiv oder triumphal, aber niemals nur als Farbregister im Gesamtklang wie im heutigen Orchester.

Wenn man also heute mit dem sogenannten modernen Orchester Mozart spielt, muß man eigentlich die Klangeigenschaften des Mozart-Orchesters kennen, um adaequate Klänge und eine dem Werk entsprechende Durchhörbarkeit zu erreichen. Manche besonders ungeeignete Instrumente sollte man durch geeignetere ersetzen: Möglichst lange Hörner (F-Hörner) und Trompeten (am besten auch tiefe F-Trompeten), deren Schallbecher möglichst fein ausgehämmert sind, mischen sich sehr gut zu den übrigen Blas- und Streichinstrumenten. Besonders schlecht passen die für eine gänzlich andere Musik konstruierten heutigen Orchesterposaunen in Mozarts Klangbild. Hier habe ich sehr gute Erfahrungen mit alten Instrumenten oder Kopien gemacht. Es ist der einzige Fall, wo ich die Vermischung von historischen und modernen Instrumenten gut finde. Vielleicht, weil die Posaune der Zeit um 1800 nicht so extrem historisch ist, es gibt ja noch heute in der Unterhaltungsmusik ähnlich mensurierte Instrumente. – Die Fagottisten müßten versuchen, durch entsprechende Rohre den Klang ihrer Instrumente streichend-rohrig (die Engländer sagen sehr schön: reedy) zu machen, damit er sich mit dem der Celli mischt. Der moderne Fagotton kann hohl und isoliert klingen. Die Klarinettisten sollten meiner Meinung nach unbedingt wieder die reichen Farbabstufungen der verschiedenen Instrumente entdecken. Mozart schrieb für G-, A-, B-, H-, C-Klarinetten. Ich habe die Ouvertüre der »Entführung aus dem Serail« mit C-Klarinetten musiziert und möchte diese freche Farbe hier nicht mehr missen.

Eng mit den Problemen der Instrumentation verknüpft ist die Frage der adaequaten Besetzung. Wenn man heute »Mozart-Orchester« oder »Mozart-Besetzung« hört, denkt man an eine kleinere Besetzung. Die Besetzungen der Mozart-Zeit waren aber extrem unterschiedlich, viel unterschiedlicher als die extremsten Besetzungen heute. Aus Mannheim schreibt Mozart am 4. November 1777: ». . . das orchestre ist sehr gut *und starck*. auf jeder Seite 10 bis 11 violin, 4 bratschn, 2 oboe, 2 flauti und 2 Clarinetti, 2 Corni, 4 violoncelle, 4 fagotti und 4 Contrabaßi und trompetten und Paucken.« Dies entspräche ungefähr einer mittleren »Mozart-Besetzung« heute, allerdings mit einigen interessanten Unterschieden: Die 1. und 2. Violinen sind gleich stark besetzt (heute spielen normalerweise zwei Musiker weniger bei den 2. Geigen), was sehr sinnvoll und notwendig erscheint, wenn man bedenkt, daß bei Mozart die 2. Geigen sehr wichtige Gegenstimmen in tieferer Lage zu spielen haben, die nur sehr schwer deutlich genug herauszubringen sind.

Überraschend ist hier, wie in allen Besetzungslisten der Zeit, die kleine Bratschengruppe. Wir können sie, angesichts der sehr bedeutsamen Stimmführung der Violastimme, nur verstehen, wenn wir einen relativ viel stärkeren Klang der damaligen Bratschen, im Verhältnis zu den heutigen, annehmen. Und genauso war es: Bratschen gab und gibt es in den unterschiedlichsten Größen; die kleinste Bratsche, die ich besitze, stammt aus dem Jahre 1805, und ihr Corpus ist 37 cm lang (zum Vergleich: eine Violine ist ca. 35 cm lang), die größte, aus dem 17. Jahrhundert, hat 56 cm! Heute betrachtet man eine Bratsche mit 41 cm Corpuslänge als großes Instrument, in den Orchestern werden fast durchwegs kleinere

Instrumente gespielt. Zur Zeit Mozarts wurden vorwiegend sehr große Bratschen im Orchester gespielt; diese klangen kräftig und sonor. Leider wurden nahezu alle diese Instrumente im Laufe des 19. Jahrhunderts kleiner gemacht, das heißt brutal zusammengeschnitten, um sie bequemer spielbar zu machen. So ist mit der sehr großen Bratsche eine wichtige und interessante Farbe aus dem Streichorchester verschwunden. Die Besetzung der Oboen, Flöten, Klarinetten und Hörner entspricht der heute üblichen, die vier Celli harmonieren auch in heutiger Sicht gut zur Geigenbesetzung, sie werden aber erheblich verstärkt und ihr Klang konturierter gemacht durch die mitspielenden vier Fagotte (!) und vier Kontrabässe. Das Baßfundament war dadurch sicher mächtiger, als wir es heute gewohnt sind. Es wäre allerdings sinnlos, diese Besetzungsverhältnisse mit heutigen Orchesterinstrumenten nachahmen zu wollen: die heutigen Fagotte verschmelzen nicht mit dem Celloklang, es müssen also ganz andere Lösungen gesucht werden, wenn man die ursprüngliche Klangidee einigermaßen realisieren will.

Aus Wien schreibt Mozart am 11. April 1781: ». . . daß die Sinfonie Magnifique gegangen ist, und allen Succés gehabt hat – 40 Violin haben gespiellt (also wohl je zwanzig 1. und 2. Geigen) – die blaß-Instrumente alle doppelt (!) – 10 Bratschen – 10 Contre Bassi, 8 violoncelli und 6 fagotti . . .« Man sieht, auch bei dieser gigantischen Besetzung sind die vorhin genannten Verhältnisse Violinen – Bratschen – Celli – Fagotte – Kontrabässe gewahrt. Man sieht aber auch, daß Mozart die größtmögliche Besetzung wünschte, bis hin zur Verdopplung der Bläser. Heute wird so etwas als das größte Sakrileg gegen die »wahre Mozart-Pflege« angeprangert.

Mozart hatte, wie schon gesagt, sehr unterschiedliche Besetzungen zur Verfügung. Ich gebe einige davon in der Reihenfolge 1. Violine, 2. Violine, Viola, Cello, Baß an:

die kleinste:	1787 in der Prager Oper für »Don
3, 3, 2, 2, 2	Giovanni«;
in der Wiener Oper:	
6, 6, 4, 3, 3	1782 für »Entführung«;
in Mailand:	1770 für »Mitridate« (die zwei Celli
12, 12, 6, 2, 6	waren mit vier Fagotten verstärkt);

in Wien bei manchen Benefizkonzerten:
20, 20, 10, 8, 10   ab 1781.
Zum Vergleich dazu einige Haydnsche Zahlen:
in Eisenstadt und Esterháza:
3, 3, 2, 2, 2   von 1760 bis ca. 1770, später waren
                                  es um insgesamt vier Geiger mehr;
in London Kings Theatre:
12, 12, 6, 4, 5   1794, auch hier waren die Holzbläser
                                  verdoppelt.

Wenn wir diese Zahlen betrachten, bemerken wir, daß die tatsächliche Orchestersituation zu Ende des 18. Jahrhunderts absolut nicht mit den doktrinären Meinungen übereinstimmt, die wir uns darüber gebildet haben. So werden heute Interpreten, die etwa aus Gründen des Geschmacks mit doppelt besetzten Bläsern und sehr großen Streichergruppen Mozarts Werke musizieren, als stillos verurteilt. Hier ist eigentlich nur die Kompetenzattitüde des Kritisierenden zu verurteilen, weil der Kritisierte, meist ohnehin an seriösen Kenntnissen desinteressiert, eher zufällig richtig oder falsch handelt. Man kann sagen, daß, mit wenigen Ausnahmen, möglichst groß besetzte Orchester erwünscht waren, daß man ab einer gewissen Streicherbesetzung die Bläser selbstverständlich verdoppelte; allerdings wahrscheinlich nur für bestimmte Stellen.

Untersucht man genauer, bei welchen Gelegenheiten die verschiedenen Besetzungen eingesetzt wurden, so bemerkt man, daß die Größe des Aufführungsraumes und die Raumakustik die entscheidenden Kriterien für die Besetzungsstärke waren. Man kann überhaupt nicht sagen, dieses Werk sei für große Besetzung konzipiert und jenes für kleine. So wurde die Salzburger C-Dur-Symphonie Mozarts (KV 338) dort sehr klein besetzt gespielt, dieselbe Symphonie wurde unter Mozarts Leitung in Wien mit einem etwa vier- bis fünfmal so großen Orchester aufgeführt. Oder sollte vielleicht die Uraufführung von Beethovens »Eroica« im Wiener Palais Lobkowitz darauf hinweisen, daß dieses Werk für ein winziges Kammerorchester konzipiert sei? Oder bedeutet die unglaublich kleine Besetzung von Haydns »Schöpfung« bei der Uraufführung im Palais Schwarzenberg, daß

Haydn das Werk so aufgeführt haben wollte? Ich kenne den »Eroica«-Saal und die Säle des Schwarzenberg-Palais in Wien sehr gut; hier klingt selbst ein sehr kleines Ensemble, auf Grund der Dimensionen, der Raumgeometrie und auf Grund der Marmorverkleidung sehr laut und dröhnend. Um einen ähnlichen unmittelbar anspringenden Effekt zu erzielen, müßte man das Orchester in einem »normalen« Konzertsaal sehr groß besetzen. Die akustischen Unterschiede von Haydns verschiedenen Aufführungsstätten in Esterháza und London wurden vor kurzem berechnet, wobei man herausfand, daß der faktische Klangeindruck im großen Londoner Saal mit großem Orchester und in den kleinen Räumen des Schlosses mit der kleinen Hofkapelle sehr ähnlich war.

Die meisten Musikhörer machen sich ganz falsche Vorstellungen über Lautstärkedifferenzen, die aus der Besetzungsstärke resultieren. Sechs Geigen klingen eben überhaupt nicht doppelt so laut wie drei, sondern nur um zehn Prozent lauter! Erst eine irreal große Geigengruppe klingt tatsächlich doppelt so laut. Eine Vergrößerung des Streichorchesters hat primär ganz andere Wirkungen als die bloße Klangverstärkung: auch ein präziser Einsatz einer Gruppe ist, genau betrachtet, niemals wirklich perfekt zusammen. Durch das (in minimalem Ausmaß) gestaffelte Einsetzen der einzelnen Instrumente entsteht im Idealfall ein weicher, sehr intensiver Tonansatz (gemeinsamer Einschwingvorgang), weil die Farbigkeit der einzelnen Einsätze nicht exakt übereinander liegt, sondern hintereinander kommt und so den Gesamteinsatz stark bereichert. So entsteht auch der Eindruck von Klangfülle. Diese erwünschte winzige »Ungenauigkeit«, die keinesfalls so groß sein darf, daß sie als solche wahrgenommen werden kann, wird durch eine gute, leicht nachhallende Raumakustik verschleiert, so daß sich, physikalisch gesprochen, der »Gesamtklang der Streicher in stufenweise verlängerten Zeitabschnitten aufbaut und ... Charakter und Farbe ... lebhafter hervorhebt. Darin liegt im wesentlichen die Erklärung, warum Instrumente in mehrfacher Besetzung in einem Orchester ungleich mehr Glanz aufweisen können als ein Einzelinstrument« (Fritz Winckel).

Gedanken zu »Allegro« und »Andante« bei Mozart

Nur wenige Komponisten waren so besorgt und bemüht wie Mozart, ihre Vorstellungen und Wünsche hinsichtlich der Tempi ihrer Werke unmißverständlich zu fixieren. Man kann dies an der ungewöhnlich großen Zahl unterschiedlicher Tempobezeichnungen erkennen, die er in seinen Werken vorschreibt: mindestens siebzehn verschiedene Abstufungen von Adagio, mehr als jeweils vierzig Abstufungen von Allegro und Andante und so weiter. Dabei sieht man, daß Mozart innerhalb relativ großer Zeiträume versucht, dieselben Tempobezeichnungen für genau dieselben Tempi – und sehr oft auch Affekte – zu verwenden.

Ich will zur Erläuterung einige dieser Bezeichnungen in der Reihenfolge zum Schnelleren hin anführen:

Andantino sostenuto (ein wenig gehend, zurückgehalten) – also noch langsamer als das ohnehin nahe dem Adagio befindliche Andantino, das Mozart vorwiegend für traurige Stücke verwendet

Andantino (ein wenig gehend)

Andante ma Adagio $^3/_4$ (vorwärts, aber doch ruhig) – ma (= aber) wirkt immer wieder so, als wäre es im Arbeitsprozeß hinzugefügt, um ein Tempo in beide Richtungen abzugrenzen

Andante un poco Adagio $^3/_4$ (gehend, doch etwas ruhig)

Andante ma un poco sostenuto $^6/_8$ (gehend, doch etwas zurückgehalten)

Andante ma sostenuto (gehend, aber zurückgehalten)

Andantino grazioso (etwas gehend, lieblich)

Andante moderato $^3/_4$ (mäßig gehend) – diese Übersetzung verwendet Mozart in seinen deutschen Liedern

un poco Andante $^3/_4$ (etwas gehend)

Andante Maestoso $^3/_4$ (majestätisch, gehend)

Andante $^3/_4$ (gehend – im Sinne von: vorwärts, nicht zu langsam)

Andante grazioso $^3/_4$ (lieblich gehend – könnte leicht hüpfend sein)

un poco più Andante (etwas schneller) – ganz egal, welche
   Tempovorschrift vorher war
più Andante (schneller)
Andante con moto (bewegt, gehend)
Molto Andante ¢ (sehr drängend)
Andante agitato (erregt gehend)

Es gibt noch einige Andante-Bezeichnungen mehr, vor allem
aber gibt es für jede der Bezeichnungen zahlreiche Unter-
teilungen in verschiedene Taktarten, wobei besonders die
Unterscheidung ¢ und ¢ Mozart offensichtlich sehr wichtig
gewesen sein muß.
Nun noch einige Allegro-Abstufungen Mozarts (ich über-
setze hier Allegro mit »schnell«, obwohl Mozart es in den
Liedern »fröhlich« nennt, weil es durchaus nicht nur heitere
Sätze bezeichnet):
Grazioso un poco Allegretto (graziös und ein kleines bißchen
   schnell)
Allegretto ma moderato $^6/_8$ (etwas schnell, jedoch gemäßigt)
Allegretto maestoso $^3/_4$ (etwas schnell, majestätisch)
Allegretto ¢ (etwas schnell) – Dieses Tempo ist sehr nahe dem
   Andante, mit dem es Mozart nicht selten verbal verbindet,
   etwa Andante piutosto Allegretto, wobei »piutosto« mit
   »lieber«, »eher« zu übersetzen ist
Allegretto vivo ¢ (etwas schnell und lebhaft)
un poco Allegro $^2/_4$ (etwas schnell)
Allegro moderato (mäßig schnell)
Allegro comodo (bequem [aber] schnell)
Allegro maestoso ¢ (majestätisch, schnell) – wird fast immer
   für punktierte Rhythmen, ein Kennzeichen des Majestäti-
   schen, vorgeschrieben
Allegro aperto ¢ (offenes Allegro) – dieser schwer faß-
bare Begriff scheint mir eine gewisse Naivität, eine leichte
Verständlichkeit anzudeuten; man hat nichts zu verber-
gen, kein Geheimnis. Das Tempo ist etwas gehalten
Allegro vivace ¢ (lebhaft, schnell). Bei den mit Vivace
bezeichneten Sätzen bezieht sich die Lebhaftigkeit auf die
Figuren in kleinen Notenwerten, die somit nicht allzu
schnell zu spielen sind, um sie im Detail zu beleben. Dieses

Verständnis stammt schon aus der ersten Hälfte des 18. Jahrhunderts

Allegro risoluto C (energisch, schnell)

Allegro (lustig, heiter) – die Bedeutung der italienischen Umgangssprache ist immer wieder auch für die Satzbezeichnung maßgebend, wenn auch Allegro bei vielen Sätzen einfach nur mehr »schnell« heißt, ohne Bezug auf den Affekt

Allegro spiritoso (witzig und heiter) – hier ist durch das Eigenschaftswort spiritoso die eigentliche Bedeutung von Allegro hervorgehoben

Allegro vivace assai (schnell und ziemlich lebhaft)

Allegro assai (ziemlich schnell oder genügend schnell, bei manchen Komponisten auch sehr schnell)

Allegro con brio (schwungvoll oder feurig schnell)

Allegro agitato (bewegt, unruhig, aufgeregt schnell)

Molto Allegro (sehr schnell) – dies ist bei Mozart die schnellste Stufe vor dem Presto.

Wenn man auch über die genaue Einordnung mancher Zwischenstufen, etwa Allegro vivace oder Allegro spiritoso oder andere, durchaus diskutieren kann, so sieht man schon an dieser Auswahl, wie pedantisch und fein Mozart seine Tempi abstufte. Wie wichtig und durchaus nicht zufällig ihm diese Schattierungen waren, kann man an den zahlreichen Korrekturen der Tempobezeichnungen in seinen Manuskripten erkennen, die so geringfügig erscheinen, daß sie für die meisten heutigen Musiker kaum Unterschiede bedeuten.

Wir sind bei Mozart letzten Endes auf Vergleiche angewiesen, das heißt, wir müssen alle Stellen mit denselben Tempobezeichnungen vergleichen. Einige davon verlangen von sich aus ein bestimmtes Tempo, sodaß schließlich das System Mozarts erschlossen werden kann. Manchmal – besonders in den Opern – kann man durch große Zusammenhänge, wie weiträumige Accelerandi oder Ritenuti, die Relationen und somit die genaue Bedeutung geradezu beweisen; manchmal, etwa im Falle der Haffner-Symphonie KV 385, erklärt der Komponist verbal, was er meint: Er schreibt seinem Vater am 7. August 1782: »das erste Allegro (Allegro con spirito C) muß recht feuerig gehen. – das letzte

(Presto C) – so geschwind als es möglich ist.« Natürlich kann und darf eine solche Untersuchung nicht losgelöst vom musikalischen Geschehen angestellt werden, die Musikalität, der musikalische Instinkt sollten, als letzte Instanz, Irrtümer, die bei rein theoretischer Betrachtung entstehen könnten, unmöglich machen.

Als Beispiel sei Mozarts große g-Moll-Symphonie KV 550 genannt, deren erster und letzter Satz ursprünglich dieselbe Bezeichnung: Allegro assai ₵, trugen. Später korrigierte der Komponist die Bezeichnung des ersten Satzes zu Molto Allegro ₵. Daraus kann man sehen, daß es ihm wichtig war, auf die tempomäßige Verschiedenheit der beiden Sätze ausdrücklich hinzuweisen; man sieht aber auch, daß die beiden Bezeichnungen deutlich unterschiedene Tempi vorstellen müssen, sonst wäre diese Korrektur nicht nötig gewesen. Die Frage, ob Allegro assai ₵ oder Molto Allegro ₵ das schnellere Tempo bedeutet, ist vom Sprachlichen her allein nicht einwandfrei zu beantworten. Es gab darüber schon im 18. und zu Beginn des 19. Jahrhunderts Kontroversen. Wenn es auch nie einen Zweifel über die Bedeutung von »molto« (= sehr) gab, so konnte und kann »assai« zwar auch mit »sehr« übersetzt werden, es hatte aber, ähnlich wie das französische »assez«, auch die Bedeutung »ziemlich, *genügend*«. So wurde es sehr häufig als nur geringfügige Beschleunigung oder Befestigung von »Allegro« angewandt. Etwa am Anfang des 18. Jahrhunderts bei Sébastien de Brossard, »Dictionnaire de musique«, 1703, oder hundert Jahre später noch bei Beethoven, der über »allegro assai« »ziemlich geschwind« schreibt. Rousseau bekämpft in seinem »Dictionnaire de musique« sehr polemisch 1767 diese Meinung Brossards: »Assai ist ein steigerndes Adverb, das mit Tempoworten verbunden wird; presto assai, largo assai, was sehr schnell, sehr langsam bedeutet. Der Abbé Brossard hat zu diesem Wort eine seiner üblichen Mißdeutungen gemacht, indem er seine wahre und einzige Bedeutung ersetzt hat durch ›... ein sinnvolles Mittelmaß des Langsamen und der Schnelligkeit‹. Er glaubte, Assai bedeute assez (womit er recht hatte, d. A.). So kann man die einzigartige Marotte an diesem Autor bewundern, daß er für sein Vokabular eine

Sprache, die er nicht verstand, seiner Muttersprache vorzog.«

Zurück zur g-Moll-Symphonie: Molto Allegro ₵ ist Mozarts schnellstes Allegro, der erste Satz muß also schneller genommen werden als der letzte. Dies wird schließlich auch durch aus dem Werk selbst hergeleitete musikalische Argumente bestätigt: Die Achtelnoten der Bratschen im ersten Satz sind offenbar nicht tempobestimmend, der Satz beginnt eigentlich erst auftaktig mit den Violinen, die Bässe und Bratschen stellen einen erregend zitternden g-Moll-Klang dar, der gleichsam schon im Raum schwebt und kurz vor dem Beginn des Satzes hörbar wird; dies verlangt ein sehr schnelles Tempo. Das erste Thema besteht, anders als die rhythmisch und affektmäßig verwandte Arie des Cherubino »Non so più . . « (die wohl wegen der Textdiktion nur »Allegro vivace C« bezeichnet ist), fast ausschließlich aus Appoggiaturen, was ihm Hast und Unruhe verleiht; es gibt keinen Ort der Ruhe, der harmonischen und melodischen Entspannung. – Der Finalsatz geht nicht nur motivisch aus dem Menuett hervor, er ist auch von einem Tanzsatz, einer Bourrée, abgeleitet, der dann in Sonatenform durchgeführt wird. Der Tanz beginnt ganz korrekt und streng, der erste und der zweite Teil von jeweils acht Takten wird wiederholt (in der Reprise dann nicht mehr), erst danach, ab Takt 23, entwickelt er sich zu einem Sonatensatz. Außerdem ist jeder der beiden Tanzteile in sich streng zweitaktig gegliedert; sozusagen in klingender Choreographie wird dem Solopärchen (couplet) vom Tuttichor geantwortet. Diese formale Strenge soll wohl auch vom Tempo her gezügelt sein. Sie verträgt nicht das entfesselte Rasen eines Presto-Finales. Die melodische und rhythmische Ostinanz der Fortestellen sowie die Innigkeit des zweiten Themas (Takt 71–101) sind in gezügeltem Tempo sehr viel überzeugender darzustellen. – Man könnte die Tempokorrektur auch so verstehen, daß Mozart vor einem gewöhnlichen achtelbetonten Allegro (erster Satz) ebenso warnen will wie vor einem billigen, in der Geschwindigkeit begründeten Final-Effekt. Die gewünschte unterschiedliche Wirkung mag auch erreicht werden, wenn die absolut gemessenen Tempi sehr ähnlich sind.

Es gibt noch ein für mich gewichtiges Argument für den Sinn dieser Temporelation. Ich halte die drei letzten Symphonien Mozarts, die er ohne Auftrag und ohne konkreten Anlaß im Juli 1788 in einem Wurf niederschrieb, für einen innig verbundenen Zyklus. Die g-Moll-Symphonie wirkt in diesem Zusammenhang vom Tempo her ritardierend, das heißt, jeder Satz ist metrisch etwas langsamer als der vorhergehende. In der den Zyklus abschließenden Jupiter-Symphonie ist es umgekehrt: hier ist jeder Satz etwas schneller als der vorangegangene, sozusagen ein auskomponiertes Accelerando zum Finale: Die ♩ im ersten Satz, die ♪ im zweiten Satz, die ♩ im dritten Satz und die ♩ im vierten Satz sind jeweils etwas schneller.

Um heute die Absichten des Komponisten hinsichtlich der Tempi zu verstehen, genügt es nicht, die Tempoworte zu kennen, da sich ihre Bedeutung im Laufe der Jahrhunderte mehrfach geändert hat. Wir müssen also diese Bezeichnungen so zu verstehen suchen, wie sie zur Zeit der Komposition verstanden wurden. Besonders wichtig ist dies natürlich bei solchen Bezeichnungen, deren Bedeutung sich so stark verändert hat, daß man eine geforderte Beschleunigung oder Verzögerung ohne genaue historische Kenntnis nicht unterscheiden kann. Andante etwa wird heute normalerweise als langsames Tempo gesehen, dann heißt also molto Andante sehr langsam und più Andante noch langsamer. Ursprünglich aber, der Begriff ist seit dem Ende des 17. Jahrhunderts in Gebrauch, heißt Andante lediglich »gehend«, womit ein mittleres, eher beschwingtes Tempo angezeigt wird; etwa im Sinne von »nicht schleppen, vorwärts«. In Verbindung mit anderen Tempoworten bedeutet es eine Beschleunigung (etwa Largo andante – ein gehendes Largo). Andante hatte noch eine andere Bedeutung, die nur bedingt mit dem Tempo zu tun hat, es bezeichnet Sätze mit durchgehenden Bässen in Achtelnoten, wobei diese gleichmäßig (égale – im Gegensatz zu »inégale« = ungleichmäßig) zu spielen waren. Diese Form ist aber bei Mozart nicht mehr aktuell.

Es ist sehr wichtig zu wissen, wo sich in Mozarts Tempopalette das Andante befindet und vor allem, ob Modifikationen dieses Tempo beschleunigen oder verzögern. Andante zählt bei Mozart noch, wie im 18. Jahrhundert allgemein, zu den schnelleren Tempi, Andantino, sozusagen »ein wenig Andante«, ist also ebenso wie meno Andante langsamer, più Andante oder molto Andante schneller.

Gerade zur Zeit Mozarts begann erst der Bedeutungswandel, der das Andante zu einem langsamen Tempo machte, wodurch sich die genannten Modifikationen umdrehten. So schrieb Beethoven an einen englischen »Melodienlieferanten« um 1813: »Wenn sich künftig unter den Melodien, die Sie mir zum Komponieren werden senden können, Andantinos befänden, würde ich Sie bitten, anzuzeigen, ob dieses Andantino langsamer oder schneller als das Andante gedacht ist, da ja dieser Ausdruck, wie viele andere in der Musik, von so unbestimmter Bedeutung ist, daß einmal Andantino sich dem Allegro nähert und ein andermal fast wie ein Adagio ist.« Carl Gollmick schreibt 1833 in seiner kritischen Terminologie: »... Die wörtlich genommene Übersetzung des Andante, durch gehend, hat große Mißverständnisse veranlaßt. Andante gehört entschieden zu den langsamen Tempi ...« Man sieht, hier ist schon die heute allgemein übliche Bedeutung erreicht, und man war besorgt, daß sie auf die alte Art des 18. Jahrhunderts mißverstanden werden könnte.

Heute ist die Situation umgekehrt: das Andante wird im Sinne des 19. Jahrhunderts als langsames Tempo betrachtet; die schnelleren Andante etwa des 18. Jahrhunderts werden zu langsam musiziert. Ich will diese Temporelationen mit zwei Beispielen aus Kompositionen Mozarts erläutern. Im Satz Nr. 4 der Chöre und Zwischenaktmusiken von »Thamos, König in Ägypten«, gibt es eine sehr stark textbezogene musikalische Dramaturgie, die auch die Tempi einschließt. Das Stück ist nämlich ein Melodram. Auf Grund der von Leopold Mozart eingetragenen Textbruchstücke können wir mit Hilfe des Librettos die genaue Zusammengehörigkeit von Text und Musik rekonstruieren. Am Anfang steht Allegro 3/4, eine erregte Einleitung, der Zuschauer hat gerade den Verrat Pherons und Mirzas erlebt. Dieser Teil endet (Takt 22–29) mit einem eigenartig pochenden Rhythmus der Streicher ♩ ♪ | ♪ ♪ | ♪ im piano. Die Regieanweisung im Libretto heißt: »Sais kommt allein aus dem

Hause ... sieht sich um, ob sie allein ist.« Hier ist also ihr beklemmtes Herzklopfen geschildert. Nun, auf einem Fermatentakt, spricht sie: »Niemand ist da. Des Tempels Türen sind geschlossen. Nichts hindert den Vorsatz.« Es folgen fünf Takte Allegretto $^2/_4$ frisch und entschlossen – Sais will nun das Gelübde ablegen. Darauf folgen 28 Takte Andante, an dieser Stelle schreibt Leopold Mozart: »gerät in Zweifel« – im Libretto steht hier »nachdenkend«. Andante ist hier eine Tempoverzögerung in bezug auf das Allegretto, die den neuen Affekt sehr anschaulich erläutert: »aber darf ich ihn vollziehn? gehört Sais sich selber zu?«. Im weiteren Verlauf entwickelt sich aus einer Art von Anrufung des verstorbenen Vaters eine visionäre Ermutigung: »Ja! schon hörst du mich! Schon belebt sich mein Vorsatz aufs Neue. Du selbst, ja, du flößest mir ihn ein.« Darauf nun (Takt 63) *Più Andante* »Ich! das Werkzeug treuloser Verräter? ... Nein, er (der Szepter) bleibe in seinen Händen!« Hier gewinnt sie wieder ihre alte Entschlossenheit, aber etwas heroischer als zu Anfang – Più Andante ist eindeutig eine Beschleunigung. Die folgenden Takte (73–79) sind motivisch eng dem Mittelteil des ersten Andante (Takt 40–42) verknüpft, auch der Text ist hier wie dort erhaben; an dieser Stelle steht nun Più Adagio, also: langsamer. Dieser Komparativ kann sich nur auf das davorliegende Tempo beziehen, also etwa: langsamer als vorher (er bedeutet aber keineswegs eine besonders langsame Art des Adagio). So wird durch Più Adagio lediglich das Andante – das Tempo vor der Beschleunigung im Takt 63 – wiederhergestellt, was auch durch die motivische Verwandtschaft bestätigt wird. (Von unserem heutigen Gesichtspunkt aus wäre es naheliegend gewesen, wenn Mozart statt Più Adagio nochmals Andante geschrieben hätte; da diese Bezeichnung damals aber eher als relatives Tempowort verstanden wurde, wodurch eher Beschleunigung als Verlangsamung ausgedrückt werden konnte, hatte er nur die Wahl zwischen Più Adagio oder meno Andante.) Nach sechs Takten folgen fünf Takte Allegretto mit denselben Motiven wie anfangs. Hieß es dort »Nichts hindert den Vorsatz«, so heißt es hier »Ja, es sei!«. Das Stück endet mit einem Adagio-Gebet »Sonne, ich weihe mich zu deiner Priesterin«.

Ich habe gerade dieses Stück als Beispiel gewählt, weil hier auf engstem Raum und mit ungewöhnlicher textlicher Erläuterung zahlreiche Tempi zueinander in Beziehung gesetzt werden und weil diese Beziehungen bei heutigen Aufführungen häufig mißverstanden und in ihr Gegenteil verkehrt werden.

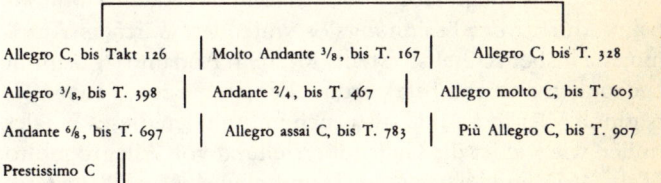

Allegro ³/₄	Allegretto ²/₄	Andante	più Andante	più Adagio	Allegretto	Adagio
schnell	etwas langsamer	noch langsamer	schneller	langsamer	schneller	langsam

Die heutige Auslegung verzögert aber Più Andante gegenüber dem Andante, sodaß ab dem Allegro eine stetige Verlangsamung bis zum sehr langsamen Più Adagio entsteht, die weder musikalisch noch dramaturgisch gerechtfertigt werden kann. Hier wird man von einem anachronistischen Verständnis der Tempoworte fehlgeleitet.

Ein anderes Beispiel: Im zweiten Finale von »La Nozze di Figaro« gibt es, wie in den meisten Finali Mozarts, eine ganze Reihe von ähnlichen Relationsproblemen:

Allegro C, bis Takt 126	Molto Andante ³/₈, bis T. 167	Allegro C, bis T. 328
Allegro ³/₈, bis T. 398	Andante ²/₄, bis T. 467	Allegro molto C, bis T. 605
Andante ⁶/₈, bis T. 697	Allegro assai C, bis T. 783	Più Allegro C, bis T. 907
Prestissimo C ‖		

Das ganze Finale ist in C, also in Vierviertel, aufgebaut – nicht in alla breve ₵. Das ist wichtig, weil bei sehr schnellen Tempi ein Irrtum in diesem Punkt das gesamte Betonungsgerüst zerstört. (Eine derartige Zerstörung geschieht leider sehr häufig, beispielsweise bei der Ouverture zu »Figaro«, die eindeutig in Presto C geschrieben und gemeint ist und nahezu immer in ₵, also viel zu schnell, gespielt wird, was sich für den tempofühligen Hörer spätestens beim Prestissimo-C-Abschluß des zweiten Finales rächt.) – Das Molto Andante ³/₈ im genannten Finale wird meist viel zu langsam genommen und so aus einem ironisch verhaltenen Lachen ein steifes Menuett gemacht; Molto Andante ist eben bei Mozart

135

schneller als das Andante und nicht langsamer! Der Text des Grafen kommt so viel näher einem Sprechtempo. Außerdem wird die Parallelität der motivisch-rhythmischen Struktur von

Su - sanna

(Takt 122–125 des Grafen und der Gräfin),

Si - gnore

(Takt 129 der Susanna) und

Su - sanna   son   morta

nur bei entsprechender Tempoverklammerung deutlich; das zweite Allegro ab Takt 167 muß im Prinzip gleich schnell wie das erste sein. Im Allegro $3/8$ beim Auftritt des Figaro sollten die Achtel gleich schnell wie beim vorhergehenden Allegro sein, wodurch der Grundschlag – zwei Achtel gegen drei Achtel pro Schlag – langsamer und damit rustikaler wird; es geht ja um einen Bauerntanz. Die Antwort darauf ist eine höfisch gemessene Gavotte im Andante $2/4$, die Szene gehört wieder dem Grafen; dies ist die bisher langsamste Stelle des Finales. In größtem Kontrast dazu folgt das Allegro molto C beim Auftritt des besinnungslos wütenden Gärtners Antonio; die bisher schnellste Stelle. Mit dem Andante $6/8$ beginnt bedrohlich die Schlußsteigerung. Die letzte Szene (Takt 697) beginnt Allegro assai C, also auch im Rahmen dieses Finales finden wir wieder die Gegenüberstellung von Allegro molto (Takt 467) und Allegro assai, und auch hier muß ersteres schneller sein. Die rhythmische Struktur ♩♫♩♫ ist identisch, die Situation ist anders: Vorher ging es um ungehobelte Wut, jetzt aber geht es um raffiniert überlegte Intrige; außerdem ist Steigerungsraum für die Finalbeschleunigung nötig. Diese wird durch Più Allegro C – schneller – bezeichnet und setzt mit dem Hohn von Marcellina, Basilio, Bartolo, dem Grafen und der desperaten Verwirrung von Susanna, der Gräfin und Figaro ein und endet in atemlosem Prestissimo C – nicht aber ₵!

Die Feinabstimmung innerhalb der mittleren Tempi und Mozarts Sorgfalt in ihrer Bezeichnung kann man am besten bei den Accompagnati, den Orchesterrezitativen, studieren.

Etwa im Accompagnato der Ilia und des Idamànte nach der Arie Nr. 19 (Zefiretti lusinghieri) im dritten Akt des »Idomeneo«. Es beginnt *Andante* mit einer webenden Bewegung der Violinen: Idamante hat zum erstenmal vernommen, daß Ilia ihn liebt. Die Streicherbewegung darf nicht zu langsam sein, sie stellt irrealen Wachtraum dar. Ilia wird durch heftige punktierte Orchestereinwürfe – nun beschleunigt auf *Molto Andante* – ermutigt, dann sagt sie ganz zärtlich »ich sage dies nochmals, ich liebe dich«, wobei das Zeitmaß auf *Larghetto* absinkt im staccato cantabile. Das unmittelbar folgende Duett beginnt Un poco più Andante, also: ein wenig schneller (als das Larghetto).

Man sieht also, daß es unbedingt nötig ist, die Grundtempi aus dem Verständnis der jeweiligen Zeit oder des jeweiligen Komponisten zu kennen, um die gewünschten Verzögerungen oder Beschleunigungen richtig zu verstehen. Auch in diesem Fall werden heute die Tempomodifikationen meist genau verkehrt gemacht: statt zu beschleunigen, verzögert man beim Molto Andante, findet keine brauchbare Relation zum Larghetto und beginnt das Duett viel langsamer.

Die heute übliche Reihenfolge, vom Langsamen zum Schnellen hin, sieht also etwa so aus: .

Largo – (molto) Adagio – (più) Andante – Andantino – Allegretto – Allegro – Presto.

Zur Zeit und im Umkreis Mozarts lagen vor allem die mittleren Tempi prinzipiell anders:

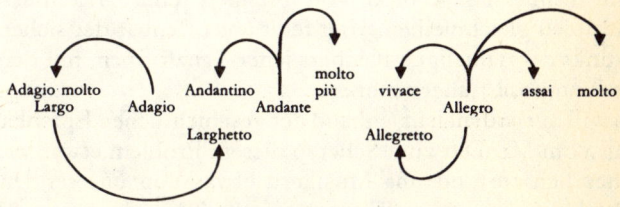

Die Richtigkeit dieser Abstufung findet man bestätigt, wenn man sieht, daß Mozart gelegentlich etwa die Bezeichnungen Andantino und Larghetto für dasselbe Stück verwendet: die eine im Werk selbst, die andere im eigenhändig geschriebenen »Verzeichnüß aller meiner Werke . . .«

Vom Menuett zum Scherzo

Große Tempoprobleme bereiten die Tanzsätze, besonders das Menuett, weil ja heute kaum ein Musiker eine reale Tanzbewegung vor Augen hat, wenn er so einen Tanz musiziert. Wie groß die Schwierigkeiten hier wirklich sind, können gerade die Wiener Musiker am ehesten nachfühlen, weil sie bei späteren Tänzen – etwa den Polkas und Walzern der Strauß-Familie – ein untrügliches Gefühl für die richtigen Tempi und Tempomodifikationen haben. Es ist nichts vorgeschrieben, und dennoch weiß und empfindet jeder gute Musiker genau, wie schnell, mit welchem Schwung, mit welchen Betonungen musiziert werden muß, er weiß aber auch, wo Abweichungen vom Takt zum Stil gehören. Die Komponisten konnten diese Kenntnisse voraussetzen, und sie haben sich in Wien über fast hundertfünfzig Jahre in aller Selbstverständlichkeit und Natürlichkeit erhalten. Genau das gleiche muß man sich bei den Menuetten und anderen Tänzen des 18. Jahrhunderts vorstellen. – Es gibt, um auf Mozarts Werke zu kommen, zahlreiche Menuette in seinen Symphonien und in seiner Kammermusik, die von ihrer harmonisch-rhythmischen Struktur her ein bestimmtes Tempo suggerieren. Wenn nun das dazugehörige Trio, isoliert betrachtet, ein gänzlich anderes Tempo »verlangt«, gerät die Intuition mit dem (vermeintlichen) Wissen in Konflikt, da man meint, das Tempo von Menuett und Trio müsse prinzipiell gleichbleiben. Hier fehlt uns offenbar der sichere Instinkt des damaligen Kenners jener Tanzformen, mit dem der Komponist aber rechnete.

Ich will nun versuchen, anhand der geschichtlichen Entwicklung vom Menuett zum Scherzo diesem Problem etwas von seiner Schärfe und uns Musikern etwas von unserer Unsicherheit zu nehmen. Wie nahezu alle Tänze kommt auch das Menuett ursprünglich aus der Volksmusik, und wie nahezu bei allen Tänzen ist sein sozialer Aufstieg zum Hoftanz mit einer erheblichen Verlangsamung verbunden. Als exotischer Bauerntanz aus dem Poitou (Branle à mener de Poitou) kam das Menuett um 1650 an den Hof Ludwigs XIV., der es 1653 in einer Komposition Lullys erstmalig öffentlich tanzte. Derart prominent eingeführt, setzte es sich sehr schnell durch und wurde bald zum wichtigsten höfischen Tanz überhaupt. Von Anfang an war es ein kunstvoller Paartanz, der gleichsam solistisch »aufgeführt« wurde. Die oft sehr komplizierten Schritte wurden von Tanzmeistern choreographiert, es gab bald zahllose Arten, ein Menuett zu tanzen, wobei man derart hohe Ansprüche stellte, daß es nur den wenigsten gelang, als perfekte Menuettänzer Anerkennung zu finden.

Ich will nun chronologisch einige Quellen zum Tempo des Menuetts anführen:

1. 1688, Lange, Methodus, Hildesheim ».. . Frantzösischer Tantz, so geschwinde gehet . . .«

2. 1700, Johann Kuhnau, Clavierübung ».. . daß man die Giguen und Menueten etwas hurtig ... zu tractiren pflege . . .«

3. 1703, Sébastien de Brossard, Dictionnaire ».. . sehr lustig und sehr schnell . . .«

4. 1737, F. David, Méthode nouvelle ».. . Das Menuet, die Chaconne etc. verlangen ein Zeitmaß in 3 raschen Schlägen.«

5. 1739, Johann Mattheson ».. . bey einem Menuet wird auf mässige Lustbarkeit gezielet . . .«

6. 1740, James Grassineau, A musical dictionary ».. . Das Menuett ist eine Tanzform, dessen Schritte extrem schnell und kurz sind . . .«

7. 1742, Jean Baptist Vion, La Musique pratique ».. . drei langsame Schläge: diese werden angewand bei manchen schnelleren Arien, bei der Chaconne und dem Menuet etc. . . .«

8. 1752, Johann Joachim Quantz, Versuch ».. . Ein Menuet spiele man hebend, und markire die Viertheile mit einem etwas schweren, doch kurzen Bogenstriche; auf zweene Viertheile kömmt ein Pulsschlag.«

9. 1766, Lacassagne, Traité general ».. . Das Menuet ist ein Musikstück auf drei mehr oder weniger flotte Schläge . . .«

10. 1777, Jean Jacques Rousseau ».. . elegante und vornehme Einfachheit.«

11. 1789, Daniel G. Türk ».. . Die Menuett, ein bekanntes

Tanzstück von edlem, reizenden Charakter, im Dreyviertel-takte (seltener im $^3/_8$) wird mäßig geschwind gespielt und gefällig, aber ohne Verzierungen, vorgetragen. In einigen Gegenden spielt man die Menuetten, wenn sie nicht zum Tanzen bestimmt sind, viel zu geschwind ...«

Von diesen Beispielen meinen wohl die Nummern 1, 2, 3 ein sehr schnelles Tempo, in Eins; 4, 5, 6, 8, 9 ein etwas langsameres, in drei mittelschnellen Schlägen; 7, 10 und 11 ein langsames in drei Schlägen. Bei Nummer 6 ist zu beachten, daß nicht das Tempo, sondern die Tanzschritte beschrieben sind, und diese sind allerdings derart kompliziert, daß ein weniger virtuoser Tänzer wohl jedes Menuett langsamer gespielt haben wollte.

Die Verlangsamung im Laufe der Zeit ist deutlich zu sehen, sie hat ihr Ziel erreicht im wohl berühmtesten aller Menuette, in Mozarts »Don Giovanni«; hier wird das gemessen-langsame Tempo durch die gleichzeitig gespielten anderen Tänze erzwungen. Dieses Menuett, in seinem unverrück-baren Tempo, wurde für uns zum formbildenden Prototyp des Menuetts schlechthin und damit verantwortlich für un-zählige Irrtümer in der Tempowahl und durch allzu häufige Wiederholung dieser Fehler sogar für eine Verrückung des Tempogefühls. Dieses Menuett ist ja der Endpunkt einer nahezu hundertfünfzigjährigen Entwicklungskette. Es wurde in einer Zeit komponiert, in der das Menuett als Tanz schon aus der Mode gekommen war und einerseits, in Sonaten und Symphonien, zu einem kunstvollen musikalischen Satz mutiert hatte, andererseits als ironisches Zitat für eine gestelzte barocke Vergangenheit verwendet werden konnte. Auch von der Musikwissenschaft wurde das Menuett mit seinen großen Tempoproblemen eher ungenau und unfun-diert behandelt. Es gibt aber doch manche Hinweise – einige davon habe ich soeben zitiert –, die uns helfen, die große Zahl der erhaltenen Menuettkompositionen richtig einzuordnen und dann in natürlichem Tempo zu musizieren. Es fällt auf, daß Brossards wichtiges Zitat von 1703, »das Tempo ist stets sehr lustig und sehr schnell«, noch 1777 Rousseau zu polemischem Widerspruch reizt ». . . ganz im Gegenteil, das Tempo ist eher mäßig als schnell, und man kann sagen, das

Menuett ist der am wenigsten lustige aller heute gebräuch-
lichen Tänze.« Es hat sich eben in der Zwischenzeit der
Charakter des Menuetts entscheidend geändert. Dennoch,
und das scheint mir besonders wichtig, ist das sehr schnelle
Menuett im Verlauf des 18. Jahrhunderts niemals gänzlich in
Vergessenheit geraten: zur selben Zeit, als das Menuett sich
verlangsamte, kam das Passepied, ausdrücklich als sehr
schnelle Nebenform des Menuetts, in Mode. Dieses wurde in
Eins geschlagen und der laufende Dreiachteltakt von Zeit zu
Zeit durch heftig akzentuierte Hemiolen unterbrochen:

darauf will ich später zurückkommen.
Zur selben Zeit, als Rousseau das langsame Menuett als
selbstverständlich beschreibt, beklagt sich Charles Burney
in seinem Reisetagebuch über ein allzu schnelles Menuett,
das schon einer rohen Gigue nahekäme; wahrscheinlich
handelte es sich um ein Passepied. In seiner Encyclopédie
1780 schreibt Diderot sehr richtig, daß es sowohl schnelle
als auch langsame Menuette gibt, er formuliert wie Brossard
und Rousseau, verbindet aber beide freundlich und sach-
lich.
Im Zusammenhang mit diesem Wechsel des Menuettempos
möchte ich auf eine Anekdote hinweisen, die Saint Simon
über Ludwig XIV. erzählt: Dieser habe die Gewohnheit gehabt, jeden Abend vor dem Zu-Bett-Gehen zwölf Menuette
zu tanzen. Als er im Alter dick und schwer geworden war,
ordnete er an, die Menuette wesentlich langsamer zu spielen
(also auch anders zu komponieren!), was prompt Mode
wurde.
Wenn man all diese Beschreibungen liest und sieht, daß die
wenigsten Menuette des 17. und 18. Jahrhunderts Tempobezeichnungen haben, könnte man sich fragen, wie die
Musiker erkennen konnten, ob es sich um ein schnelles,
mittleres oder langsames Menuett handelte. Es muß also rein
musikalische Kriterien geben, die für die zeitgenössischen
Musiker so eindeutig waren, daß der Komponist auf eine
nähere Bezeichnung verzichten konnte. Seit jeher war und ist
es üblich, in der Tanzmusik die Tempi dem Musiker zu

überlassen, und das funktioniert auch überall dort, wo die lebendige Verbindung zur entsprechenden Tanzform noch nicht abgerissen ist: das funktioniert heute noch, nach drei Generationen (allerdings nur in Wien!), bei Walzer und Polka, und das funktionierte selbstverständlich im 18. Jahrhundert beim Menuett.

Bevor ich auf die musikalischen Kriterien eingehe, aus denen das richtige Tempo erschlossen werden kann, will ich noch darauf hinweisen, daß alle Beschreibungen des Tanzes darin übereinstimmen, daß beim Menuett immer zwei Takte tänzerisch zusammengehören, daß also jede Schrittgruppe zwei Takte zusammenfaßt zu einer Art übergeordnetem $^6/_4$-Takt. Dieses Merkmal des Tanzes ist natürlich in jedem guten Menuett komponiert und müßte in jeder guten Aufführung deutlich werden. Dabei gibt es sehr unterschiedliche Möglichkeiten: Erstens: der erste Takt wird betont und der zweite verklingt usw.; zweitens: dasselbe, um einen Takt verschoben; drittens: der erste Takt hat ein auftaktiges Crescendo, der zweite diminuiert; viertens: dasselbe, umgekehrt. Besonders bei den stilisierten Menuetten in Streichquartetten und Symphonien haben die Komponisten oft irreguläre Störungen dieser schematischen Abläufe eingeschoben.

Man hat schon im 18. Jahrhundert und bis heute immer wieder kritisiert, daß ein »leichtfertiger« Tanzsatz wie das Menuett, der eigentlich nur in eine Suite gehöre, sich seit Stamitz und Haydn in der Symphonie durchsetzen konnte. Burney schreibt ca. 1777: »Gibt es überhaupt so viele galante Symphonien, in welche eine Menuet hineinpaßte? Sticht sie nicht meistentheils gegen die übrigen Sätze zu sehr ab, als daß sie ein gutes Ganzes ausmachen könnte? Wenn dies wahr ist, so muß man mit den neueren deutschen Komponisten noch unzufriedener seyn, die sie gar in ihre Quartette und Trios mischen. Ein Mißbrauch, worüber Kenner längst geklagt haben...« Ich kann nicht finden, daß Mozarts dreisätzige Symphonien (etwa die Pariser) ernster sind als seine viersätzigen mit Menuetten. Ich sehe aber wohl, daß mit dem reichhaltigen Menuett Mozarts oder Haydns ein gänzlich neues Element die Symphonie oder das Streichquartett bereichert: So konnten sicherlich mit den drei »Sonaten«-Sätzen Allegro–Adagio–Allegro alle nur denkbaren Farben der Ausdruckspalette ausgeschöpft werden, während das Menuett eine neue Komponente einbrachte – das Körperhafte. In den Sonatensätzen wirkt der von der Rhetorik abgeleitete und stilisierte Dialog, im Menuett die Pantomime. Diese tänzerische Körpersprache kann die ewigen Gegensätze von Realität und Traum, von handfester Vitalität und innigster Gefühligkeit, von höfischer Gemessenheit und folkloristischer Ausgelassenheit oder Sentimentalität unvergleichlich wiedergeben. Keine andere Form war dafür so geeignet wie das Menuett, keine bot derart vielfältige Möglichkeiten.

So wurde das Menuett zu einem durchaus gewichtigen symphonischen Satz, auch von der Ausdehnung her. Zur Zeit Mozarts wurden ja normalerweise die Menuette auch nach dem Trio mit beiden Wiederholungen gespielt. Das kann man aus zahlreichen Anmerkungen Mozarts, aber auch anderer zeitgenössischer Komponisten sehen, die es stets ausdrücklich vermerkten, wenn sie ausnahmsweise die Reprise ohne Wiederholung wollten: »menuetto da capo senza repliche«. Daniel G. Türk schreibt 1802 in seiner Klavierschule: »Minuetto da capo, dadurch wird angedeutet, daß die Minuett wieder vom Anfange an, und zwar mit den vorgeschriebenen Wiederholungen, folglich wie zuerst, gespielt werden soll, wenn nämlich nicht ausdrücklich: ma senza replica: dabey steht . . .« Durch diese Wiederholung werden die Bedeutung des Menuetts und die Symmetrie der Gruppe hervorgehoben.

Ich will mich nun auf die Menuette Mozarts beschränken, aber vorher anmerken, daß sie unbedingt in der Tradition des 18. Jahrhunderts stehen und daß auch etwa in der Generation Bachs ähnliche Kriterien die Zuordnung zu einem schnelleren oder langsameren Typus bestimmten. Wenn wir nun ein Menuett Mozarts, etwa das der g-Moll-Symphonie KV 183, ansehen und wissen, daß es damals mehrere, sehr unterschiedliche Menuettypen gab, und wir wagen eine vorurteilsfreie Tempobestimmung, als hätten wir es nie zuvor gehört – dann finden wir, daß den harmonischen und rhythmischen

Strukturen ein schnelles Tempo, in Eins, angemessen ist. Nur die Furcht, »ist denn das noch ein Menuett«, und das Gespenst des unfehlbaren »Giovanni«-Menuetts mögen uns zurückhalten. Gegenprobe: Stellen wir es uns gravitätisch, in Drei, vor; es entsteht ein dummes Gestampfe, es wird sehr schwierig, den ersten, dritten, fünften usw. Takt auftaktig darzustellen. Ein sinnloser Versuch, wenn wir uns die verschiedenen Menuett- und Passepiedarten und -tempi der damaligen Zeit vergegenwärtigen. Der damalige Musiker hat also zweifellos an der harmonischen und rhythmischen Struktur sofort die Art des Menuetts erkannt. Nun kommen wir zum Trio; das für das Menuett gefundene Tempo wirkt unsinnig schnell, verhetzt, unnatürlich. Dieses Trio ist ja gar kein zweites Menuett, wie man es dreißig Jahre früher kannte, es ist etwas völlig anderes, rein österreichisches. Für sich betrachtet ist dieses Trio eine Zwischenform zum ländlerischen Tanz hin – oder von dort her inspiriert. Darf das sein?

In der zweiten Hälfte des 18. Jahrhunderts erscheint auf dem Kontinent eine neue Quelle menuettartiger Tänze, die Country Dances aus England (dort gab es sie schon seit der Mitte des 17. Jahrhunderts). Sie waren einfach, wurden von jedermann gerne in den Gasthäusern getanzt und eroberten als Basis für Gruppentänze, wie Quadrillen und andere, schnell den Kontinent. Sie bildeten sich zu einer Art von lyrischem Gegen-Menuett des kleinen Mannes. Kurz nach 1760 überflügeln die Country Dances das Menuett an allgemeiner Beliebtheit. Rousseau sagt, sie werden jetzt auf den Bällen statt des Menuetts getanzt, weil sie lustiger und einfacher und weil sie Gemeinschaftstänze seien, bei denen alle mitmachen könnten. Mozart schreibt am 15. Jänner 1787 aus Prag von einem Ball: »... ich sah aber mit ganzem Vergnügen zu, wie alle diese leute auf die Musick meines figaro, in lauter *Contretänze* und *teutsche* verwandelt, so innig vergnügt herumsprangen ...«

In Österreich kommt noch ein spezifisch alpenländisches Kolorit dazu, der Ländler – oder die Gruppe von zwei- und dreizeitigen Tänzen, die so genannt wurden – mischt sich dazu. Typische Jodlermotive (besonders deutlich etwa im ersten Trio für zwei Klarinetten und zwei Bassetthörner des ersten Menuetts der Gran Partita KV 361 zu erkennen)

gelangen so in die anerkannten Tanzformen. Diese alpenländischen Tänze, deren dreizeitige Formen schon sehr früh, wegen des Drehens beim Tanzen, Walzer genannt wurden, waren die direkten Nachfahren der Springtänze aus dem Tanzpaar der Allemande: Schreit-Springtanz. Diese Tänze werden nun ziemlich wahllos Allemanden oder Deutsche, die dreizeitigen Formen Dreher, Weller, Spinner, Schleifer, Steirer, Ländler genannt (Ländler auch alle zusammen). Sie sind die echten Vorläufer des Walzers. Durch die Verschmelzung des stilisierten, weil nicht mehr tanzgebundenen Menuetts mit diesen Volkstänzen kommen musikalisch in diesen späten Menuetten ganz verschiedene soziale Schichten zusammen.

Nach diesem Exkurs zur Geschichte, wie Menuett und Ländler einander benachbart wurden, wundern wir uns nicht mehr über das Trio des Menuetts aus der g-Moll-Symphonie. So wie das Menuett ziemlich rein das *schnelle* passepiedartige Menuett verkörpert, ist das Trio nahezu reinste Volksmusik, ein Ländler, durch den genialen Atem Mozarts geadelt. – Nun fehlt uns nur noch die »Erlaubnis«, jeden dieser beiden Teile in dem für ihn typischen und richtigen Tempo zu spielen, also sehr unterschiedlich. Hätte Mozart eine derart große Temporückung nicht angeben müssen? Absolut nicht, ja, es wäre geradezu lächerlich, den Musikern, die diese Tanzformen im kleinen Finger hatten, derartige Binsenweisheiten vorzuschreiben. Ein Problem ist es erst Jahrhunderte später, für uns, die wir meinen, der Komponist müsse alles, was wir zu tun haben, ausdrücklich anzeigen.

Das Paar Menuett-Trio stammt aus der französischen Musik des 17. Jahrhunderts. Dort wurde oft eine ganze Kette von Menuetten rondoartig aneinandergehängt, indem immer wieder das erste Menuett zwischendurch zu erklingen hatte. Da die zweiten, dritten usw. Menuette tonal und klanglich möglichst stark zum ersten kontrastieren mußten, wurden sie sehr häufig für drei Solobläser (etwa zwei Oboen und Fagott) instrumentiert und daher Trio genannt. Der größtmögliche Kontrast blieb ein wichtiges Merkmal: Ein einfaches, heiteres Menuett verlangte ein raffiniertes, schwermütiges Trio, alle denkbaren Gegensätze der Klangfarben waren erwünscht und natürlich auch solche des Stils. Diese Unterschiede finden wir bei den Menuetten Bachs und Rameaus besonders stark ausgeprägt. Es war zu Mozarts Zeit längst eine selbstverständliche Tradition, mit Menuett und Trio einen sehr breiten Raum verschiedenster Möglichkeiten auszuschreiten.

Wir können also getrost die beiden unterschiedlichen Formen von Menuetten einander gegenüberstellen und müssen nicht krampfhaft versuchen, sie in das Prokrustesbett eines scheinbar korrekten Einheitstempos zu stellen: Das Trio soll im gemütlich jodlerisch-idiomatischen Tempo, das es fordert, und das Menuett in rascher Eins gespielt werden.

Menuett und Trio der großen g-Moll-Symphonie KV 550 sind im Prinzip ähnlich angelegt, nur daß hier die unmittelbare Herkunft des Menuetts vom Passepied noch viel deutlicher erkennbar ist durch den ausgeprägt hemiolischen Rhythmus. Ähnlich ist es bei den Menuetten der letzten sechs Quartette Mozarts, die durchwegs mit Allegro oder Allegretto bezeichnet sind (Mozart hat einige »Allegro« des Autographs im Erstdruck in »Allegretto« korrigiert). Die Trios von KV 575, KV 421, KV 428 müssen wesentlich langsamer als die schnellen, scherzoartigen Menuette gespielt werden. In all diesen schnellen Menuetten findet sich schon der Geist, die Uridee des Scherzos: das Tempo und der neckende Zug, die Hörer durch »falsche« Akzente zu irritieren, die natürliche Betonungsordnung witzig zu durchbrechen. So sehen wir, wie die beiden Extreme des Menuetts im 19. Jahrhundert ihre Fortsetzung finden: das schnelle geht nahtlos und unmerklich ins Scherzo über, das langsame in den Walzer.

Ich möchte noch die Menuette der Gran Partita für zwölf Bläser und Kontrabaß KV 361 kurz betrachten, weil sie verschiedene Menuettformen in deutlichem Kontrast zeigen: Das erste Menuett ist ein klassisches langsames Menuett in der Art des »Don Giovanni«-Menuetts, nur daß die zweitaktige Betonung hier viel fluktuierender, unregelmäßiger ist. Das erste Trio für vier Klarinetten ist ein echter Ländler, der sogar auf Jodlerfiguren aufgebaut ist. Zum langsamen Menuett gibt es hier keinen wesentlichen Tempokontrast, der Unterschied ist rein klanglich und »sozial«. Das zweite Trio verläßt in seinen düsteren Farben und untänzerischen Rhythmen den Boden des Menuetts. – Das zweite Menuett, wie das der großen g-Moll-Symphonie und viele andere mit Allegretto überschrieben, muß wohl wesentlich schneller gespielt werden. Der Rhythmus, die harmonischen Entwicklungen sind viel einfacher, die Nachschläge in der zweiten Hälfte des ersten Teiles stammen vom Walzer und führen dorthin zurück. Diesmal ist das erste Trio düster in schärfstem klanglichem und affektmäßigem Kontrast zum Menuett. Das zweite Trio ist ein richtiger ländlerischer Walzer; es muß wesentlich langsamer gespielt werden als das Menuett.

So erkennen wir also, daß sich im instrumentalen Menuett der letzten Jahrzehnte des 18. Jahrhunderts auf geradezu magische Weise sämtliche dreizeitigen Tanzformen von der Gigue bis zur Sarabande mit sämtlichen einschlägigen Volkstänzen vereinigten. Man sieht förmlich die neidischen Blicke aus den Palästen (höfische Menuette) in die Ballsäle und Wirtshäuser – aber man sieht auch die Sehnsucht in der umgekehrten Richtung. Diese Spannung ist in Mozarts Menuetten Klang geworden.

Wir sahen, wie in manchen Menuetten Mozarts (etwa der g-Moll-Symphonie KV 550) vom Tempo und vom irritierenden Rhythmus her der fließende Übergang zum Scherzo erkennbar wird. Am weitesten in dieser Richtung aber geht Joseph Haydn in seinen Streichquartetten und in seinen Symphonien. Wie er zu den ersten gehörte, die das Menuett in der Symphonie einbauten, so war er wieder Avantgardist bei der Umwandlung zum Scherzo. Abgesehen von vielen irregulären Menuetten, bei denen das Scherzohafte unausgesprochen vorhanden ist, schrieb Haydn in seinen Streichquartetten op. 33, die er zwischen 1778 und 1781 komponierte, Menuette mit derart scherzohaftem Charakter, daß er dies ausdrücklich vermerkte: durch »Scherzando« oder »Scherzo« – das Wort Menuetto muß man sich allerdings unbedingt dazudenken. Auch hier findet sich in den Trios sehr viel Folkloristisches der Art, wie ich es bei einigen Menuetten Mozarts geschildert habe. Die Menuette von einigen Londoner Symphonien Haydns sind schon dem ohnehin sehr weiten Rahmen des Menuetts entwachsen und führen direkt zu Beethovens Scherzi. Es wurde von der Musikwissenschaft gelegentlich gesagt, die Herkunft des Scherzos sei unbekannt. Für mich ist die Vaterschaft eindeutig: der wilde Tanz aus dem Poitou wird als »Menuet« hoffähig. Er wird vom Hof domestiziert und nach und nach zum steifen und zeremoniellen Tanz der Barockzeit schlechthin. Daneben erhalten sich aber stets rasche und vitale Nebenformen. Gegen Ende seines abwechslungsreichen und langen Lebens erweist das Menuett sich als höchst aufnahmefähig für die verschiedensten Anregungen aus der englischen, deutschen und besonders aus der österreichischen Folklore. Es gelingt ihm, auch nach dem Tod noch im Scherzo und Walzer fortzuleben.

Geschriebene und ungeschriebene Interpretationsanweisungen bei Mozart

Es muß jedem Komponisten sehr wichtig sein, seine Werke so niederzuschreiben, daß sie von den ausführenden Musikern richtig verstanden und wiedergegeben werden. Dabei spielt natürlich die jeweils gültige Aufführungstradition eine entscheidende Rolle. Ich will dies an einem Beispiel erläutern:

(Violinschule Leopold Mozart)

So eine Stelle wird nach der heute gültigen Aufführungstradition so gespielt »wie·sie dasteht«, jede Note gleich lang, gleich laut und mit einem eigenen Bogenstrich (bei Streichern) oder Zungenstoß (bei Bläsern). Vor zweihundert Jahren galten aber völlig andere Gesetze; diese Stelle stammt aus der Violinschule Leopold Mozarts, der die verschiedenen richtigen Möglichkeiten ihrer Ausführung beschreibt: zu zwei und zwei gebunden ♫, »die erste zwoer in einem Striche zusammen kommender Noten wird etwas stärker angegriffen, auch etwas länger angehalten; die zwote aber ganz still und etwas später daran geschliffen.«

♫   ♫   oder auch ♫ ♫ , ♫

und noch einige andere Arten. Er sagt dazu: »Es ist aber nicht genug, daß man dergleichen Figuren nach der angezeigten Strichart platt wegspiele: man muß sie auch so vortragen, daß die Veränderung gleich in die Ohren fällt...« Es geht ihm hier nicht um Übungen, sondern um die Bildung des Geschmackes! Und immer wieder weist er darauf hin, daß dabei nicht die Strichart, sondern die Betonung das Wesentliche sei. »... Wenn nun in einem musikalischen Stücke 2.3.4 und noch mehr Noten durch den Halbcirkel (Bindebogen) zusammen verbunden werden... so muß man die erste solcher vereinbarter Noten etwas stärker angreifen, die übrigen aber ganz gelind und immer etwas stiller daran schleifen... Man wird sehen, daß die Stärke bald auf das erste, bald auf das andere (zweite) oder dritte Viertheil, ja oft

149

sogar auf die zwote Helfte des ersten, zwoten oder dritten Viertheils fällt. Dieß verändert nun unstreitig den ganzen Vortrag.« Die Artikulation bestimmt also Rhythmus und Vortrag des Stückes.

Im 18. Jahrhundert war die Art, wie eine Instrumentalstimme zu artikulieren war, im Prinzip Sache des Interpreten. Der Komponist mußte nur solche Stellen bezeichnen, bei denen er ausdrücklich eine von der Tradition, von der anerkannten Norm abweichende Ausführung wünschte. So war es etwa zu Mozarts Zeit nicht nötig, über eine Dissonanz und ihre Auflösung einen Bindebogen zu setzen, weil die Zusammengehörigkeit dieser zwei Noten selbstverständlich war, sie *mußten* gebunden werden. Führt man diese damals obligatorische Bindung auch heute wieder aus, so ergibt dies eine sehr deutliche rhythmisch-harmonische Änderung des gewohnten Klangbildes – wir haben uns ja an den Fehler, einst selbstverständliche Bindungen zu unterlassen, längst gewöhnt.

Es gibt zahlreiche Sätze in Mozarts Instrumentalwerken, wo entweder gar keine Artikulationszeichen stehen oder nur wenige an sehr ungewöhnlichen Stellen. Als Beispiel dafür möchte ich den Finalsatz der Haffner-Symphonie hier besprechen. In diesem Satz gibt es nur *sehr* wenige Bindebogen Mozarts, und wenn er – wie meist – so gespielt wird »wie geschrieben«, entsteht auf weite Strecken, ja satzbestimmend, der Eindruck prasselnder Achtelnoten. Nun war es eben für die damaligen Musiker seit Generationen selbstverständlich, nach den erkennbaren Spielfiguren zu artikulieren, etwa die Bratsche und Bässe in Takt 9ff.

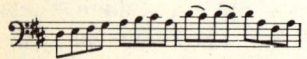

oder alle Streicher Takt 20ff.

und nach denselben Prinzipien alle ähnlichen Figuren. Wenn man nun, wie damals selbstverständlich, die Bindungen nicht als Bogenstriche, sondern als Betonungszeichen auffaßt, entsteht eine auffallende rhythmische Gliederung:

150

bei der ersten Stelle: ♫♩ ♫♩|♩ ♩ ♫♩,
bei der zweiten Stelle♪ ♪ ♪♪♪♪|♪˙ ♪ ♪ ♪;
dadurch bekommt dieser Satz eine völlig andere rhythmische Struktur, als wenn man alle Achtel im gleichmäßigen Spiccato spielt. Wenn Mozart tatsächlich eine derartige gliedernde Artikulation von seinen Interpreten erwartete, und davon bin ich fest überzeugt, dann wird sein Werk durch die *un*artikulierte Spielart entstellt, dann ist eine notentreue Interpretation keineswegs als werktreu zu bezeichnen. Ich könnte noch zahllose ähnliche Beispiele anführen, möchte aber jetzt lieber einige Stellen nennen, wo Mozart Artikulationszeichen setzt: am Anfang desselben Satzes:

Hätte Mozart hier keine Bogen geschrieben, so hätten damalige Musiker in den ersten beiden Takten nichts gebunden, im dritten Takt aber ♩♩♩♩ (wie es sogar gelegentlich heute gespielt wird) und im fünften Takt

 . Er mußte also diese Bogen setzen, wenn er

die notierte Spielart wollte. Bei der 2. Geige wird durch Punkte über jeder Achtelnote eine der 1. Geige angeglichene Artikulation, die man sonst unbedingt spielen würde, ausdrücklich verhindert.

Sehr aufschlußreich sind auch Punkte in solchen Sätzen, die sonst kaum Artikulationszeichen haben, wie etwa dem Finalsatz der C-Dur-Symphonie KV 338, Takt 44ff.

Wenn in diesem Satz wirklich alle nicht ausdrücklich gebundenen Achtelnoten getrennt zu spielen wären, hätten die Punkte hier überhaupt keinen Sinn. Es wird auch bei heutigen Aufführungen normalerweise alles gleich ausgeführt: die Achtel ohne Punkte und diese mit Punkten, alle in ein und demselben Spiccato. Tatsächlich gibt es in diesem Satz eine ganze Reihe von Stellen, wo die Achtelnoten auf Grund der traditionellen Artikulationsregeln zu binden sind; etwa Takt 26 bis 30 zu je drei und drei Noten, und einige andere Stellen. Die oben genannte Stelle würde man, stünden keine Punkte da, jedenfalls so artikulieren:

Mozart *mußte* also die Punkte setzen, wenn er einzelne Achtel gestrichen haben wollte; nur so haben diese und zahllose andere Punkte einen Sinn. In der Chorchaconne Nr. 9 in »Idomeneo« spielen die 2. Geigen von Takt 117 bis 154 Sechzehntelnoten. Bei dieser Stelle gibt es vorerst keine Artikulationszeichen, erst ab dem Takt 129 Punkte und Bindebogen. Diese Punkte werden normalerweise als Irrtum des Komponisten angesehen und die ganze Stelle, der Teil mit und jener ohne Punkte, ganz gleichartig gespielt. Es ist unsinnig, hier an einen Irrtum zu glauben, Mozarts Partituren sind praktisch fehlerfrei, und hier gibt es ja eine gute und plausible Erklärung: bis zu den Punkten ist normal, nach den bekannten Regeln zu artikulieren, etwa so:

danach nicht mehr; diese »normale« Artikulation ist dann durch die Punkte und gelegentliche Bindungen für acht Takte aufgehoben, dann wieder für fünf Takte in Kraft gesetzt und schließlich bis zum Ende der Stelle nochmals durch autographe Artikulation aufgehoben.

Wenn man einmal das Prinzip der Artikulation und der Punktsetzung als Aufhebung der üblichen Artikulation erfaßt hat, sieht man, wie sinnvoll und logisch Mozart seine Zeichen setzt. Ohne eine derartige Erklärung, die überdies aus der Tradition des 18. Jahrhunderts hinlänglich fundiert ist, wäre ein Großteil der von Mozart geschriebenen Artikulationszeichen unlogisch und unverständlich. Außerdem wäre es musikalisch lächerlich, zu glauben, statt des barocken Nähmaschinenrhythmus, den wir nun glücklich von den alten Artikulationsprinzipien ad absurdum geführt wissen, gäbe es nun in der zweiten Jahrhunderthälfte ein konstantes Rattern von Achtel- oder Sechzehntelnoten. Die alten Prinzipien sind ja nicht schlagartig außer Kraft gesetzt worden, wie die zahlreichen Schulwerke deutlich genug zeigen, sondern schrittweise durch ein immer genaueres Aufschreiben des vom Komponisten Gewünschten ersetzt worden. Mozart war hier einer der traditionellsten Komponisten, Haydn in dieser Hinsicht etwas moderner, und Beethoven und Schubert schrieben praktisch alles aus. Je autobiographischer ein Komponist schuf, desto genauer bestimmte er die Interpretation, desto weiter entfernte er sich von den überlieferten Traditionen.

Wir müssen uns aber darüber klar sein, daß eine solche Artikulation der Werke Mozarts diese vor allem rhythmisch, aber auch harmonisch gegenüber dem derzeit Gewohnten entscheidend verändert.

Auch die Darstellung des Einzeltones war zu Mozarts Zeit anders als heute. Er war prinzipiell dynamisch zu beleben (Leopold Mozart: »Solche Noten müssen stark angegriffen, und durch eine sich nach und nach verlierende Stille ohne Nachdruck ausgehalten werden. Wie der Klang einer Glocke . . . sich nach und nach verlieret.« »Jeder auch auf das stärkeste ergriffene Ton hat eine kleine obwohl kaum merkliche Schwäche vor sich . . . Eben diese Schwäche ist an dem Ende iedes Tones zu hören.«), und wenn er ausnahmsweise in gleichmäßiger Stärke auszuhalten war, schrieb der Komponist »tenuto« (gehalten) darüber. Heute spielt man prinzipiell jeden längeren Ton tenuto. Durch die glockig-dynamische Spielweise wurde der Satz durchsichtig, weil die gehaltenen Töne im Verklingen Raum gaben für neue Einsätze. Auch die Sänger hatten die einzelnen Töne dynamisch zu formen, den Silben Gestalt zu geben; so wurde natürlich das Legato – die geschmeidige Verbindung der Töne zu einer Melodie, zur großen Linie – die höchste und auch schwierigste Aufgabe aller Sänger und Instrumentalisten.

Gebundene Tongruppen wurden wie Einzeltöne derselben Dauer dynamisiert, also etwa

wobei die Kurve unter den Noten ungefähr die Klangstärke ausdrücken soll.

Für die Spielart kurzer getrennter Noten gab es ein reiches Repertoire: Sie konnten von extrem kurz und hüpfend bis weich und sangbar ausgeführt werden. Prinzipiell galt die Regel, die Daniel Gottlob Türk besonders prägnant formuliert: ». . . springende Töne werden kürzer gestossen als stufenweise fortschreitende Intervalle . . .« Dies war damals ein allgemein anerkanntes Interpretationsprinzip, und ein Komponist konnte mit einer derartigen Ausführung rechnen; wollte er sie anders, mußte er dies ausdrücklich angeben. Wichtig für uns ist es also, daß die Komponisten die Abweichung vom Normalen, von den anerkannten Regeln aufzuschreiben hatten. Die aufgeschriebene Artikulation stellt also nur einen kleinen Teil der vom Komponisten erwarteten Artikulation dar. Wir müssen uns das traditionelle Grundwissen wieder aneignen.

Um die verschiedenen Zwischenstufen dort anzudeuten, wo sie nicht ohnehin aus dem Kontext klar hervorgehen, unterscheidet Mozart ähnlich wie seine Zeitgenossen folgende Zeichen:

Ihre Bedeutung ist keineswegs eindeutig, sie ist von der örtlichen Tradition abhängig, aber auch von der graphischen Ausführung. Fein hingezeichnete senkrechte Striche haben in der Regel eine andere Bedeutung als kraftvolle, mit spreizender Feder geschriebene. Die Feder folgt eben der emotionsgesteuerten Schreibgeste viel genauer, als es der Druck wiederzugeben vermag. Die meisten Druckausgaben ignorieren den Strich und setzen ausschließlich Punkte. Wo aber differenziert wird, wird statt des Striches meist ein Keil ▼ oder ein ♦ tropfenförmiges Zeichen gesetzt. Im Hinblick auf die suggestive Wirkung aller Zeichen sollte man zum einfachen Strich zurückkehren.

Uns, die wir gewohnt sind, mit jedem Zeichen eine exakte und immer gleichbleibende Bedeutung zu verbinden, fällt es schwer, an den unterschiedlichen Sinn gleichartiger Zeichen je nach dem Zusammenhang zu glauben, und doch scheint es so zu sein. Manche Forscher meinen sogar, es gebe nur unterschiedliche Ausführungen eines einzigen Zeichens, nämlich des Striches. In Mozarts Handschrift ist aber ein deutlicher Punkt von einem deutlichen senkrechten Strich von bis zu vier Millimeter Länge wohl zu unterscheiden. Man erkennt auch eine musikalisch grundsätzlich verschiedene Anwendung dieser beiden Zeichen. Leider gibt es viele Stellen, bei denen der Komponist nicht so deutlich unterschieden hat – ein flüchtig geschriebener Punkt mag wie ein Strich aussehen – dort sind wir auf das musikalische Urteil angewiesen.

Die verschiedenen Schulwerke aus der zweiten Hälfte des 18. Jahrhunderts behandeln dieses Thema sehr unterschiedlich. Leopold Mozart spricht nur von Strichen und Punkten unter einem Bogen ⌢, wobei die Striche ein hüpfendes Staccato, die Punkte aber nur ein deutliches Bogenvibrato darstellen. ♩♩♩♩ »Dieses zeiget an . . . daß die Noten nicht nur in einem Bogenstriche, sondern . . . mit wenigem Nachdruck in etwas von einander unterschieden müssen vorgetragen werden. ♩♩♩♩ sind aber anstatt der Punkte kleine Striche gesetzet: so wird bey ieder Note der Bogen aufgehoben.« Quantz schreibt 1752, bei Strichen müsse man scharf stoßen und die Noten ». . . müssen halb so lang klingen als sie an und vor sich gelten«. Noten mit Punkten werden ». . . mit kurzem Bogenstriche . . . und unterhalten (ausgehalten) gespielet . . .« Adam sagt noch in seiner Klavierschule des Conservatoire, Paris 1802, ♩♩♩♩ werde so gespielt, »daß man der Note drey Viertheile ihres Wertes nimmt« ♩ʼʼ ♩ʼʼ ♩ʼʼ ♩ʼ

»Bey der zweyten Art muß der Ton etwas weniger trocken abgestoßen werden in dem man der Note nur die Hälfte ihres Wertes nimmt«: ♩♩♩♩ = ♩ʼ♩ʼ♩ʼ♩ʼ . Hiller schreibt, Punkt und Strich erforderten einen »ganz anderen Vortrag«, wie, geht aus seiner Aussage nicht hervor. Francesco Geminiani verlangt in seiner 1751 in London erschienenen Violinschule, daß Noten mit einem Strich darüber ⌐ sehr kurz zu spielen seien, der Bogen müsse dabei so viel wie möglich weg von der Saite. Stehen zwei Striche ⌐ über einer Note, dann bedeute das einen Akzent. Im allgemeinen sagen die Schulwerke bis nach 1800, daß Noten mit einem Strich sehr kurz, Noten mit einem Punkt darüber länger zu spielen sind. Es gibt aber auch einige Quellen, so das Lexikon von H. Chr. Koch, 1802, die zwar die verschiedene Länge von Staccato-Tönen für den guten Vortrag nötig finden, aber ». . . bedauern, daß, da man sich doch zweyerlei Zeichen dazu bedienet, nemlich der Punkt und der kleinen Striche, man nicht darinne überein gekommen ist, welches von diesen beyden Zeichen einen . . . schärfern Grad des Abstoßens anzeigen soll«. Türk sagt 1789 in seiner Klavierschule: »doch wollen Einige durch Striche ein kürzeres Absetzen bezeichnen als durch die Punkte«.

Für Mozart sind die Artikulationszeichen offenbar viel mehr Ausdrucksbezeichnungen als äußerliche Spielanweisungen. Sie gehören von Haus aus untrennbar zu den Motiven, bei denen sie stehen, sie erklären die Idee der gewünschten »Aussprache«. Mozart verwendet den *Strich* in zwei Bedeutungen. Als Akzentzeichen (wie ein schwächeres sforzato); dann steht er etwa auf langen Noten ♩ | ♩ | ♩ | ♩ | (Jupiter-

Symphonie KV 551, Finale, Takt 233ff.) oder auf der ersten Note bei Tonwiederholungen ♩ oder ♫♫ oder wenn

einzelne Noten hervorgehoben werden sollen ♩♩♩ (Gran

Partita KV 370 a, Finalsatz, Takt 18 und 22). Solche Akzentstriche sind in der Regel kraftvoll geschrieben, man sieht förmlich den Druck, den die Note im Klang haben soll. Man sollte bedenken, daß zu Mozarts Zeit das später gebräuchliche Akzentzeichen > noch unbekannt war und daß auch andere Komponisten ähnliche Zeichen für den Akzent verwendeten (der doppelte Strich Geminianis ist dem starken Strich Mozarts verwandt).

Die zweite Bedeutung des Striches ist geradezu entgegengesetzt: als Zeichen für eine sehr starke Kürzung und größte Leichtigkeit.

Mozart wendet sie an vor und nach Bindungen 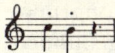,
auf zwischen Pausen hingetupften Noten ♪ꞌ♪ꞌ♪ꞌ♪ꞌ
oder bei hüpfenden schnellen Noten ♪♪♪♪
(hier ist die Kürzung oft mit Energie verbunden).
Der *Punkt* hat eine viel allgemeinere Bedeutung, oder, besser
gesagt, er hat, je nach dem Zusammenhang, mehrere
unterschiedliche Bedeutungen. Die wichtigste scheint mir zu
sein, daß er eine ansonsten obligatorische Bindung verhindert; etwa bei einer Dissonanz mit Auflösung

(stünden keine Punkte, *müßte* c″–h′, etwa auf einem liegenden
g, gebunden werden); oder, noch häufiger, bei bestimmten
Spielfiguren

Haffner-Symphonie KV 385, Menuetto

(ohne Punkte müßte so eine Stelle etwa so artikuliert werden,
wie über den Noten angedeutet). Mozart setzt auch Punkte,
wenn im musikalischen Dialog auf eine energische Figur eine
weiche oder kantable Reaktion folgt, die er aber nicht
gebunden, sondern staccato cantabile gespielt haben will
(etwa in den auf- und absteigenden Bläserskalen der Rosen-
arie Nr. 28 in »Figaro«: »Deh vieni non tardar«

und an zahllosen anderen Stellen).

Auch Begleitfiguren ♪♪♪♪ ♪♪♪♪, die weich gespielt
werden sollen, aber nicht gebunden, werden sehr oft so
bezeichnet. Wenn auch der Punkt schon damals gelegentlich
»Staccatopunkt« genannt wurde, so muß man doch bedenken, daß »Staccato« oder »Spiccato« zu Mozarts Zeit nur
»getrennt« hieß im Gegensatz zu »legato« (gebunden), aber
es konnte selbstverständlich cantabile ausgeführt werden.
(Es gibt schon seit ca. 1700 zahlreiche langsame Sätze, die
etwa »Largo e spiccato« bezeichnet sind.) Außerdem verwendet Mozart den Punkt noch im Zusammenhang mit dem

Bogen ⌢··· Dieses Zeichen bedeutet bei Tonwieder-
holungen und im piano stets den damals noch so genannten
»Tremulanten«, ein Bogenvibrato, das mit leicht pulsierendem Druck, mit Diminuendo und absolut ohne Vibrato der
linken Hand ausgeführt wurde. Bläser spielten es ohne
Zungenstoß nur mit pulsierendem Atem. Diese Figur wandte
Mozart meist zur akkordischen Begleitung ausdrucksvoller
Melodien an. Steht dieses Zeichen ⌢··· aber nicht über
Tonwiederholungen, sondern verschiedenen Tönen, meist
Skalen, bedeutet es das »tragen der Noten«, das heute
»portato« genannt wird. Eine so verbundene Tongruppe
wird auf einem Bogen gespielt, aber nicht völlig gebunden,
sondern mit leichtem Nachdruck auf jeder Note; das cantabile wird dadurch sehr eindringlich. Die an vielen Stellen
überaus genaue und differenzierte Bezeichnung zeigt uns,
daß Mozart die genaue und richtige Artikulation seiner
Werke sehr wichtig gewesen sein muß. An vielen Stellen sind
sogar die einzelnen gleichzeitig erklingenden Stimmen einer
Partitur sehr deutlich verschieden bezeichnet. Wir müssen
nicht nur die technische Ausführung, sondern auch den Sinn
dieser Angaben in jedem Werk genau ergründen, um sie
dann überzeugend erfüllen zu können.

Sehr stark in den melodischen, harmonischen und rhythmischen Ablauf eines Werkes greift die Ausführung der
Vorschläge und Triller ein. Die damit zusammenhängenden
Fragen werden dadurch noch komplizierter, daß man zur
Zeit Mozarts schon begann, einen Teil der Vorschläge in
großen Noten auszuschreiben und damit als solche unkennt-
lich zu machen. Ab der Mitte des 18. Jahrhunderts mehren
sich die Stimmen, die die Vorschläge in ihrer traditionellen
Notation als unzeitgemäß und verwirrend bezeichnen und
die Komponisten auffordern, sie gänzlich abzuschaffen und
in das Notenbild zu integrieren. Sie waren ja im 17. Jahrhundert eingeführt worden, um formelhafte Auszierungen
fixieren zu können. Sie mußten stets in kleinen Noten und
Zeichen wie +, ?, w/, ~, ✛, ∾, tr, ♪ ausgedrückt werden,
um nicht die Reinheit des Satzes und die Klarheit des
Notenbildes zu stören. Das Notenbild war im Laufe des

18. Jahrhunderts durch ausgeschriebene Diminutionen und immer reichere Instrumentation ohnehin schon weit von seiner alten Klarheit entfernt, und die traditionellen Regeln der musikalischen Orthographie, vor allem den Dissonanzgebrauch betreffend, wurden oftmals mißachtet. So kann man die Reformer, an ihrer Spitze Philipp Emanuel Bach, gut verstehen, wenn sie die Unsicherheiten bezüglich der Vorschläge wegräumen wollten. Dennoch müßte man gerade heute auch größtes Verständnis haben für konservative Musiker wie Mozart und Schubert, die bis zuletzt zahlreiche Vorschläge notierten; wir kennen ja die »gereinigten« Ausgaben von Werken Mozarts, wo die Vorschläge ausgeschrieben sind:

 heißt dort ,

genau wie es die Reformer damals wollten. Vielleicht war eine derartige Notation damals weniger irreführend als heute, weil man die Vorschläge auch in ihrer verkappten Form erkannte und entsprechend spielte. Heute werden sie einfach als Sechzehntelnoten gespielt, wenn sie so notiert sind, was eine schlimme Verarmung bedeutet, denn es sind eben *keine* Sechzehntel. Als Vorschläge müssen sie mehr Gewicht, mehr Länge, mehr Spannung haben als die anderen Noten. – In der G-Dur-Symphonie KV 318 schreibt Mozart

Beim ersten Beispiel ist der Vorschlag h' ein Quartvorhalt, eine Dissonanz, die sich in die Terz auflöst. Er muß wie eine *lange* Achtelnote gespielt werden, sehr intensiv, im Rahmen der piano-Dynamik, und zur Hauptnote, zur Auflösung hin verklingend. Diese Ausführung der Dissonanzauflösung nannte man *abziehen*. Stünden dort einfach zwei Achtelnoten, so ergäbe sich dieser Ausdruck nicht derart zwingend. – Auch beim zweiten Beispiel ist der Notenwert der Vorschläge eindeutig: harmonisch geschieht dasselbe wie beim

ersten Beispiel, aber die Figur wird zweimal gespielt, was ihr
große Eindringlichkeit und eine vom jeweiligen Vorschlag
ausgehende Steigerung zum folgenden Takt gibt; gewöhnliche Sechzehntelnoten könnten diese Dramatik niemals
suggerieren. Beim dritten Beispiel steht ein Trillerzeichen auf
einem ausgeschriebenen Vorschlag. In der alten Notations-
weise müßte diese Stelle so

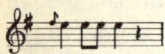

geschrieben sein, da könnte man aber den gewünschten
Triller oder eine ähnliche zusätzliche Verzierung nicht mar-
kieren. Außerdem könnte dieser Vorschlag als kurzer unbetonter Vorschlag (weil auf Tonwiederholung) verstanden
werden. Mozart mußte also diesen Vorschlag ausschreiben.
Nun ist aber ein solcher Triller zu dieser Zeit nichts anderes
als ein Vorschlag, der mehrmals angeschlagen wird,

er kann auch bei sehr schnellen Stellen bis auf einen einfachen
Vorschlag reduziert werden. Was bedeutet also dieser Triller
auf einem Vorschlag? (Es war ja verpönt, betonte Vorschläge
auf ausgeschriebenen Vorschlägen anzubringen, weil dadurch die Wirkung von Dissonanzspannung und Entspannung verlorengeht.) Auf einem Vorschlag kann nur ein
unbetonter kurzer Vorschlag, *vor dem Schlag,* also vor der
Hauptnote, angebracht werden, wodurch der eigentliche
ausgeschriebene Vorschlag eine pikante Betonung erhält.
Dies ist hier der Fall, es muß also der gesamte Triller (hier
sind es wohl nur drei Noten)

vor dem Schlag gespielt werden. Es gibt bei Mozart sehr viele
ähnliche Stellen, auch solche, die so schnell zu spielen sind,
daß man den Triller gar nicht korrekt vor dem Schlag
unterbringen kann; in so einem Fall wird die Betonung, die ja
den Schlag markiert, etwas zu spät erreicht, es entsteht eine

nahezu unmerkliche rhythmische Verschiebung, die ein Hauptreiz dieser Verzierung ist. – Beim vierten Beispiel muß der Vorschlag unbetont vor dem Schlag gespielt werden, weil es sich um Tonwiederholungen handelt und weil die Hauptnote einen Akzentstrich hat. So ein kurzer Vorschlag nimmt seinen Wert, seine Zeit eigentlich von der davorliegenden Note, er ist aber so kurz, daß dies weder vom Musiker noch vom Hörer bewußt wahrgenommen wird.

Ich möchte jetzt noch einige Vorschläge besprechen, bei denen »das gewisse Ohngefähr« oder »eine Art ich-weiß-nicht-wie« in ähnlicher Weise wie beim soeben genannten Beispiel die Ausführung bestimmt:

Derartige Vorschläge zwischen Terzen kommen bei Mozart sehr häufig vor. Auch sie sollen – wenn nicht triftige Gründe ihre Ausführung als dissonante lange Vorschläge nötig machen – irgendwie unbestimmt und vor allem unbetont zwischen die Hauptnoten eingefügt werden. Von den alten Autoren wird ihre Ausführung als unbeschreibbar bezeichnet, nur ganz wenige der besten Künstler könnten sie mit der angemessenen Raffinesse spielen. Auch hier wird das Phänomen genutzt, daß die rhythmusbestimmende Schlagzeit nicht in erster Linie vom Zeitablauf, sondern von der Betonung her bestimmt ist. Das heißt dort, wo die Betonung ist, ist der Schlag; oder anders ausgedrückt: Ein unbetonter kurzer Vorschlag kann niemals auf dem Schlag gespielt werden, der Schlag rückt von selbst zur Betonung.

Zu diesen rhythmischen Feinheiten, die erst durch die Illusion wirken, gehören bei den symphonischen Werken Mozarts auch die Akkorde der Streicher. Man kann auf einem Streichinstrument nur zwei Saiten *zugleich* anstreichen, ohne zu forcieren. So werden die drei- und vierstimmigen Akkorde heute in der Regel geteilt gespielt: Jeder Geiger spielt nur einen oder zwei Töne des Akkordes, sodaß alle Töne tatsächlich zugleich angesetzt werden können. Dies lag aber durchaus nicht in der Absicht Mozarts. Als genialer

Instrumentator, der selbst gut Geige spielte, verlangte er ausdrücklich von *jedem* Musiker, den ganzen Akkord zu spielen, natürlich arpeggiert. Die dadurch entstehende leichte Ungenauigkeit im Einsatz, das sehr schnelle Hintereinander der Akkordtöne bewirkt einen machtvoll rollenden Ansatz, der wesentlich dynamischer wirkt als noch so präzise und sauber gespielte geteilte Akkorde.

Zum Schluß möchte ich noch die kurzen betonten Vor-schläge erwähnen. Die Schulwerke sagen, man solle sie dort anbringen, wo etwa ein frecher Affekt einen langen Vor-schlag zu »schläfrig« wirken ließe. Mozart wußte offenbar sehr wohl, wie schwer es ist, die Stellen zu erkennen, an denen diese kurzen Vorschläge angebracht werden müssen, so hat er sie stets in großen Noten ausgeschrieben.

Mir ist keine einzige Stelle im Werk Mozarts bekannt, wo kurze Vorschläge gespielt werden müßten, die nicht bereits ausgeschrieben sind. Es ist also unnötig und falsch, bei Mozart kurze betonte Vorschläge zu spielen, wo sie nicht verlangt werden. Dies ist einer der häufigsten und entstel-lendsten Fehler, durch den viele Werke Mozarts eine merkwürdig motorisch-aggressive Wirkung erhalten, als wäre es ungarische Musik, bei der sozusagen immer die erste Silbe zu betonen ist.

Zusammenfassend möchte ich nochmals sagen, daß alle Bezeichnungen Mozarts, die Artikulationszeichen, die Vor-schläge, Triller und so weiter, nur auf der Basis des damals vom Musiker selbstverständlich Vorausgesetzten verstanden werden können. Sie sind noch nicht die Spielanweisung – diese besteht in der allgemein anerkannten Konvention seiner Zeit –, sie ergänzen diese lediglich an Stellen, wo der Komponist etwas Ungewöhnliches oder etwas ganz Be-stimmtes will.

Claudio Monteverdi

WERKBESPRECHUNGEN

»L'Orfeo«
Dichtung und Musik, Tempi

Man erkannte wohl schon sehr früh in der abendländischen Kulturgeschichte die vielfältigen künstlerischen Möglichkeiten der Verbindung von Poesie und Musik. Jede dichterische Aussage, wie klar sie auch formuliert sein mag, ist durch vielfältige Nuancen und Betonungen interpretierbar, sodaß oft mehrere durchaus verschiedene Deutungen möglich sind. In der Musik gibt es keine konkrete Aussage, und doch konnte sie schon in ihren frühesten Anfängen die Menschen bewegen – erschüttern, erfreuen, aufputschen. Diese Wirkungen der Musik wurden seit jeher als magisch empfunden, deshalb ist die Musik in allen Religionen ein wesentlicher Bestandteil des Kultes; so ist es wohl verständlich, daß die Dichter schon von alters her sich ihrer Möglichkeiten bedienten und ihre Werke singend vortrugen. In manchen Kulturkreisen bedeutet Sänger und Dichter ein und dasselbe. Die griechischen Epen und möglicherweise sogar die Dramen muß man sich singend vorgetragen vorstellen.

In der christlich-abendländischen Kultur des Mittelalters und der frühen Neuzeit waren Dichtung und Kunstmusik innig verbunden. In den mehrstimmigen, äußerst kompliziert gesetzten Balladen, Virelais und Motets des 13., 14. und 15. Jahrhunderts steht die Musik im Vordergrund, der Text ist oft kaum zu verstehen. Später, in der Hochrenaissance, begeisterte man sich so sehr für die griechische Dichtung der Antike, daß man sogar die alte Rezitationsart wieder einzuführen suchte – wenn man auch nur eine vage Vorstellung davon hatte. So entstand um 1600 ein völlig neuer musikalischer Stil, das Rezitativ, die Monodie, das vokale Concerto.

In den ersten Jahrzehnten des 17. Jahrhunderts entwickelte Claudio Monteverdi einerseits auf der Basis dieses modernen Sprechgesanges, andrerseits auf Grund einer soliden handwerklichen Ausbildung als Komponist und Kontrapunktiker seine musikdramatische Sprache. Seine erste Oper, »L'Orfeo«, war zugleich Anfang und erster Höhepunkt der Gattung. Er gab dem von den »Florentinern« geschaffenen Sprechgesang, dem Rezitativ, musikalische Tiefe. Auch bei ihm blieb das Wort Herrscher, dem die Musik zu dienen hatte. Die rhythmische und harmonische Auslegung und der – trotz allem Deklamatorischen – melodische Duktus aber bekamen einen Eigenwert, es wurde eine musikalische Textdeutung daraus: eine völlig neue, bis dahin nie gehörte Tonsprache.

Monteverdis »L'Orfeo« entstand wenige Jahre nach den ersten Versuchen, die mit diesem neuen rezitativisch-dramatischen Stil gemacht worden waren. Der Textdichter Alessandro Striggio, ein Hofbeamter des Herzogs von Mantua, war mit dem Komponisten befreundet. So ist dieses Werk in enger Zusammenarbeit des Dichters mit dem Komponisten entstanden. Die Wahl der Orpheus-Sage für Monteverdis erste dramatische Arbeit ist typisch: als »Griechendrama« geeignet für den neuen antikisierenden Stil und zugleich programmatisch die alles überwindende Macht der Musik besingend.

Es ist die erste Oper, in der einerseits die Dichtung – den neuen Ideen entsprechend – den Vorrang hatte, andrerseits aber die Musik mit all ihrem Formenreichtum voll eingebracht worden war. In dieser ersten Oper Monteverdis sind bereits viele der Formen und Möglichkeiten vorweggenommen oder vorausgeahnt, die in den Opern der folgenden Jahrhunderte aufscheinen: die Arie (sogar mit da capo), das Strophenlied, verschiedene Leitmotive, dramatisch motivierte Instrumentation und selbstverständlich das Rezitativ. Alle diese Formen hat Monteverdi nicht neu geschaffen, er hat den ganzen Fundus neuester und älterer musikalischer Möglichkeiten zu einer – allerdings gänzlich neuartigen – Einheit verschmolzen.

Diese erste Oper Monteverdis, ja, man kann ruhig sagen, diese erste richtige Oper der Musikgeschichte, enthält neben dem neuerfundenen dramatischen Sprechgesang viele traditionelle Elemente, vor allem Madrigale und Tänze, aus der Renaissancemusik; an der Schwelle zum musikalischen Barock durchdringen der alte und der neue Stil einander gleichsam (»Prima prattica« und »Seconda prattica«). Die Madrigalkomponisten des 17. Jahrhunderts hatten für die Hirten- und Nymphendichtung ein eigenes musikalisches Idiom, eine eigene Klangwelt gefunden, leichte tänzerische Stücke, die man sofort mit tanzenden Hirten und Nymphen assoziierte. Monteverdi baute solche Hirtenmadrigale in den entsprechenden Szenen des »L'Orfeo« ein, so wurde der stilistische Purismus, die musikalische Einförmigkeit der dogmatischen »Florentiner« vermieden; die dort propagierten und komponierten Opern waren ja rein rezitativisch. Die neuerfundene Monodie (das Rezitativ) wurde von Monteverdi zu höchster Ausdrucksintensität gesteigert, wobei er manche Tabus der Harmonielehre rücksichtslos durchbrach – »um der Wahrheit willen«, wie er in einem Streitgespräch betont. Diese Oper, mit der das musikalische Barock so glänzend eröffnet wird, ist zugleich auch das letzte große Werk, in dem der Formenreichtum und die üppige und bunte Klangpalette der Renaissancemusik ausgebreitet werden. Das für »L'Orfeo« geforderte Orchester entspricht ja bis ins Detail dem Orchester der Intermedien, die Jahrzehnte vorher als Zwischenaktmusiken bei Theateraufführungen gespielt worden waren.

Monteverdi war Praktiker. Er war mit dreiundzwanzig Jahren als Geiger in das Orchester des Herzogs von Mantua eingetreten. Hier fand er reiche Anregungen, da einige seiner Kollegen namhafte Komponisten waren (Giacches de Wert, Giovanni Gastoldi, Benedetto Pallavicino). Auf mehreren Reisen – 1595 nach Ungarn, 1599 nach Flandern – hatte er Gelegenheit, andere führende europäische Orchester zu hören und Komponisten kennenzulernen. Die dort empfangenen musikalischen Anregungen fanden ihren Niederschlag in den Madrigalen, die er in diesen Jahren schrieb,. sehr deutlich auch in den Hirtenszenen von »L'Orfeo«. 1601 wurde Monteverdi »Maestro della Musica«, also Leiter der Hofmusik. Seine »Favola in musica L'Orfeo« schrieb er für eine Aufführung in der Academia degl'Invaghiti am 22. Februar 1607. Später wurde sie am Hoftheater wiederholt und auch in anderen Städten, wie Cremona und Turin, aufgeführt. Die Aufführungsstätten waren für heutige Begriffe winzig klein, die Zahl der Zuhörer war kaum größer als die der Ausführenden. Die beiden dem Gonzaga-Prinzen Francesco zugeeigneten Druckausgaben von 1609 und 1615 beweisen den ungewöhnlichen Erfolg des Werkes.

Monteverdis »L'Orfeo« ist das erste abendfüllende Werk,

das komponiert wurde. Das ist auch von der Idee her eine Sensation. Bis dahin wurden ja nur lyrische Gedichte vertont, die so entstandenen Madrigale dauerten höchstens zwei bis vier Minuten. Nun komponierte Monteverdi also ein Hirtengedicht – eine Fabel, er nannte es selbst »Favola in musica« –, ein Drama, das gesprochen etwa eine dreiviertel Stunde dauert, gesungen eineinhalb Stunden. Er stand damit vor der selbstgestellten Aufgabe, einen überzeugenden Zusammenhalt für die Einzelelemente der neuen Form zu finden. Als Material dafür hatte er das Madrigal, den damals neu erfundenen Sprechgesang und seine erfindungsreiche originelle Phantasie. Es war aber noch ein Verklammerungssystem notwendig, das die vielen Einzelteile zu einem Ganzen zusammenfügen sollte; Zusammenhänge mußten in musikalischer und dramaturgischer Hinsicht und mittels der Temporelationen hergestellt werden. Die ganze Oper ist auf einem Grundtempo aufgebaut, von dem die verschiedenen Tempi der einzelnen kurzen Stücke abgeleitet sind. Die Relationen sind derart natürlich, daß der Hörer den Eindruck eines geschlossenen, durchgehenden Werkes hat. Diesen Relationen liegen noch die aus dem Mittelalter stammenden traditionellen Tempoproportionen zugrunde, wenn auch Monteverdi nur die einfachsten von ihnen benützt und einige neue – ebenfalls sehr einfache – erfindet. Natürlich muß der Interpret diese Relationen kennen beziehungsweise erkennen. Die heute übliche Art, Tempi rein von Intuition und Gefühl her zu bestimmen, führt zu einem Chaos. Die Tempoproportionen sind die wichtige Verklammerung, die die Geschlossenheit des Werkes garantiert.

Die Oper beginnt in höchster Glücksstimmung, die ganze Hirtenwelt nimmt an Orfeos Glück teil, nachdem ihn Euridice endlich erhört hat. Seine Umgebung ist eine einzige Spiegelung dieses Glücks. Die heitere Musik, in der sich dieses Idyll ausdrückt, ist aber überschattet von der Erinnerung an das Leid und die Sehnsucht, die davor lagen. Heiterkeit in der Musik bekommt überhaupt erst dann ihre innere Wahrheit, wenn sie von der Erinnerung an vergangene Sehnsucht, an verflossenes Leid durchsetzt ist, so wie Schönheit nur auf dem Hintergrund von Häßlichkeit zu wirken vermag. Die neue Musik ist auf dem Kontrast, auf dem barocken chiaro-oscuro, aufgebaut. Monteverdi läßt Orfeo sein Glück in einem Lobpreis der Natur ausdrücken. Wir finden dies in den folgenden Jahrhunderten noch öfter: Der glückliche Zustand der Seele öffnet dem Menschen die Augen für die Schönheit der Natur. So preist der Glücksgesang Orfeos die Sonne, und auch in »Ulisse« drückt Penelope, als sie ihren heimgekehrten Gatten endlich erkennt, ihr Glück in einer ergreifenden Naturschilderung aus. Noch in Mozarts »Lucio Silla« besingt Celia in ihrer Glücksarie den die Natur belebenden Regen. Das ist psychologisch sehr fein beobachtet: Dem Unglücklichen sind die Augen für die Schönheit seiner Umwelt verschlossen, nur der Glückliche wird *sehend.*

Orfeos »Sonnengesang« beginnt rezitativisch, also frei deklamierend, später wird er zu einem Arioso mit ausschwingender Melodik und rhythmischer Struktur. Dieser Unterschied ist in der Partitur deutlich erkennbar: Haltetöne im Baß geben der Gesangsstimme die Freiheit des Deklamierens, diese wird dort begrenzt, wo der Baß deutlich rhythmisiert ist, wo er zur Gegenstimme wird. (Dieses Prinzip bleibt auch in der Instrumentalmusik des 17. und 18. Jahrhunderts erhalten; in einer Sonate kommen wir immer wieder an Stellen, wo die Begleitung rhythmisch erstarrt: dort wird der Solist sozusagen »freigelassen« – erst wenn die Begleitung wieder rhythmisch strukturiert wird, nimmt das Stück wieder feste Form an.)

Monteverdi benutzt rondoartige Formen und Tempozusammenhänge, um mehrere Teile zu einer Einheit zu verklammern; so bildet er zum Beispiel im zweiten Akt aus einem Ritornell und wechselnden Kombinationen von drei Hirten und einer Ninfa eine Art von zusammenhängendem Madrigal. (Der Zweite Hirte, ein Tenor, steht Orfeo an Bedeutung am nächsten, der Erste Hirte ist ein Altist, ein falsettierender Männeralt, der Dritte ein Bariton oder tiefer Tenor, die Ninfa ein Sopran.) Der Zweite Hirte leitet die rondoartige Form mit seiner Aufforderung, zum Tempel zu gehen und Imeneo, dem Hochzeitsgott, zu opfern, ein: das Hochzeitsfest soll seine sakrale Weihe erhalten. Es folgt das Ritornell und darauf ein Duett des Zweiten und Dritten Hirten, also von

Tenor und Bariton oder hohem und tiefem Tenor. Nach einer Wiederholung des Ritornells hören wir nunmehr ein Terzett zwischen Ninfa, Erstem und Drittem Hirten, dann wird das Ritornell zum drittenmal wiederholt. Danach folgt als weitere Kombination ein Duett Altus – Tenor. Anstelle des Ritornells, das man danach erwarten würde, folgt nunmehr aber überraschend und abschließend ein Chor aller Hirten und Nymphen.

Beim Auftritt der Messaggiera, der Unglücksbotin, die den Tod Euridices verkündet, wechselt die Szene vom äußersten Glück zum tiefsten Leid, das über Orfeo und die Hirtenwelt hereinbricht. An dieser Stelle kippt das ganze Stück ins Tragische; das Tempo wird plötzlich doppelt so langsam. Von hier an hat das Werk einen dunklen, traurigen Charakter, der nur an zwei Stellen unterbrochen ist: wenn Orfeo Euridice an die Oberwelt zurückzuführen glaubt und wenn das Hirtenritornell zu Beginn des fünften Aktes wieder die heitere Landschaft Thrakiens schildert.

Monteverdi unterteilt die beiden Regionen – die Hirtenwelt, Sonne und Glück auf der einen Seite und die Unterwelt mit ihren leidensvollen Schatten auf der anderen – sehr sorgfältig, sowohl vom Klanglichen als auch vom Tempo her. Aus diesem Grund ist es nicht richtig, wenn man für jedes einzelne Stück unabhängig vom Gesamtzusammenhang ein ihm gemäßes Tempo sucht. Wird nämlich ein und dasselbe Stück – etwa das Ritornell der Hirtenwelt – je nach Situation in einem unterschiedlichen Tempo gespielt, wie dies oft geschieht, dann wird das Stück auch musikalisch umgedeutet, man kann es fast nicht mehr erkennen, es verliert seinen Charakter als Signal für eine bestimmte Situation.

Das Ergebnis meiner Überlegungen zur Tempofrage in »L'Orfeo« heißt: *Ein* Grundtempo durchzieht das ganze Stück, es bildet die Basis für einfache Relationen, die den verschiedenen Situationen und Affekten entsprechen. Mit dem Tempo des ersten Stückes ist bereits sozusagen der Tempoablauf des Gesamtwerkes fixiert. Obwohl man diese Bezüge beim Hören kaum bemerkt, empfindet man einen natürlichen Zusammenhang, der dem Werk seine zwingende Einheit gibt.

Instrumentation und Bearbeitung von »L'Orfeo«

»L'Orfeo« ist in einer unter Monteverdis Aufsicht gedruckten Partitur überliefert. Die Rezitative sind, wie auch später noch üblich, in zwei Zeilen notiert, die madrigalischen Chorteile in fünf- oder sechsstimmiger Chorpartitur, die kurzen Instrumentalzwischenspiele ebenfalls in fünf- oder sechszeiliger Partitur. Monteverdi führt am Anfang seiner Partitur eine Liste von siebenunddreißig Instrumenten an, aber nur an wenigen Stellen der Partitur schreibt er, welche Instrumente wo eingesetzt werden sollen. Beim Instrumentalritornell, mit dem die Oper beginnt, gibt es keinen Hinweis, welche Instrumente gespielt werden sollen, keinen auch im Prolog. Im ersten Akt steht beim ersten Chor die Bemerkung »Tutti stromenti« – aber zu Beginn des dritten Aktes lesen wir: »Hier *beginnen* die Posaunen, Zinken und das Regal«, weshalb wir annehmen müssen, daß diese Instrumente bei den »Tutti stromenti« des ersten Aktes nicht enthalten waren. (Es macht doch einen großen Unterschied, ob bei einem Hirtenchor die Posaunen und Zinken mitspielen oder nicht.) Es haben also nur wenige Sätze in »L'Orfeo« genaue Angaben, wie sie aufzuführen seien – alles übrige bleibt offen. Einige Instrumente, die in der oben genannten Liste erwähnt werden, kommen in der Partitur namentlich nie wieder vor, doch gibt es dort wieder andere Instrumente, die zu Beginn nicht erwähnt werden.

In Monteverdis Marienvesper von 1610 steht der Aufführende vor ähnlichen Problemen: Es gibt eine große Zahl von Instrumenten, die im Lauf des Werkes angeführt werden, doch keine genauen Angaben, wo und wie sie eingesetzt werden sollen. Dies ist übrigens auch bei einigen Madrigalen der Fall: Dort sind gelegentlich zwei Violinstimmen ausgeschrieben, aber im Titel oder im Vorwort heißt es etwa: »Dieses Madrigal muß man mit sechs Instrumenten spielen.« Es gibt auch Angaben für Tutti, ohne daß ein Solo vermerkt wäre. Aus diesen Einzelheiten erkennen wir, daß die Auslegung sehr individuell sein kann, selbst wenn man alle

Angaben des Komponisten beachtet. Ich glaube, daß es sogar für jene Werke, die man vom Standpunkt des Bearbeiters einfach nennen kann, sehr viele Möglichkeiten gibt, die stilistisch richtig sind und nicht im Widerspruch zu dem stehen, was Monteverdi wollte.

Monteverdis Instrumentation ist wohl sehr spartanisch, gemessen am Orchester der Spätromantik, dennoch kann aus den wenigen Angaben ein sehr sinnvoller und dramatisch wirksamer Plan erkannt werden, der mit der Klangsymbolik der Zeit um 1600 erklärbar ist: Die fünf Akte von »L'Orfeo« spielen an zwei Schauplätzen: der erste, zweite und fünfte Akt in der Hirtenlandschaft Thrakiens, der dritte und vierte in der Unterwelt. Monteverdi ordnet nun diesen beiden Sphären der Oper zwei prinzipiell verschiedene Klangkörper zu: Die Streicher und Flöten, Lauten, Cembali und die Orgel gehören zur Hirtensphäre, während die Zinken, Posaunen und das Regal die Unterwelt symbolisieren und malen. Trompeten kommen nur in der einleitenden Toccata vor, sie sind in der damaligen Zeit stets mit Fürsten und Göttern assoziiert und durften keineswegs einfach als Klangfarbe im Orchester eingesetzt werden. (Die Trompeter gehörten nicht zu den Musikern, sondern zu den Offizieren.) Monteverdi schreibt: »Diese Toccata soll man vor dem Heben des Vorhangs dreimal spielen, mit allen Instrumenten. Wenn man die Trompeten mit Dämpfern spielen lassen will, muß man um einen Ton höher spielen.« Der Grund für diese Anweisung liegt darin, daß die damaligen Trompetendämpfer zugleich das Instrument um einen Ton hinauftransponierten. Es ist sehr wahrscheinlich, daß Monteverdi die D-Dur-Version (mit Dämpfer) wegen des Anschlusses zum ersten Ritornello, das in d-Moll beginnt, der C-Dur-Fassung vorzog. Gedämpfte Naturtrompeten klingen um vieles leiser als offene; wahrscheinlich standen die vier Hoftrompeter vor dem noch geschlossenen Vorhang, das Orchester aber saß dahinter. Wegen der Klangbalance und wohl auch um die ganz nahe sitzenden Zuhörer in dem kleinen Raum nicht zu erschrecken, sollten die Trompeten gedämpft werden. Natürlich muß man alle drei Wiederholungen entweder mit oder ohne Dämpfer spielen, eine

Kontrastwirkung etwa bei der Wiederholung wäre stilistisch falsch und mit originalen Trompeten wegen des Transpositionseffektes der Dämpfer undurchführbar. Diese Toccata wird immer wieder als die erste Opernouverture bezeichnet, sie hat aber mit der eigentlichen Oper *nichts* zu tun, sie ist eine echte Fanfare, die »Gonzaga«-Fanfare. Mantuas Herzöge hatten, wie alle Fürsten der Zeit, das Recht, Trompeter zu halten, und sie hatten, wie andere Fürsten auch, gleichsam ein klingendes Wappen, eine Kennmelodie. Diese wurde zu Beginn, während sich die Zuhörer im Saal versammelten, gespielt. Monteverdi hat übrigens 1610 dieselbe Fanfare in den Einleitungssatz seiner dem Papst gewidmeten Marienvesper eingebaut, wohl um zu dokumentieren, daß dieses Werk vom Gonzaga-Hof in Mantua komme. Die Verkennung dieses Stückes als Ouverture hat zu falschen Realisationen durch die verschiedenen Bearbeiter geführt. So verwob man beispielsweise die Trompetentoccata mit dem echten Einleitungsritornell zu einer größeren Ouverture. (Dabei wurden noch zahlreiche Stimmen dem einfachen Trompetensatz hinzugefügt.) Nun ist eine derartige Verflechtung, so wirksam sie sein mag, in mehrfacher Hinsicht falsch, denn auch das Ritornello, das hier gleichsam als B-Teil der Ouverture verwendet wurde, hat im musikdramaturgischen Plan Monteverdis eine bestimmte Bedeutung. Es soll die Oberwelt, die Hirtensphäre, symbolisieren; sozusagen als klingendes Bühnenbild. Zu Beginn und am Ende der Hirtenlandschaft im ersten und zweiten Akt und zu Beginn der Hirtenlandschaft im letzten Akt ertönt dieses Ritornello. Weil es die Landschaft darstellt, darf es nicht mit der Handlung affektmäßig verbunden werden, das heißt, es muß im letzten, traurigen Akt genau gleich klingen wie im ersten, heiteren! Die Landschaft bleibt ja stets gleich, nur die Menschenschicksale ändern sich, nur im Zusammenhang mit den Menschenschicksalen durfte sich auch die Musik ändern. Das Aufeinandertreffen von Hirten- und Unterwelt, also das Ende des zweiten und der Anfang des dritten Aktes, wird durch einen abrupten Wechsel in der Instrumentation deutlich gemacht. Hier ist die Bedeutung des »klingenden Bühnenbildes« eindringlich offenbar.

Monteverdi setzt in seinem »L'Orfeo« mehr als in seinen Spätopern den Chor ein, und zwar sowohl in den Hirtenszenen, wo tanzende Hirten und Nymphen singen, als auch in der Unterwelt, wo ein geschlechtsloser Geisterchor das Geschehen kommentiert. Auch hier hat der Komponist die prinzipielle Verschiedenheit der beiden Sphären mit großer Konsequenz klanglich realisiert. Die fünfstimmigen Hirtenchöre sollen von Frauen und Männern gesungen werden: zwei Sopranstimmen von Frauen, Alt, Tenor und Baß von Männern. Die gleichfalls fünfstimmigen Geisterchöre im dritten und vierten Akt aber sind *nur* für Männerstimmen komponiert – der Alt war ja zu Monteverdis Zeit noch eine hohe Männerstimme –, für zwei Alte, Tenor und zwei Bässe. So sind die beiden Sphären nicht nur im Instrumentarium, sondern auch im Vokalklang deutlich unterschieden. Natürlich müssen die Unterweltchöre von den Instrumenten der Unterweltszenen, den Zinken und Posaunen, begleitet werden und nicht von den Streichern und Flöten der Hirtenszenen. Leider werden diese feinen Differenzierungen von den meisten Bearbeitern verwischt, ohne daß diese neu erkennbare Differenzierungen dafür bieten.

Das Streicherensemble ist in »L'Orfeo« reichhaltiger als jemals früher oder später bei Monteverdi: Violini piccoli (eine Terz oder Quart höher gestimmt als normale Geigen und eine Oktave höher klingend als notiert), gewöhnliche Geigen, Bratschen, Celli (Monteverdi nennt das Cello »Viola da Brazzo«, um die Zugehörigkeit zur Geigenfamilie zu unterstreichen, im Gegensatz zu den Gamben), Gamben und Violone. Allerdings haben die Gamben der Monteverdi-Zeit wenig zu tun mit den allgemein bekannten Gamben des Spätbarock. Die wenigen noch erhaltenen Instrumente aus der Zeit vor 1600 sind ungewöhnlich groß und haben etwa doppelt so breite Zargen wie die späteren Instrumente, ihr Ton ist profund, unglaublich dunkel – man meint, sie klingen eine Oktave tiefer – und kraftvoll. (Also geradezu konträr zu den zarten, nasal klingenden Gamben hundert Jahre später). Sie passen sehr gut zu Posaunen. Monteverdi verlangt sie ausdrücklich bei den Unterweltchören.

In vielfältigem praktischem Musizieren zeigte es sich, daß das gesamte Instrumentarium einer Epoche (hier der Monte-verdi-Zeit) trotz aller Vielfalt und Farbigkeit eine Einheit bildet und daß es unmöglich ist, Instrumente anderer Epochen oder anderer klanglicher Konzeption einzubauen. So fällt beispielsweise jede moderne Harfe, auch wenn sie noch so sensibel gespielt wird, gänzlich aus dem Rahmen dieser Frühbarockklänge – ihr Nachhall ist zu lang, ihr Klang zu dunkel und umwölkt. Die Barockharfe hingegen hat ihres kleinen Resonanzkörpers wegen und weil sie von keinerlei Mechanik belastet ist, einen luftig-hellen Klang, der sich von den übrigen Zupfinstrumenten, den Lauten und Cembali, deutlich, aber doch nicht allzu extrem abhebt. In »L'Orfeo« verlangt Monteverdi eine Arpa doppia, eine Doppelharfe. Wenn wir die Partitur anschauen, kommt im ersten und zweiten Akt kein einziger Harfenton vor – doch vor dem dritten Akt heißt es unter anderem: »Jetzt schweigt die Harfe.« Also muß sie bis dahin wohl gespielt haben. Der Harfenist zu Monteverdis Zeit wußte offenbar auch ohne Noten, was er spielen sollte. Im dritten Akt findet sich dann eine Art von Harfensolo, das wegen der darin vorkommenden Töne auf einer modernen Harfe unspielbar ist! Es muß also eine chromatische Harfe gemeint sein, die eine sehr komplizierte, ineinander verschränkte Besaitung hat.

Die Skala von Continuoinstrumenten mit gezupften Saiten reicht ähnlich einer Farbenpalette vom großen italienischen Cembalo mit seinem scharf-brillanten Klang über das klar zeichnende Virginal (ein quer besaitetes kleines Cembalo mit nur einem 8'-Register), dem nach Praetorius' Angabe mit Metallsaiten versehenen Chitarrone (das bevorzugte Instrument zur Begleitung von Sängern im neuen Stil der Monodie), die weich und sensitiv klingende Laute (mit Darmsaiten bezogen) bis zur Harfe. Also von schärfsten bis zu weichsten Klängen. Darüber hinaus verlangt Monteverdi ein »Organo di legno«, eine zart klingende Orgel ausschließlich mit Holzpfeifen. Ihre Klänge bilden oftmals den Untergrund für die Harfe, die Laute oder den Chitarrone; sie verbinden, ohne selbst hervorzutreten, den Gesamtklang im Tutti. Das für die beiden in der Unterwelt spielenden Akte geforderte schnarrende Regal stellt diese auch klanglich in schärfsten Kontrast

zur Hirtenszene. Dieses am extremsten klingende Tasteninstrument verlangt Monteverdi ausdrücklich in der Unter-
weltszene von »L'Orfeo«. Praetorius schreibt 1619, daß es
eines der geeignetsten Instrumente für die verschiedenen
Arten des Continuo und vor allem *das* Continuoinstrument
für die Blechbläser sei. An diesem Instrument erkennen wir,
daß »Schönheit« von Klängen kaum definierbar ist. Die
besten aller Regale sind von herrlich aggressiver »Häßlichkeit« – wir empfinden ihren Klang dennoch als schön, weil er
schonungslos wahrhaftigem Ausdruck dient. Diese künstlerische Wahrheit war ja das erklärte Credo Monteverdis.

Die Aufteilung der Fundamentinstrumente, denen die Ausführung und Harmonisierung der Baßstimme obliegt, als
Begleitung der verschiedenen Personen der Handlung,
überläßt der Komponist mit wenigen Ausnahmen dem
Interpreten. Die wichtige Frage, welche Akkorde über dem
Baß gespielt werden sollen, wird nicht einmal von Monteverdi selbst eindeutig beantwortet. So sind etwa die Harmonien in der Soloversion des »Lamento d'Ariana« und in der
späteren fünfstimmigen Fassung völlig verschieden. Wenn
wir die Ritornelli der »Poppea« aus der venezianischen und
der neapolitanischen Handschrift miteinander vergleichen,
finden wir, daß *derselbe Baß* jeweils verschieden harmonisiert
wurde. Es handelt sich also um verschiedene richtige
Fassungen derselben Stücke; wahrscheinlich hat Monteverdi
selbst nur den Baß geschrieben. Aus mehreren solchen Fällen
können wir schließen, daß es nicht nur *eine* richtige Auslegung für das Continuo gibt, sondern mehrere. Natürlich
gibt es zahlreiche Regeln, wie zum Beispiel die, daß man am
Ende eines Stückes einen Dur-Akkord spielen müsse; daß
jeder hochalterierte Baßton einen Sextakkord verlangt und
ähnliches. Doch können wir immer wieder sehen, daß
Monteverdi selbst für genau die gleichen Baßfortschreitun-
gen, sogar manchmal für denselben Außenstimmensatz,
verschiedene harmonische Lösungen fordert.
Sehen wir, anhand von einigen Beispielen, zu welch verschiedenartigen Ergebnissen ein und dieselbe Quelle, Monteverdis
Erstdruck von 1609, bei modernen Bearbeitungen führen kann.

Zum ersten Hirtenchor und -tanz schreibt Monteverdi: »Dieses Ballett soll zum Klang von fünf Violinen, drei Chitarronen, zwei Cembali, einer Harfe, einem Kontrabaß und einer Piccoloblockflöte gesungen werden.« Diese Anweisung Monteverdis wird in mehreren Bearbeitungen mißachtet: es gibt eine Version mit zupfendem Streichorchester und (nicht oktavierenden) großen Flöten, die noch dazu beim instrumentalen Tanz pausieren; eine andere Version benützt Streicher und Oboen, hier werden vom Bearbeiter Instrumentalstimmen hinzukomponiert.

Einer der ersten Höhepunkte des Werkes ist der die Sonne preisende Jubelgesang des glücklichen Orfeo. Monteverdi gab hier für die Begleitung keinerlei Anweisung, wahrscheinlich sollte Orfeo seinen Gesang sozusagen auf der Leier selbst begleiten, wofür sich in erster Linie die Harfe oder die Laute anbieten. Diese Instrumente ermöglichen auch eine flexible Begleitung, weil der Sänger ja, den alten Anweisungen gemäß, frei, ohne sich an einen strengen Takt zu halten, nach dem Sprachrhythmus singen sollte. So einem freien Sprechgesang kann wohl *ein* Begleitinstrument, nicht aber eine Orchester folgen. Wenn man nun, entgegen den Ideen des Komponisten, so ein Rezitativ orchestriert, wird nicht nur das Klangbild verändert, durch die notwendige Rhythmisierung wird auch die künstlerische Substanz der Komposition selbst abgewandelt. Nicht umsonst mahnen mehrere Autoren der Monteverdi-Zeit, alle derartigen Sprechgesänge in einem freien Tempo zu singen, das der natürlichen Rede folgt.

Diesem Jubelgesang Orfeos antwortet ganz einfach, mädchenhaft, rührend schlicht die junge Euridice. Sie sagt ohne jedes Pathos, wie glücklich sie sei, wie sehr sie ihren Orfeo liebe. Auch hier läßt Monteverdi das Begleitinstrument offen, er kann aber nur ein locker klingendes Continuoinstrument gemeint haben; auch hier wird gelegentlich eine orchestrierte Fassung verwendet. So soll etwa durch hochliegende Streicher und Flöten wohl eine helle und jugendliche Stimmung erzeugt werden. Die Frage ist wieder: Ist eine derartige Instrumentation nötig, hilft sie uns, besser die vom Komponisten gewünschte Stimmung, die von ihm festgelegte Personencharakterisierung zu vermitteln? Wenn ja, muß man ihr zustimmen; wenn nein, sollte man doch der originalen Fassung den Vorzug geben.

Krasse Beispiele, wie weit sich die modernen oder, wohl besser gesagt, spätromantischen Auslegungen vom Original entfernen, bietet die berühmte Klage Orfeos über den Tod der Euridice. Monteverdi läßt hier die Dichtung wirken, der Gesang folgt der schmerzvollen Sprachmelodie, die gleichsam natürlich diesen ergreifenden Klagegesang ausdrückt. Dennoch hielten es manche Bearbeiter für notwendig, eine volle Orchestrierung hinzuzufügen. Meines Erachtens lenkt diese von der Hauptsache, dem Wort, ab. Durch oberflächliche Klangeffekte wird dessen tiefe Wirkung kaum verstärkt. Vom Komponisten wird dort lediglich ein Minimalcontinuo vorgeschlagen, er verlangt »un organo di legno et un chitarrone« zur Begleitung einzusetzen.

Eine weitere Frage betrifft die *Größe* der Chorbesetzung. Monteverdi schrieb seine »L'Orfeo«-Chöre für ein ganz kleines Madrigalensemble, höchstens drei Sänger pro Stimme. Ein größeres Ensemble hätte im kleinen Saal in Mantua, in dem die Uraufführung stattfand, unmöglich Platz gehabt. Außerdem sind diese Chöre vom Satz her echte Madrigale, also ist auch rein musikhistorisch die kleinste Besetzung geboten. Natürlich muß man heute die Besetzung dem Raum anpassen, und was für einen kleinen Rahmen adaequat ist, kann – auch wenn es noch so authentisch ist – im großen Saal sinnlos sein.

Auch abgesehen von den Chören, hat Monteverdi genau angegeben, welche Stimmen von Männern und welche von Frauen gesungen werden sollen. Selbst in diesem sehr wichtigen Punkt glauben moderne Bearbeiter den Komponisten verbessern zu müssen oder zu können. Als ein besonders markantes Beispiel möchte ich das Schlußduett nennen, in dem Orfeo von seinem Vater Apollo in den Himmel geholt wird. Im Original ist Apollo ebenso ein Tenor wie Orfeo, gleichsam ein göttlicher Über-Orfeo. Diese an Identifikation grenzende Durchdringung der beiden Charaktere ist wichtig für die abschließende Apotheose des Sängers. Läßt man Apollo eine Oktave höher von einer Frau oder einem

Countertenor singen, geht *dieser* Sinn der Szene verloren. Außerdem ist es nicht glaubwürdig, wenn ausgerechnet Orfeos Vater Apollo von einem Sopran gesungen werden soll. Vor allem aber entstehen musikalisch nicht vertretbare Stimmkreuzungen, wenn etwa aus einer Unterterz durch Oktavverlegung eine Obersexte wird.

Eine der wenigen Stellen, bei denen Monteverdi eine ganz bestimmte Klangfarbe will, ist die Begleitung des kalten Wächters der Unterwelt, Charon. Er soll »zum Klang eines Regals singen«. Die modernen Bearbeiter haben sich diese Stelle natürlich nicht entgehen lassen. Es *mußte* mehr sein: Posaunen und Tuba geben dem subalternen Charon die Majestät eines Unterweltfürsten.Wie plastisch und einfach untermalt dagegen das plärrende Regal Person und Situation.

In dieser Oper gibt es einen großen, nahezu arienartigen Gesang Orfeos: wenn er mit allen ihm zu Gebote stehenden Mitteln die Unterweltgötter betören will, ihm Euridice herauszugeben. Hier läßt Monteverdi die wichtigsten Instrumente, als Embleme der Musik selbst, als Vertreter der drei Möglichkeiten der Tonerzeugung: streichen (Violine), blasen (Zink), zupfen (Harfe), in obligaten solistischen Partien hervortreten. Auch an diesem Herzstück der Oper wurden in vielen Bearbeitungen tiefgreifende Retuschen angebracht: Die vom Komponisten vorgeschriebenen, aber völlig freigestellten Soli von Zinken, Violinen und Harfe wurden anderen Instrumenten zugeteilt und ein üppiges orchestrales Klangbett daruntergelegt.

Es ist interessant, daß nahezu alle Bearbeiter das Werk nicht in die heutige Zeit projizieren, indem sie es radikal modernisieren, sondern daß sie es in einer heute bereits gut hundertjährigen »neuen« Verpackung anbieten, nämlich im Stil und Klang des vorigen Jahrhunderts, der Zeit Wagners. Ich bin bei derartigen Gegenüberstellungen natürlich nicht objektiv, aber wer sich mit diesem Thema befaßt, ergreift unwillkürlich Partei, *ist* Partei. Dennoch soll der Hörer aufgefordert werden, kritisch zu hören und nicht bloß genießerisch. Er soll wählen, was ihn mehr überzeugt, auch er soll Partei ergreifen, er soll sich Rechenschaft darüber ablegen, warum er das eine bejaht und das andere ablehnt.

»Il Ritorno d'Ulisse in Patria«

Von Monteverdi sind uns drei Opern erhalten: »L'Orfeo«, »Il Ritorno d'Ulisse in Patria« und »L'Incoronazione di Poppea«. Das erste Werk schrieb er 1607 in Mantua, die beiden letzten nach 1640 in Venedig. In den dazwischenliegenden dreiunddreißig Jahren vollzog sich die geschichtliche und musikgeschichtliche Wende von der Renaissance zum Barock. So ist es kein Wunder, wenn die Unterschiede zwischen der ersten und den beiden letzten Opern Monteverdis extrem groß sind – sie sind tatsächlich weit größer, als man es bei Werken derselben Gattung und von ein und demselben Komponisten erwartet.

Leider sind die dramatischen Werke, die Monteverdi zwischen »L'Orfeo« und »Il Ritorno d'Ulisse« geschrieben hatte, nicht mehr erhalten, nur das »Lamento d'Ariana« (eine kurze Opernszene, die Monteverdi in zwei verschiedenen Madrigalversionen veröffentlicht hatte) und das kurze »Combattimento di Tancredi e Clorinda« lassen uns die Entwicklung des dramatischen Stils von Monteverdi in dieser Zeit ahnen. Bei »Ulisse« und »Poppea« sind die musikalischen Schwerpunkte, die bei »L'Orfeo« noch in den Madrigalen lagen, bereits endgültig aufgehoben oder, besser gesagt, verlagert. Monteverdis Anliegen ist immer die optimale Wirkung des Wortes; die Musik darf niemals davon ablenken, niemals Selbstzweck sein, sie muß, deutend und mitreißend, die Wortbedeutung untermalen und verstärken, sodaß der Zuhörer, ohne sich dessen bewußt zu werden, gleichsam über zwei Antennen zugleich erreicht wird. Natürlich kann es in diesen Opern keine Arien geben, überhaupt keine abgeschlossenen Musikstücke, da sie ja den Hauptzweck, die optimale Wirkung der Dichtung, nur stören würden.

»Il Ritorno d'Ulisse« ist also weit entfernt von der musikalisch reichhaltigen Madrigaloper »L'Orfeo«, die originalen Untertitel der beiden Werke treffen genau den Kern des Unterschiedes: »L'Orfeo« wird als »Favola in musica«, »Ulisse« aber als »Dramma in musica« bezeichnet. Ebensoweit wie von »L'Orfeo« ist unser Musikdrama auch von der eigentlichen barocken Arienoper entfernt, die schon wenig später in Mode kam. Hier war der jeweilige Sänger Attraktion und Angelpunkt zugleich; das Wort, die dramatische Handlung verloren dabei immer mehr an Bedeutung. Diese Art der Barockoper, mit ihren abgeschlossenen musikalischen Nummern und Arien, wurde dann schon nach wenigen Jahrzehnten zu einer reformbedürftigen Musikrevue.

»Il Ritorno d'Ulisse« ist also weder von der formalen noch von der musikdramatischen Seite her gesehen das, was man heute unter einer Barockoper versteht. Es gibt noch keine Arien, keine abgeschlossenen Nummern; Rezitativartiges und Arioses geht nahtlos ineinander über. Das Wort, der Text ist bestimmend, auch für den musikalischen Ablauf. Der dreizehnte bis dreiundzwanzigste Gesang der Odyssee bildet die Basis des Geschehens, kein klassisches Heldendrama oder altrömisches Thema, wie man sie im Hochbarock liebte. Dichter und Komponist hielten sich mit geradezu pedantischer Genauigkeit an die Originaldichtung Homers. Die Personencharakterisierung der Freier und auch aller Nebenfiguren wurde minutiös übernommen. Da das gebildete Publikum jener Zeit gerade dieses Hauptwerk der griechischen Dichtung bis ins Detail kannte, konnten Giacomo Badoaro und Monteverdi auf die dramatische Entwicklung von Spannung und Entspannung verzichten. Sie illustrierten gleichsam das allgemein bekannte Geschehen wie eine epische Bilderfolge; so mußte nicht jede Figur nach den Regeln des Dramas durchgezeichnet werden. Es genügte in manchen Fällen, sie nur gleichsam kurz vorbeiwandern zu lassen, weil alle Figuren dem Zuhörer schon vorher bestens bekannt und vertraut waren.

Wie damals allgemein üblich, wurde dem Werk ein symbolisierender Prolog vorangestellt; der Mensch ist ein zerbrechliches Spielzeug in den Händen der drei Schicksalsmächte Zeit, Zufall und Liebe. Diesen Mächten sind auch die Götter unterworfen. Das eigentliche Drama zeigt also den Menschen, welcher der Willkür der Götter ausgeliefert ist, wobei diese aber selbst nichts anderes sind als den Schicksalsmächten ausgelieferte unsterbliche Übermenschen.

Die Handlung spielt sich auf drei Ebenen ab: Erstens: Die

Schicksalsmächte im Prolog, zweitens: Die Götter in den Götterszenen des ersten und des letzten Aktes, in denen die Handlung gleichsam ausgeheckt wird (im ersten Akt: Neptun will Ulisse an der Heimkehr hindern, um ihn für die Blendung seines Sohnes Polyphem zu bestrafen; im letzten Akt: Neptun läßt sich durch die anderen Götter besänftigen, Ulisse darf endlich Ruhe finden und Penelope ihn erkennen). Drittens: Die eigentliche Handlung.

Außer den deutlich abgesetzten Szenen jeder der drei Ebenen gibt es noch drei Stellen, an denen Götter- und Menschenwelt einander berühren: wenn Minerva Ulisse tröstet und ihn berät; wenn sie Telemaco in ihrem Wolkenwagen aus Sparta bringt; wenn sie Ulisse bei seiner Heimkehr in sein Haus ermutigt und wenn sie ihm schließlich im Kampf gegen die Freier beisteht.

Das Manuskript von Monteverdis »Il Ritorno d'Ulisse«, das in der Wiener Nationalbibliothek liegt, stammt aus den kaiserlichen Beständen. Wie es nach Wien kam, ist ungeklärt, doch kennt man die starken Beziehungen Monteverdis zu den Habsburgern. Diese waren ja der fürstlichen Familie Gonzaga durch Heiraten mehrfach verbunden, und Monteverdi hatte diese alten Beziehungen auch nach seinem Weggang aus Mantua noch weitergepflegt. Das Manuskript des »Ulisse« ist möglicherweise noch zu Lebzeiten Monteverdis in Venedig entstanden und irgendwie nach Wien gelangt. In diesen ersten Jahrzehnten des Bestehens der Oper herrschte natürlich an den Zentren der Pflege dieses Genres, so besonders in Wien, ein lebhafter Bedarf nach Repertoire. So hat man sich gewiß intensiv um die Meisterwerke des berühmten Claudio Monteverdi bemüht. Das Manuskript des »Ulisse« ist so geschrieben, daß man die Arbeit eines autoritativen Fachmannes bemerkt. Manche Stellen sind radiert, aber nicht um Fehler zu korrigieren, sondern um abzuändern, zu verschönern. Es ist viel über die Autorschaft Monteverdis an dieser Oper diskutiert worden, auch darüber, ob die Wiener Handschrift ein Autograph Monteverdis sei. Während die erste Frage als positiv geklärt gilt, wird das Manuskript eher einem zeitgenössischen Kopisten zugeschrieben. Diese Beurteilung gründet ausschließlich auf

Schriftvergleichen; aus musikalischen Gründen – eben dieser Verbesserungen wegen – neige ich dazu, an ein Autograph eines kompetenten Mitarbeiters Monteverdis zu glauben. Die Handschrift ist nahezu perfekt, es gibt kaum Fehler. Wie in der damaligen Zeit üblich, stellt die originale Partitur eher eine Art Direktionsstimme als eine reguläre Partitur dar; niedergeschrieben sind nur der Baß und die Gesangsstimmen sowie die instrumentalen Vor- und Zwischenspiele. Von den letzteren sind einige vollständig auskomponiert, mit Mittelstimmen, von einigen ist nur der Baß, von anderen Baß und Oberstimme vorhanden. Es ist also offensichtlich, daß vieles hinzugefügt werden muß. Das Maß dieser Hinzufügung ist umstritten und wird nie mehr verbindlich festgelegt werden können. Eine Bearbeitung ist also unbedingt nötig und muß sich auf drei Punkte konzentrieren: Erstens: Aufteilung des Basso continuo auf verschiedene Instrumente, um den Charakter der Musik und der dramatischen Personen herauszuarbeiten; zweitens: Ausführung von zusätzlichen instrumentalen Partien, wo sie wahrscheinlich erwartet wurden; drittens: Instrumentation. Während der erste Punkt kaum problematisch ist, wenn man Instrumente verwendet, die Monteverdi in seinen Werken selbst gelegentlich vorschreibt (Cembalo, Virginal, Orgel, Regal, Harfe, Chitarrone), kann man bei Hinzufügung von Instrumentalstimmen sehr leicht auf Widerspruch stoßen. Eindeutig geht die Forderung nach solchen Stimmen an jenen Stellen aus dem Manuskript hervor, wo etwa ein arienartiges Stück mit einigen Takten ohne Gesang endet, wobei über der Baßstimme »Ritornello« steht; die Instrumente können aber unmöglich erst in diesen letzten Takten einsetzen, müssen also schon vorher dabeigewesen sein. Auch wo in einem Ritornello nur die Oberstimme und der Baß geschrieben stehen, müssen unzweifelhaft die Mittelstimmen ergänzt werden. Lehrmeister kann und soll uns auch hier Monteverdi selbst sein, der uns etwa in seinem »L'Orfeo« oder auch in der sehr opernhaften Marienvesper weitgehende Anleitungen und Modelle hinterlassen hat. Neben diesen ausdrücklichen Anweisungen gibt es aber auch sehr deutliche formale Hinweise in den Werken selbst; der ständige Wechsel zwischen rezitativischer und arioser

Schreibart verlangt auch nach einer klanglichen Unterscheidung. Diese beiden Stile sind ja sehr deutlich unterschieden: Sie geben uns – neben einzelnen Bemerkungen in den Notenhandschriften und den freigelassenen Zeilen in anderen Opernpartituren, die denselben Prinzipien folgen – das Formschema, nach dem die Instrumentation auszuführen ist. Ein besonders schönes Beispiel für diesen Wechsel von ariosen und rezitativischen Teilen bietet in »Il Ritorno d'Ulisse« der erste Monolog der Penelope: Hier hebt sich das dreimal wiederholte »torna, torna, deh torna Ulisse« und »torna il tranquillo al mare« arios vom großen Rezitativteil ab. Diese vom Komponisten offenbar gewollte Unterscheidung zwischen durchgehendem Rezitativ und den Ariosi muß wohl irgendwie hörbar gemacht werden. Sie wird nicht hörbar, wenn die Oper durchgehend von einem Cembalo begleitet wird – und sie wird auch nicht hörbar, wenn wir durchgehend einen Streicherklang zur Begleitung verwenden. Aber sie wird sehr wohl hörbar gemacht, wenn wir das Rezitativ mit dem Cembalo begleiten und für die Ariosi eine reichere Instrumentation verwenden. Diese Möglichkeit wurde von vielen Komponisten der damaligen Zeit ausgenützt. Monteverdis Schüler Pier Francesco Cavalli zum Beispiel hat in einigen Opern an ariosen Stellen leere Zeilen zwischen Gesangsstimme und Baß gesetzt, oder er hat zwei, drei Takte einer Instrumentalstimme angefangen, die der jeweilige Musiker dann ergänzte.

Wir sind uns dessen bewußt, daß man in der Ausführung dieser Mittelstimmen ohne Stilbruch noch viel weiter gehen könnte, aber es ist kaum zu verantworten, auf sie ganz zu verzichten. Es gibt – als gegensätzliches Extrem zum allzu freizügigen Bearbeiter – Super-Puristen, die tatsächlich die überlieferte, wie schon erklärt, lediglich skelettartige Niederschrift realisieren wollen und jede Hinzufügung ablehnen. Diese Art von Werktreue dient nicht dem Willen des Komponisten, da sie die von ihm vorausgesetzten Bedingungen negiert. Es ist also ebenso falsch, lediglich das von Monteverdi niedergeschriebene »Skelett« zu zeigen, als es mit dem nicht dazupassenden »Fleisch« einer viel späteren Epoche zu bedecken – wie dies oft geschieht.

Zum dritten Punkt, der Instrumentation, ist nur wenig zu sagen. In der Handschrift werden nur einmal, wie zufällig, »Violini« und »Viole« erwähnt oder »con tutti gli stromenti«. Die Instrumentation basiert bei meiner Einrichtung auf einer Streichergruppe mit Violinen, Violen, Gamben und Violone, die gelegentlich von verschiedenen Blasinstrumenten verstärkt und bereichert werden. An entsprechenden Stellen werden von einzelnen Instrumenten gleichsam improvisierte Verzierungen angebracht. Außer den Streichinstrumenten gibt es hier noch Blockflöten (Renaissanceblockflöten mit weiter Mensur, aus einem Stück gemacht) für liebliche und brillante Szenen; Piffari (Diskantschalmeien, auf denen nur eine bestimmte Gebrauchsskala gespielt werden kann) und Dulzian, den Vorläufer des Fagotts, für pastorale und komische Stellen; für die Begleitung Neptuns und an Stellen, wo Gravität verlangt wird, Posaunen und für die Götterauftritte – damals obligatorisch – Trompeten. Zu diesen Melodieinstrumenten, die an manchen Stellen auch solistisch eingesetzt wurden, kommt eine Fülle von Continuoinstrumenten: ein großes italienisches Cembalo als Hauptinstrument, ein kleines Virginal, um Rezitative der Melanto, des Eurimaco und des Pisandro zu begleiten. Lauten und Chitarrone für Continuo der Lieder von Melanto, Eurimaco und Anfinomo, außerdem in Kombination mit Orgel und Cembalo für Rezitativbegleitung von Ulisse, Telemaco und Ericlea, eine Harfe vor allem zur Begleitung von Penelope, aber gelegentlich auch des Ulisse; Orgel für die Götterszenen, ein Regal für Neptun, Antinoo und die komischen Szenen des Iro. Diese Instrumentation soll keineswegs den Charakter des Endgültigen tragen, sie soll vielmehr, wie jede Realisation eines derartigen Werkes, eine von vielen Möglichkeiten darstellen, wobei aber großer Wert darauf gelegt wurde, daß es sich sowohl technisch als auch stilistisch wirklich um Möglichkeiten der Zeit Monteverdis handelt. Diese Beschränkung auf die Mittel der Entstehungszeit hat keineswegs historisierende Gründe, sondern ich glaube, daß eine derartige Realisierung auch heute wieder optimal ist. Die Musik Monteverdis braucht nicht die Effekte einer späteren Instrumentation und Harmonisierung, um zu wirken, sie ist so eins mit dem Text, so echt theatralisch und dramatisch, daß sie letzten Endes den heutigen Hörer im originalen Klanggewand am stärksten ansprechen muß. Die frühe Oper ist primär Theater. Die Musik soll nur den Wortakzent unterstreichen, den Ausdruck erhöhen, das Publikum dazu bewegen, mit allen Fasern dem Drama zu folgen. Das ist für den deutschsprachigen Zuhörer, auch für jeden anderen Nicht-Italiener, sehr schwer, da die Hauptkomponente, das Wort, für ihn unverständlich ist. Eine Übersetzung ist aber gerade wegen der innigen Verquickung von Wort und Musik bei diesen Werken nicht möglich.

»L'Incoronazione di Poppea«

Um 1600 war die Oper, wie schon erwähnt, als Gattung in Florenz »erfunden« worden, und sie wurde von den kunstbeflissenen Höfen in Mantua und Parma aufgegriffen, bereichert und weiterentwickelt. 1607 entstand »L'Orfeo«, 1608 »Ariana«, 1617 »La favola di Peleo e di Tetide«, 1627 »La finta pazza Licori«, um nur einige Werke Monteverdis zu nennen. Monteverdi, der mit den Florentiner Opernpionieren Caccini, Peri und Gagliano gut bekannt war, erfüllte ihre sehr dogmatischen Ideen mit künstlerischer Lebenskraft. Noch als Kapellmeister der Markuskirche in Venedig (ab 1613) belieferte er einige Höfe und auch venezianische Adelige mit musikdramatischen Werken.

Dennoch bekennt er 1620, an der Opernarbeit nur mehr am Rande interessiert zu sein, gemessen an seinen Aufgaben als Kirchenmusiker. Die Opernwelle ergreift um diese Zeit Rom, wo Kardinal Rospigliosi (später Papst Clemens IX.) geradezu eine römische Schule der Oper ins Leben ruft. Endlich, 1637, kommt die Oper wieder nach Oberitalien, diesmal in einer neuen Funktion: In Venedig wird das erste Operntheater der Welt eröffnet, in das gegen Eintrittsgeld auch jeder einfache Bürger gehen kann. Zur Eröffnungspremiere spielte ein *römisches* Ensemble »Andromeda«, eine Oper von Monteverdis Schüler Francesco Manelli. In den folgenden Jahren wurden noch zahlreiche Theater in Venedig eröffnet, die alle als selbständige Wirtschaftskörper geführt und durch die Eintrittsgelder finanziert wurden. Diese Theater waren also wirtschaftlich auf den Erfolg angewiesen. Nun setzte sich Claudio Monteverdi erneut mit der Oper auseinander. Nachdem er 1639 »Ariana« nach mehr als dreißig Jahren wieder aufgeführt hatte (wohl in einer Neufassung im Teatro S. Moisé), komponierte er 1641 »Il Ritorno d'Ulisse« (S. Cassiano) und 1642 »L'Incoronazione di Poppea« (SS. Giovanni e Paolo). In diesen Werken griff er alle Neuerungen seiner jungen Konkurrenten (die auch seine Schüler waren) auf und führte die Gattung, die er mehr als dreißig Jahre früher zum entscheidenden Erfolg geführt hatte, zu einem neuen Höhepunkt. Dieser Umweg (über Rom) erklärt den ungeheuren stilistischen Unterschied, der zwischen »L'Orfeo« und den beiden Spätopern besteht. Unbegreiflich bleibt allerdings die geistige Frische, mit der der Vierundsiebzigjährige zwei Jahre vor seinem Tode seine Schüler im allermodernsten Stil übertreffen und Maßstäbe setzen konnte, die für das Musiktheater der nächsten Jahrhunderte gültig blieben. (Wir sind davon überzeugt, mit der »L'Incoronazione di Poppea« eines der bedeutendsten Werke der gesamten Opernliteratur aufzuführen, vergleichbar den Meisterwerken Mozarts und Verdis.)

In seinen Spätwerken fand Monteverdi nach lebenslangen Experimenten zu einem völlig neuen musikdramatischen Stil, der sich wohl dem Text unterordnet, ihn aber zugleich interpretiert und dramatisiert. Immer schon war es ihm um die optimale »Nachahmung der Natur« gegangen, in der »Poppea« hatte er endlich die Klangsprache gefunden, die die ganze Natur der menschlichen Charaktere, der menschlichen Äußerungen, der dramatischen Körperbewegung darstellt. Monteverdi hatte seine Libretti stets sehr sorgfältig ausgewählt: einerseits nach der Schönheit der dichterischen Sprache, andererseits nach ganz bestimmten Affekten und Kontrasten, die er musikalisch darstellen wollte. So sagt er in der Vorrede zu seinem »Combattimento« (1624), er habe den Text Tassos gewählt, weil er mit »Natürlichkeit... die gewünschte Gemütsbewegung ausdrücke...« und weil er darin die »Gegensätze, die mir zu einer Übertragung in Musik geeignet schienen«, finde, »nämlich Kriegsstimmung, Gebet, Tod«. Er lehnte mit exakter Begründung Libretti ab, die ihm nicht brauchbar erschienen, so schrieb er 1616 an Alessandro Striggio, der ihm einen Text geschickt hatte: »Ich kann die Sprache der Winde nicht imitieren, weil sie nicht sprechen; wie soll ich da Mitgefühl erregen? Ariana bewegte die Hörer, weil sie eine Frau war; ebenso ergriff Orfeo die Zuhörer, weil er ein Mensch war und kein Wind...« Seine Textausdeutung fand er nach scharfen dramaturgischen und psychologischen Analysen, wie wir aus dem Briefwechsel von 1627 (über »La finta pazza Licori«) sehen. Wir können also überzeugt sein, daß Monteverdi das *historische* Libretto der »Poppea« (normalerweise mußten die Opern mythologische Stoffe behandeln) mit größter Sorgfalt wählte, daß es genau seinen Vorstellungen entsprach.

Weder Monteverdi noch Mozart deklarieren sich gegenüber der moralischen Fragestellung in ihren Opern. Ich sehe in »Poppea« (ebenso wie in den Da Ponte-Opern Mozarts) einen *desperaten* Schluß, nicht einen glücklichen. Das trifft auch für die zweite, gut vergleichbare Oper Monteverdis, »Ulisse«, zu. Beide Opern enden offiziell mit einem »glücklichen« Schlußduett. Der wirkliche Schluß des »Ulisse«, das, was hinter dem vordergründigen heiteren Schluß (lieto fine) steht, ist desperat: Zwei Menschen, die zwanzig Jahre voneinander getrennt waren, sind einander fremd geworden, sie können nicht dort anknüpfen, wo sie auseinandergerissen worden waren, sie können einander nicht mehr wiederfinden. Sie haben sich während der Trennungszeit so sehr verändert, daß sie unmöglich im anderen den wiedererkennen können, den sie einst geliebt haben. Angesichts dieses absoluten Unvermögens, das Penelope und Ulisse darin hindert, einander zu finden, beschreitet Monteverdi den einzigen damals möglichen Weg zu einem dennoch glücklichen Ende, indem er Jupiter in einer Wolke erscheinen und Penelope ihren Gatten erkennen läßt. Im Grunde ist dies also durchaus kein glückliches Ende. Monteverdi läßt Penelope darauf in einer geradezu einfältigen Melodie »si si, si si, ti riconosco« (ja ja, ich erkenne dich wieder) singen«, vermutlich, weil er durch diese primitive Formulierung das Unwirkliche der Situation ausdrücken will. Jeder, der diesen Schluß sieht, wird ihn eigentlich als traurig empfinden. Man weiß ja, diesen Jupiter, der erscheint und mit einem Wink alles zum Guten wendet, den gibt es nicht. Eine ganz ähnliche Traurigkeit höre ich auch aus dem Schluß von »Poppea« heraus. Natürlich könnte man sich hier auf einen diabolischen Standpunkt stellen und sagen: großartig, wie Amor alles durcheinanderbringt, wie er den Menschen die Maske vom Gesicht reißt. Doch im Grunde ist es kein lieto fine, wenn die Macht Amors so groß ist, daß durch sie alles

Bestehende zerstört werden kann. Auch wenn Poppea und Nero ein scheinbar glückliches Schlußduett singen, bleibt für den Zuhörer deutlich das Gefühl, der Preis für dieses vermeintliche Glück sei zu hoch. Wir wissen nicht, was Monteverdi dazu bewogen haben mag, ein derartig amoralisches Buch wie »Poppea« zu komponieren, eine Oper, in der, moralisch gesehen, kein Stein auf dem anderen bleibt. Natürlich müssen wir dabei bedenken, daß er dieses Thema ja nicht für uns behandelt hat, sondern für ein Publikum, das ganz andere gesellschaftliche und moralische Voraussetzungen hatte als wir heute.

Das Grundthema von Poppea ist die zerstörerische, auch gesellschaftszerstörende Macht Amors. Amor zeigt, wie sich auf seine bloße Laune hin die ganze Welt verändert, wie diese Laune genügt, um alle Menschen völlig zu demaskieren. Da wird der Kaiser eines Imperiums zur Marionette einer gewöhnlichen Straßendirne, die nicht nur ihn selbst besitzen und beherrschen will, sondern die auch eine totale Umkehrung des moralischen Grundgefüges erzwingt, bis sich schließlich sogar der Senat von Rom, die höchste Autorität des damaligen Erdkreises, zu einer lächerlichen Gruppe puppenhafter Jasager erniedrigt. Diese krönen die Dirne zur Kaiserin, legen ihr gleichsam alle Provinzen zu Füßen und preisen sie obendrein noch als die tugendhafteste aller Frauen. Ich sehe allerdings in diesem Stück nicht eine Auflehnung oder eine totale Negierung der moralischen Werte. Es ist vielmehr eine Darstellung der alle Grenzen sprengenden Macht Amors. Monteverdi zeigt, was passiert, wenn Amor völlig ungehemmt regiert; er sagt aber keineswegs, der Zustand völliger Anarchie, der dadurch bewirkt wird, sei erstrebenswert. Es war gewiß nicht Zynismus, wenn er ein derart amoralisches Buch komponierte; möglicherweise lockten ihn die komplexen Charaktere, die ständig wechselnden psychologischen Probleme und Situationen. Wahrscheinlich aber wollte er durch den totalen Sieg der Rücksichtslosigkeit und Amoral den Hörer erschüttern, ihn den Boden unter den Füßen verlieren lassen und ihn, *ohne es ihm zu zeigen,* selbst sehen lassen, wohin das Fehlen von Liebe, Mitgefühl und Ordnung führt.

Eigentlich sagt der Titel schon sehr viel: die Kurtisane wird zur Kaiserin gekrönt, Beleidigung der Legitimität, der Würde des Senates und Volkes von Rom – das Unmögliche ist möglich, durch eine bloße Laune Amors (Prolog).

Monteverdi verstärkt durch die charakterisierende Komposition die negativen Seiten aller Hauptfiguren; es ist bemerkenswert und in der Darstellung erschütternd, wie *keine einzige* Figur des seriösen Dramas positiv, sympathisch gezeichnet ist. Die heute meist als tragische Heldin dargestellte Ottavia erscheint in der Charakterisierung durch Nero, Seneca und ihre Amme als gefühlskalte Person. In der Szene mit Ottone zeigt sie ihren wahren Charakter einer ekelhaften Erpresserin; nicht nur, daß sie ihn zwingen will, seine Geliebte Poppea zu ermorden, sondern sie droht ihm Verleumdung, Martern und Tod an, falls er nicht gehorche. Hier sieht man auch, wie Monteverdi einen dramatischen Text durch Wortwiederholungen, Umstellungen und realistische musikalisch-gestische Diktion bearbeitet: Die Wortwiederholungen (»dammi aita / col sangue / vuò che l'uccida« etc.) sind niemals musikalisch begründet, immer aus der natürlichen psychischen Situation; zuerst das immer intensivere Flehen um Hilfe, dann das Zögern und zugleich Sich-in-Rage-Bringen vor dem schrecklichen Ausspruch (»voglio . . .«). Pausen sind stets, auch bei der fassungslosen Reaktion Ottones, ebenso wichtig wie die Noten. Jeder blitzartige Wechsel der Gedanken und des Affektes ist in Diktion und Musik gezeichnet. Vergleicht man die Form des dramatischen Gedichts Busenellos mit Monteverdis Realisation, so sieht man, wie nahe er seinem Ziel der Naturnachahmung gekommen war: Monteverdi läßt Ottavia ihr zorniges »precipita gli indugi« mitten in Ottones Verse nach »Dammi tempo« hineinsagen, ihre Drohung vorbereitend. Dieses realistische Hineinsprechen finden wir auch an vielen anderen Stellen.

Noch krasser behandelt Monteverdi die zweite »Ehrfurchtsfigur« der Oper, Seneca. Wird er schon durch das Urteil aus dem Volke (Soldaten, Valletto) als sehr unbeliebt und unsympathisch hingestellt, streicht Monteverdi sein eitles und aufgeblasenes Dozieren (»la cote non percossa non può mandar faville«) in gewöhnlichen Sequenzen und gelegentlich nicht einmal wortbetonten leeren Koloraturen heraus. Das Sentenzenhafte seiner Antworten und Aussagen wird durch steife musikalische Form hervorgehoben.

An die minutiös psychologische Zeichnung Neros und Poppeas wendet Monteverdi alle ihm zur Verfügung stehenden Mittel, wobei gerade die Zwiespältigkeit und Labilität Neros sowie die berechnende Raffinesse Poppeas alle Möglichkeiten zu schnellstem Affektwechsel bieten. Nero ist sowohl der Imperator, was in jeder herrscherhaften Phrase zum Ausdruck kommt, als auch der verwöhnte, dumme und unreife Playboy, dem alle Wünsche und Launen augenblicklich erfüllt werden. In der Szene mit Seneca lehnt er sich erstmals gegen seinen Mentor, die graue Eminenz am Hofe, auf. Hier bedient sich Monteverdi des von ihm für den Affekt des Zornes erfundenen »Concitato genere«: schnelle Sechzehntelnoten auf einem Ton gesungen (Monteverdi beschreibt Ausführung und Wirkung dieser Stilart im Vorwort zu seinem 8. Madrigalbuch). Nach dem Tod Senecas besingt er mit seinem Dichterfreund Lucano (Nero betrachtet sich ja selbst als Dichter und Musiker) die Schönheiten Poppeas, wobei er so in Rage gerät, daß Lucano um seinen Verstand zu fürchten beginnt.

Poppeas Charakter wird gleich in der ersten Abschiedsszene von allen Seiten gezeigt: Die raffinierte, sinnliche Macht, mit der sie Nero umstrickt, mit der sie ihn zum Wiederkommen verpflichtet (»Tornerai?«) ist gespielt, echt kurtisanenhaft – kaum ist Nero weg (vierte Szene), jubelt sie auf (»Speranza . . .«), sie wird ihr absurdes Ziel erreichen, offiziell zur Kaiserin von Rom gekrönt zu werden. Poppea ist jederzeit bereit, zwischen allzu »echtem« Gefühl und raffinierter Kälte hin- und herzuschalten: Man betrachte die so erotische zehnte Szene des ersten Aktes, in der Poppea plötzlich die extreme Verliebtheit Neros ausnützt und mitten in den süßesten Tönen Seneca anschwärzt. Diese extremen musikalischen Charakterisierungen waren wohl Ursache für Monteverdis Begeisterung für die Oper; hier konnte er sein einmaliges musikdramatisches Talent voll entfalten.

Dieser Vielfalt an schillernden Charakteren, von denen jeder eine ganze Palette von Affekten verkörpert, steht eine Gruppe komischer Figuren gegenüber, welche die zugleich abstrakte und konstruierte wie beklemmend naturalistische Haupthandlung kommentieren. Lediglich diese Gestalten der Vulgärsphäre erwecken unser Mitgefühl oder Verständnis; sie stehen mit beiden Beinen auf der Erde. Auch sie sind nicht durchwegs sympathisch, aber man kann doch ihren Gefühlen trauen, sie sind echt: die Soldaten, Arnalta, die Nutrice, Valletto und Damigella, aber auch die drei Freunde Senecas (Monteverdi hält sich an Tacitus und schreibt für drei Personen, nicht für einen Chor), die mit einem mehr komischen als heiteren Bekenntnis zum Leben Seneca vom Tod abhalten wollen, und schließlich die Konsuln und Tribunen, die in einer steif-lächerlichen Szene die formelle und offizielle Krönung der Kurtisane vornehmen und sich damit als Kreaturen des Kaisers zeigen. Für die komischen Figuren und Szenen findet Monteverdi eine sehr reizvolle madrigalhaft-folkloristische Tonsprache, die nur in der Parodie das Pathos der ernsten Figuren streift.

Das Libretto

Monteverdi hat an vielen Stellen dramaturgisch in das Libretto eingegriffen, wie bei einem Vergleich zwischen der vertonten Oper und dem Libretto zu erkennen ist. Es gibt in der Oper Stellen, die im Libretto gar nicht vorkommen, auch Kürzungen und Umstellungen, die deutlich Monteverdis Anteilnahme am Text beweisen. Weder Monteverdi noch Mozart (ab »Idomeneo«) haben je einen Text vertont, für den sie nicht eine wesentliche Mitverantwortung getragen hätten; das geht aus Mozarts Briefen ebenso hervor wie aus denen Monteverdis. Monteverdis Textdichter Busenello nahm den historischen Vorwurf seines großartigen Textbuchs aus dem XIV. Buch der Annalen des Tacitus. Monteverdis Werk stellt eine wohldurchdachte Interpretation dieses Librettos dar. Einige Szenen und Figuren strich er: die vierte Szene des zweiten Aktes (Apotheose Senecas); die sechste Szene des zweiten Aktes reduzierte er auf ein Duett Nero–Lucano und strich die Höflinge Petronius und

Tigellinus. Die folgende (siebente) Szene Nero–Poppea strich er ebenfalls. In der letzten Szene wurden der Dialog Amor–Venus (des venezianischen Manuskriptes) und der Chor der Amoretten (des neapolitanischen Manuskriptes) gestrichen, meiner Meinung nach eine vom Komponisten selbst vorgenommene, sehr sinnvolle Konzentration: Nach dem Eingriff Amors bei der Mordszene gibt es keine Notwendigkeit mehr für den Deus ex machina, das Schicksal erfüllt sich auf rein menschlicher Ebene, die durch diese Unterbrechung nur neuerlich in Frage gestellt würde. Amor hat seine im Prolog gemachte Ankündigung erfüllt; die Handlung strebt zum irdisch-erotischen Schlußduett. Viele kleine Streichungen und Änderungen des Busenello-Textes lassen auf Eingriffe Monteverdis schließen. Zum Beispiel: Die erste und zweite Szene sind naturalistisch ineinander verquickt, weil Monteverdi den Ersten Soldaten schon vor der letzten Zeile Ottones beginnen läßt und den Zweiten Soldaten die Worte des Ersten, »chi parla«, in der Mitte der letzten Zeile Ottones schlaftrunken wiederholen läßt. Auch danach singen sie die beiden ersten Strophen dialogartig durcheinander. In der dritten Szene singt Nero seine erste Zeile bereits nach Poppeas fünfter Zeile, sie beginnt dann nochmals von vorne und setzt bei der sechsten Zeile fort; so wird der Dialog lebendiger. Die Aussage Neros über Ottavia führt zu zwei aufgeregten Wiederholungen Poppeas. Poppea singt ihr »Tornerai?« bereits dreimal in die letzte Strophe Neros hinein. In der vierten Szene wiederholt Poppea immer wieder die letzten beiden Zeilen der ersten Strophe zwischen den Strophen Arnaltas. In der zehnten Szene wiederholt Poppea mehrmals aufstachelnd ihre und Neros Worte über Seneca und erreicht damit ein sofortiges Todesurteil. Die neunte Szene des zweiten Aktes wurde schon besprochen (Erpressungsszene Ottavia–Ottone).

Die Bearbeitung

Die Situation, der sich ein Musiker bei der Aufführung einer Oper von Monteverdi gegenübersieht, wurde schon ausführlich behandelt. Im Falle der »Poppea« stützt sich meine Bearbeitung auf die beiden Manuskripte der Oper, die sich in

Venedig und Neapel erhalten haben, sowie auf das gedruckte Libretto. Die beiden Manuskripte sind Abschriften, von unbekannten Schreibern zu Lebzeiten Monteverdis angefertigt, in denen nur die Gesangspartien und der begleitende Baß, nahezu ohne Bezifferung, sowie einige kurze Instrumentalstücke ausgeschrieben sind. Es gibt fast keine Angaben über die Instrumentation, über die zu wählenden Harmonien, Tempi etc. Es ist bisher noch nicht gelungen, das Verhältnis dieser beiden Versionen zum verschollenen Autograph festzustellen. Es scheint so, als ginge die neapolitanische Handschrift auf ein früheres Stadium des Werkes zurück als das venezianische Manuskript. Einige Korrekturen in diesem lassen eindeutig Monteverdis Schüler und Konkurrenten Cavalli als Urheber erkennen, offensichtlich war die »Werkstatt«-Einstellung damals noch so stark, daß Monteverdi einige seiner Werke sozusagen mit einer Gruppe von Mitarbeitern gemeinsam erarbeitete. (Monteverdi hatte schon früher öfters mit anderen Komponisten zusammengearbeitet: »Ariana« möglicherweise mit Jacopo Peri, »Maddalena« mit Salomone Rossi und Muzio Effrem, »Adone« mit Francesco Manelli.)

Zur Vokalbesetzung

Für unsere Interpretation der »Poppea« wurden sämtliche Rollen in originaler Stimmlage besetzt. Ottone ist demnach ein Altus, wodurch sein schwächlicher Charakter im Vergleich zu den anderen Figuren auch in der Stimmlage sehr gut gezeichnet ist. Nero ist eine für einen Kastraten geschriebene Sopranpartie. Er leitet damit eine für die Besetzung der späteren Barockopern bindende Entwicklung ein: Der »Erste Held« – der »primo uomo« – so unmännlich er in diesem Fall auch sein mag – hat immer die höchste Stimmlage inne. Wegen der großen musikalischen Bedeutung der Stimmlage gerade dieser Rolle (die Duette mit Poppea, in denen sich die Stimmen gleichsam umschlingen, der Dialog mit Seneca, das Duett mit Lucano) und des psychischen Extrems dieser Figur scheint uns diese musikalisch optimale Lösung auch dramatisch vertretbar, zumal ja noch andere Transvestitenrollen und Szenen in diesem Werk vorkommen: Valletto ist eine echte Hosenrolle, Arnalta, die »komische Alte«, eine echte Männerrolle – es war in Venedig üblich, daß dieser Typ von einem Tenor gesungen wurde. In der szenischen Aufführung haben wir uns allerdings für eine Transposition der Partie Neros in Tenorlage entschieden, wofür Gründe dramaturgischer Glaubwürdigkeit ausschlaggebend waren.

Bei diesem Werk ist dies auch musikalisch gut vertretbar, weil ja die Instrumentalstimmen erst eingefügt werden mußten; die originale »Partitur« enthält ja nur Gesangsstimmen und Baß. Bei einer Mozart-Oper hingegen würde es einen wesentlichen Eingriff in die Partitur erfordern, eine hohe Stimme für Tenor umzuschreiben. Ein überzeugender Beweis dafür ist Mozarts Vorgangsweise bei der Wiener Konzertfassung des »Idomeneo«. Die Veränderungen und Eingriffe, die der Komponist hier vornehmen mußte, gehen weit über die bloße Transposition der Stimmlage hinaus.

Die Marienvesper
(Vespro della Beata Vergine)

Kunstwerke zu Ehren Mariens

Kunstwerke zu Ehren der Gottesmutter nahmen seit jeher
eine Ausnahmestellung ein. In der religiösen Malerei wurden
von Engeln gespielte Musikinstrumente besonders bei Ma-
riendarstellungen schon zu einer Zeit abgebildet, als diese in
der Kirche noch keineswegs offiziell zugelassen waren. Viele
dieser Bilder stellen aber offenbar keine wirklich möglichen
»Kirchenkonzerte« dar, sondern sind allegorisch gemeint;
sehr oft sind es die gebräuchlichsten Instrumentalkombinationen der weltlichen Musik, die auf diesen Bildern gezeigt
werden. Eine echte Parallele zur gemalten »Marienmusik«:
Kompositionen zu Ehren Marias, Vertonungen von Texten
des Hohenliedes Salomonis und ähnliche Werke waren seit
alters »weltlicher«, leidenschaftlicher und in der jeweiligen
Zeit »moderner« angelegt als die sonstige, fast immer
konservative Kirchenmusik. So sagte sogar Palestrina, der
eine Generation vor Monteverdi die Maßstäbe für die
stilistisch strenge und vorschriftsmäßige Kirchenmusik gesetzt hatte, in der Vorrede einer Motettensammlung: »Ich
habe meine Muse hier den Dichtungen zugewandt, die dem
Lobe der heiligen Jungfrau gewidmet sind, dem Hohelied
Salomonis. Dabei wandte ich einen leidenschaftlicheren Stil
an als in meinen sonstigen kirchenmusikalischen Werken,
dies schien mir diese Dichtung zu verlangen . . .« So ist es
gewiß kein Zufall, daß es gerade eine Marienvesper war, in
der zum ersten Male in der Musikgeschichte der stilistische
und klangliche Rahmen des Gewohnten in jeder nur denkbaren Richtung durchbrochen wurde. In diesem revolu-
tionierenden Werk wurden erstmals die Neuerungen der
modernen venezianischen Instrumentalmusik und des erst
wenige Jahre alten Opernstiles, an dessen Formung Monteverdi selbst entscheidenden Anteil hatte, in einem großen
geistlichen Vokalwerk angewandt.

Die Vesper Monteverdis

Selbstverständlich war Monteverdi mit allen kirchenmusikalischen Neuerungen seiner Kollegen im nahen Venedig
vertraut. Er war seit 1591 als »Suonatore di Vivuola« bei
Vincenzo I. Gonzaga in Mantua angestellt und hatte mit der
fürstlichen Kapelle an zahlreichen Reisen teilgenommen. So
hatte er Gelegenheit, selbst zu vergleichen, wie anderswo
musiziert wurde, und sich anregen zu lassen. Seine »Scherzi
musicali« von 1607 sind vom *französischen* Stil inspiriert, hier
kombiniert er mit den drei Singstimmen drei Instrumente
(zwei Violinen und ein Akkordinstrument), die nicht nur die
Ritornelli zwischen den Strophen zu spielen haben, sondern
auch obligate Einwürfe während des Gesanges. In »L'Orfeo«,
seiner ersten Oper von 1607, bedient er sich der schillernden
Palette des *venezianischen* Canzonenorchesters: Zur Continuo-
gruppe von Organo di legno, Cembalo, Regal, Laute
(Chitarrone), Harfe und tiefen Streichinstrumenten treten
Violinen, Violen, Zinken und Posaunen. Interessant ist in
diesem Zusammenhang, daß Monteverdi, vielleicht weil er
selbst Geiger war, als erster die Vorherrschaft der Blasinstrumente in diesem Frühbarockorchester zugunsten der
Streicher aufgab.

Genau dieses Orchester setzt Monteverdi auch bei seiner
Marienvesper ein, ja er läßt zum Anfangschor »Domine ad
adjuvandum me festina« nahezu dieselbe selbständige Sonate
oder, wie es dort heißt, Toccata von den Instrumenten
spielen wie zu Beginn von »L'Orfeo«. Diese Parallele
zwischen der Oper und dem Kirchenwerk geht also über das
Stilistische und Klangliche noch hinaus, Monteverdi bringt
in der Vesper nicht nur erstmals den Opern*stil* in die Kirche,
auch das Opern*orchester* wird hier in aller Pracht dargestellt,
und gleich im ersten Stück mit diesem förmlichen Zitat aus
»L'Orfeo«! Dem Gebrauch der Zeit entsprechend, legt der
Komponist dem Interpreten auch hier keine aufführungs-
bereite Partitur vor, er kann und will dies auch gar nicht, da
er so die Mannigfaltigkeit der Möglichkeiten beeinträchtigen
würde. Dadurch hatte wohl jede Aufführung eines Groß-
werkes damals ein ganz besonderes Gesicht.

Klangbild und Instrumentation

Das Klangbild von Monteverdis Marienvesper und die bei einer Realisation gestellten Aufgaben sind nur aus dem geschichtlichen Zusammenhang dieses Werkes verständlich und lösbar. Ausgangspunkt müssen die Angaben Monteverdis im Eingangschor, in der »Sonata sopra Sancta Maria ora pro nobis« und im Magnificat sein sowie die Aufteilung auf zwei räumlich getrennte Chöre, die in einigen Teilen des Werkes gefordert scheint. Außerdem geben uns zeitgenössische Beschreibungen genaue Auskunft darüber, wie man derartige Werke damals besetzte und aufführte, wobei gerade bei dieser »theatralischen« Kirchenmusik auch der Aufstellung im Raum größte Bedeutung beigemessen wird.

In den oben erwähnten drei Teilen der Vesper werden folgende Instrumente ausdrücklich verlangt: zwei Violini da Brazzo (Violinen), vier Viuole da Brazzo (Sammelbegriff für verschiedene Streichinstrumente von der Größe einer heutigen Bratsche bis zu einem celloähnlichen Instrument), Contrabasso da Gamba (Violone), drei Cornetti (Zinken), zwei Flauti (Blockflöten), zwei Piffari (Diskantschalmeien), drei Posaunen, Orgel. Zu diesem Instrumentarium sollten höchstwahrscheinlich noch einige Continuoinstrumente kommen, wie Cembalo, Virginal, Laute und Dulzian. Diese sind im Originaldruck nicht eigens genannt, aber es ist bekannt, daß bei derart großen Werken, besonders wenn sie mehrchörig angelegt sind, die verschiedensten Continuoinstrumente verwendet werden mußten, einerseits um bei jedem Chor ein Fundamentinstrument aufstellen zu können, andererseits um den notwendigen klanglichen Kontrast zu gewährleisten. Die vielen monodieartigen Soli verlangen eine entsprechende Begleitung; hier drängt sich die Laute auf als das Instrument, auf dem sich damals Solisten selbst begleiteten, was durch den Rubato-Stil der Monodien fast notwendig war. Daß bei großer Besetzung mit Bläsern auch entsprechende Blasinstrumente den Baß mit der Orgel und dem Cembalo mitspielen müssen, auch wenn sie nicht eigens vom Komponisten verlangt wurden, bezeugt Michael Praetorius in seinem »Syntagma Musicum« 1619, das fast ganz der Aufführungspraxis der damals modernen italienischen

Musik gewidmet ist: »Ist diß auch sonderlich zu mercken . . .
daß es sehr gut, auch fast nötig sey, denselben GeneralBaß
mit einem BaßInstrument, als Fagott, Dolcian oder Posaun,
oder aber, welchs zum allerbesten, mit einer Baßgeigen darzu
machen lest . . . welches . . . das Fundament trefflich zieret
und stercken hilfft.«

Von Monteverdis Marienvesper gibt es keine originale
Partitur. Das Werk ist in einem vom Komponisten selbst
überwachten Stimmendruck überliefert. Da die Instrumentalstimmen dort, wo sie von den Vokalstimmen abweichen,
separat in den Stimmbüchern der Singstimme gedruckt
stehen, kann man annehmen, daß dieselben Musiker auch die
Vokalstimmen dort, wo es vom Kapellmeister der jeweiligen
Aufführung verlangt wurde, mitspielten. Das beweisen
verschiedene Stellen, wie etwa die plötzlich übrigbleibenden
Instrumente in den Ritornellen von »Dixit Dominus«. Die
meisten Chöre der Vesper sind doppelchörig angelegt; das
bedeutet für das Orchester, daß die Grundaufstellung die
Doppelchörigkeit unterstützen muß, ohne daß Platzwechsel
unter den Musikern nötig wird. Praetorius gibt genau an, wie
man sich damals Aufstellung und Ausführung dieser mehrchörigen Werke dachte: ». . . Wenn in einem Concert der eine
Chor mit Cornetten, der ander mit Geigen, der dritte mit
Posaunen, Fagotten, Flöitten und dergleichen Instrumenten . . .« besetzt ist; er findet es notwendig, daß man ». . . zu
einem Versiculo Violen; Zum andern Posaunen; Zum dritten
Flöiten und Fagotten gebrauchen könne«. Zur Aufstellung
sagt er, er ». . . habe .. ex observatione auch besser seyn
befunden, daß man dieselbige Capellam oder Chorum Fidici-
nium (Streichergruppe) etwas uff die seite von der Orgel und
denen so die Concertat Stimmen führen abgesondert stelle
und anordne, damit die Vocalisten von den Instrumentis
nicht ubertäubet oder verdunckelt, sondern eins vor dem
andern unterschiedlich gehöret und vernommen werden
könne . . . Es ist . . . in acht zu nemmen, daß man die Knaben
und andere Concentores (welche die Concertat: und Vocal
Stimmen führen) wie sie daselbsten in den Choren abgethei-
let seyn, von einander absondere und wo es müglich bey
jedem Knaben oder Choro, ein Fundament-Instrument

ordne:... Die Capellam Fidicinam aber muß man bey der seiten ab an ein solchen Ort stellen, daß sie allen Knaben und Choren zu hülff kommen könne...« Das Buch Praetorius' enthält nicht nur die genaueste Beschreibung des damaligen Musizierens, die wir besitzen, er bezieht sich in seinen Instrumentationsanweisungen sogar ausdrücklich auf die Vesper Monteverdis!

Bei den homophon-festlichen Abschnitten, wie etwa dem »et spiritui sancto« in »Laetatus sum« oder bei den großartigen Abschlüssen des »Dixit Dominus«, »Laetatus sum« und des Magnificat muß natürlich der Klang des vollen Streicher- und Bläserorchesters dem Ganzen Pracht und Glanz geben. Diesen vollen Klang des ganzen Chores und Orchesters vergleicht Praetorius mit dem vollen Werk einer Orgel: »... wenn die gantze Capella .. musiciret, und gleichsam als uff einer Orgel das volle Werck mit einstimmet. Welches dann ein trefflich Ornamentum, Pracht und Prangen in solcher Music von sich gibt... Und wird solche Harmonia noch mehr erfüllet und mit grösserer Pracht erweitert, wenn man dabey einen grossen BaßPommer, doppelt Fagott oder grosse BaßGeygen (Italis, Violone), Auch wol andere Instrumenta, wo deren uberig verhanden, zu den Mitteln und OberStimmen ordnet.« Die Freude an der Pracht begann in dieser Zeit des anbrechenden Barock ein bestimmender Faktor zu werden. So werden Klangkombinationen von Soloinstrumenten mit Singstimmen oder von verschiedenen Instrumenten, auch in Oktaven, beschrieben, die besondere Effekte versprechen. Man hatte das Klangliche als Ausdrucksmittel entdeckt, nur wurde es noch nicht primär vom Komponisten, sondern vom Ausführenden angewandt.

Solche Kombinationen wird man auch bei verschiedenen Soli und Solostellen in der Vesper wählen, wo Streicher oder Flöten oder beide zusammen mit den Solisten geführt werden. Etwa bei »Virgam virtutis« oder »juravit Dominus« im zweiten Chor oder beim »plena est omnis terra« in »Duo seraphim«. Besonders klar ist die Bedeutung der registermäßigen Instrumentation in »Laetatus sum« erkennbar. In diesem Stück kehrt eine dem Dulzian »auf den Leib geschriebene« achttaktige Figur in Viertelnoten fünfmal wieder, gleichsam die Beständigkeit der Wanderung nach Jerusalem ausdrückend; später nannte man derartige Figuren Andante-Bässe.

Die doppelchörigen Sätze sind in ihrer Instrumentation einfacher. Etwa das zehnstimmige »Nisi Dominus«. Hier schafft die Zuordnung der dunklen Streicher zum 1. Chor und der hellen Flöten, der Posaunen und des Dulzian zum 2. Chor auch dort Klarheit, wo beide Chöre gemeinsam, rhythmisch ineinander verschränkt, musizieren. Oder das achtstimmige »Ave Maris stella«, in dem etwa die Streicher den 1. Chor, Piffaro, Blockflöte und drei Posaunen den 2. Chor begleiten können. Dieses Prinzip sollte man wohl auch bei den Ritornellen beibehalten; also das erste, als dem 1. Chor zugehörig, mit Streichern, das zweite, zum 2. Chor gehörig, mit einem Blockflötenquartett mit Dulzianbaß spielen. Zu dieser Kombination sagt Praetorius: ». . . Wenn man nun einen FlöttenChor unter und neben andern unterschiedenen mit andern Instrumenten besetzten Choren anstellen will: So erachte ich besser seyn, das zu dem Baß eine QuartPosaun oder welches noch bequemer ein Fagott (Dulzian).« Die dritte Wiederholung des Ritornelles gehört zum 1. Chor, also wieder Streicher, eventuell mit Verzierungen gespielt.

Eine ganz besondere Stellung innerhalb des Werkes nehmen, auch bezüglich der Instrumentation, die »Sonata sopra Sancta Maria ora pro nobis« und die Soloteile des Magnificat ein. Hier ist der instrumentale Teil schon von der Komposition her so wichtig genommen und ausgefeilt, daß diese Stücke von Monteverdi selbst ganz genau instrumentiert wurden, und zwar so genau, daß es nicht nötig ist, noch irgend etwas anderes als das den Cantus firmus tragende Blasinstrument hinzuzufügen. Es ist klar, daß es sich bei diesen Stücken durchwegs um Soli handelt, die keinesfalls verdoppelt werden dürfen − wie dies leider heute oft geschieht; die Unsinnigkeit einer Verdopplung, etwa der Violinstimmen in der Sonata, ist sofort erkennbar, wenn man bedenkt, daß die beiden Violinstimmen und die beiden Zinkstimmen einander entsprechen und auch in großen Soli paarweise abwechseln, ein Verdoppeln der Violinen stört diese Polarität. Zwar ist man es heute gewöhnt, im modernen Orchester solistische Bläser einem gewaltigen Chor von Streichern gegenüber zu hören, diese Relation war aber der damaligen Praxis völlig unbekannt, sie ist auch unnatürlich, da Soli immer nur Soli entsprechen können, oder aber es müßte ein echter Solo-Tutti-Effekt sein, wie er aber hier nicht vorkommt. Interessant ist die Virtuosität, die etwa von heute so unbeweglichen Instrumenten wie Posaunen verlangt wird. Die Sonata ist ein richtiger Instrumentaltanz (Intrada und Galliarda) für solistische Violinen, Zinken, Posaunen und Baß, zu dem der Cantus firmus »Sancta Maria ora pro nobis« unabhängig dazugesungen wird, das heißt, auch ohne diesen wäre die Sonata ein vollständiges Musikstück. In den Solostücken des Magnificat muß – wie in allen Chören, die über einen oder mehreren Cantus firmi gebaut sind – eine Posaune oder ein anderes Blasinstrument den choralen Cantus firmus mit den Chorsängern mitspielen, während die Vokal- und Instrumentalsolisten dazu ihre virtuosen Partien singen oder spielen. Dabei wechseln ständig instrumental und vokal dominierte Stücke einander ab. Tutti- und Solopartien sind sowohl im vokalen als auch im instrumentalen Teil deutlich unterscheidbar, ihre Aufeinanderfolge gehorcht einem großartigen Plan, in dem Textausdeutung und klanglich-dramatischer Kontrast bestimmend sind. Dieses Werk Monteverdis ist ja unerhört theatralisch, und dies sowohl mittels einer raffinierten Klangregie als auch durch echte Theatereffekte, wie beispielsweise die Echos in »Audi coelum«, die nicht nur musikalisch, sondern auch textlich bis zur letzten Möglichkeit ausgeschöpft werden (gaudio – audio; benedicam – dicam; vita – ita).

Das Instrumentarium

Die Instrumente jener Zeit sind heute allgemein nicht mehr im Gebrauch; so erscheint es notwendig, sie einzeln kurz zu erläutern und auch die Meinung eines zeitgenössischen Fachmannes (Praetorius), der Monteverdis Vesper ja als exemplarisches Werk sah, dabei zu berücksichtigen.

Die *Violine*, Monteverdi nennt sie Violino da Brazzo, war im Laufe des 16. Jahrhunderts entwickelt und in der Volksmusik erprobt worden. Nun begann sie gerade ihre grandiose Karriere als das führende Soloinstrument des Barock und als Basis des Streichorchesters. Äußerlich war sie bereits der heutigen Geige gleich – es werden ja auch noch im modernen Konzertleben Geigen dieser Zeit gespielt –, aber der ganz andere Innenbau, Baßbalken, Halsstellung, Steg, Besaitung und der Bogen bewirkten einen grundlegend anderen Klang. ». . . die Discant Geig, den welschen Violino, wil schöne Passaggien haben, unterschiedliche und lange Schertzi, ripostine, feine Fugen, welche an unterschiedlichen örtern repetiret und wiederholet werden, anmutige Accentus, stille lange striche, Gruppi, Trilli, &c.« All dies findet sich reichlich in Monteverdis Vesper.

Viola ist im 17. Jahrhundert ein Sammelbegriff für eine große Zahl von Instrumenten zwischen der Bratsche und dem Cello; »Viuola da Brazzo« faßt Monteverdi diese Gruppe zusammen. Für den Bau dieser Instrumente gilt dasselbe, was für die Geige gesagt wurde. Da für diesen Bereich heute nur mehr die sogenannte »Bratsche« übriggeblieben ist, möchte ich darauf hinweisen, daß es zur Zeit Monteverdis mehrere verschiedene Arten von Bratschen gab, die unterschiedlich gestimmt waren und deren größte um vieles größer war als die größten heute verwendeten Bratschen; man konnte sie überhaupt nur halten und spielen, wenn man sie an der *rechten* Schulter ansetzte und quer vor der Brust nach links hielt. Größere Instrumente waren »da brazzo« (also »am Arm«) nicht mehr zu bewältigen: man mußte sie zwischen die Knie klemmen wie das Cello. Auch solche Instrumente wurden in vielen Größen gebaut. – Das Streichorchester war also damals gerade in seinen Mittelstimmen von großer Mannigfaltigkeit und großem Klangfarbenreichtum. – Das *Cello,* das allgemein vorgesehene Baßinstrument, wurde damals ebenfalls »Viola da Brazzo« genannt. Dieser etwas irreführende Name soll es von der »Viola da Gamba« abgrenzen und die Familienzugehörigkeit zu Geigen und Bratschen dokumentieren.

Der *Violone,* unser heutiger Kontrabaß, war schon damals meist in Quarten gestimmt. Um technische Passagen klar herausbringen zu können, war er, so wie die Viola da Gamba, mit Bünden versehen. ». . . die große Baßgeig, den welschen Violone, gehet als es den tieffen stimmen gebühret gar gravitetisch, erhelt mit ihrem lieblichen Resonantz die Harmony der andern Stimmen . . .«

Der *Zink,* in Italien Cornetto genannt, ist ein Holzblasinstrument, das in der Art der Blockflöte gegriffen und ähnlich wie die Trompete, nur mit viel kleinerem Mundstück, angeblasen wurde. Er ist eines der meistverwendeten Blasinstrumente des 16. und 17. Jahrhunderts. ». . . und sonderlich die Zincken nicht in stillen guten unnd lieblichen sondern allein in grossen rauschenden Music mit untergemenget und gebrauchet werden sollen.« In der Vesper werden diese Instrumente sowohl im »rauschenden« Tutti als auch in delikaten Soli verlangt, und man muß annehmen, daß Monteverdi diese Partien für sehr gute Solisten geschrieben hat. Praetorius hebt hervor, daß man diesen Instrumenten auch besonders schwierige Aufgaben geben kann: »Welcher aber seinen Zincken und dergleichen Instrumenta recht zwingen und moderiren kan, und seines Instrumentes ein Meister ist, . . .«

Die *Posaune* der damaligen Zeit unterscheidet sich wesentlich von der heute gebräuchlichen: sie hatte eine viel engere Mensur, und das Schallstück war viel kleiner. Dadurch war der Ton einerseits schlank und mischte sich wunderbar mit den damaligen zarten Streichinstrumenten, andererseits war er aber auch sehr beweglich, sodaß man komplizierte Koloraturen von diesem Instrument verlangen konnte. »Wiewol etliche (als unter andern der berümbte Meister zu München, Phileno) durch vielfeltige Ubung auff diesem Instrument so weit kommen sind, daß sie unten das D, und oben im Discant das c″ d″ e″ ohne sonderbare beschwerung und Commotion anstimmen. Sonsten hab ich noch einen zu Dreßden, den Erhardum Borussum, welcher sonsten in Polen sich noch anjetzo auffhalten sol, gehöret; Derselbe hat diß Instrument also gezwungen, daß er darauff fast die höhe eines Zinckens Als nemblich das oberste g″ sol re ut; Auch die tieffe einer Quart-Posaun, als A mit so geschwinden Coloraturen und saltibus, gleich auff der Viol de Bastarda, oder auff eim Cornet zu wege bringen, erreichen und praestiren können.« Für solche Musiker hat wohl Monteverdi seine Sonata geschrieben.

Die *Blockflöte* des 17. Jahrhunderts war aus einem Stück gemacht, ihre Bohrung war mehr als doppelt so weit wie die der heute bekannten Barockblockflöte. Der Klang dieses Instruments ist voll und samtig, in der Tiefe lieblich, in der Höhe aber sehr kräftig.

Der *Dulzian* ist der direkte Vorläufer des Fagotts, sein Klang ist weich und modulationsfähig. ». . . daß der Dolcian, wie denn auch die Fagotten, stiller und sänffter an Resonantz seyn . . .: Daher sie dann villeicht wegen ihrer Lieblichkeit Dolcianen quasi Dulcisonantes genennet werden.«

Piffaro nannte man die Diskantschalmei, auf diesem Instrument, das ein Vorläufer der Oboe ist, kann man nur eine Gebrauchsskala spielen, das heißt, einige Halbtöne sind nicht spielbar. Nach Praetorius erinnert der Ton an das »Kaken (Schnattern) einer Gans«.

Als Continuoinstrumente oder »Fundamentinstrumente«, wie man sie damals nannte, sollte man wohl nur Instrumente italienischer Bauart und damit italienischen Timbres verwenden. Über die Spielart des Continuospielers schreibt Praetorius: ». . . Sol er aus diesem GeneralBasse oder Partitur gar simpliciter und schlecht (schlicht) doch so rein und just es immer müglich hinweg schlagen wie die Noten nach einander gehen, auch nicht viel Läuflin oder Colloraturen machen fürnemblich in der lincken Hand in welcher das Fundament geführet wird. Wil er aber mit der rechten Hand einige Geschwindigkeit oder Bewegung als nemblich in lieblichen Cadentien oder sonst lieblichen Clausulen gebrauchen, so muß es mit sonderbahrer Maß und Bescheidenheit geschehen, damit die Concentores in ihrem intent nicht impediret und confundiret, oder ihre Stimme dadurch obtundiret und unterdrücken werde.«

Neben den Tasteninstrumenten ist die *Laute* als Continuoinstrument für diese Musik sehr wichtig. ». . . Ist alleine dahin gerichtet (dieweil wegen der grösse und weiten greiffens keine Colloraturen oder diminutiones dorauff gemacht werden können, sondern schlecht und recht dahin gegriffen werden muß) daß ein Discant oder Tenor viva voce, gleich wie zu der Viol de Bastarda, darein gesungen werde. Darneben aber ist sie auch sehr wol zu gebrauchen und gar lieblich anzuhören wenn sie neben andern Instrumenten in eim gantzen Concert, oder sonsten nebenst dem Baß oder an statt des Basses gebraucht wird.«

All diese Instrumente, die für ihr Spiel spezialisierten Musiker, die Genauigkeit in den stilistischen Belangen sind aber wertlos, wenn sie als Selbstzweck betrachtet werden und nicht als eine – wohl unerhört wertvolle – Hilfe, diese Musik in all ihrer Vitalität und Glut wiedererstehen zu lassen. Das und nichts anderes muß die letzte Aufgabe und der letzte Sinn aller Bemühungen sein, wenn der Versuch gemacht wird, die Musik eines der größten Genies der vergangenen Jahrhunderte in einer Weise zum Klingen zu bringen, die etwas vom Atem jener Zeit verspüren läßt.

Johann Sebastian Bach

WERKBESPRECHUNGEN

Die Brandenburgischen Konzerte

Die »Brandenburgischen Konzerte« haben untereinander weniger gemeinsam als irgendeine mir bekannte Sammlung von Instrumentalwerken. Was sie aber dennoch zu einem Gesamtwerk verbindet, ist gerade – so merkwürdig dies erscheinen mag – ihre Verschiedenartigkeit. Jedes Konzert ist für eine prinzipiell andere Besetzung geschrieben, die Unterschiedlichkeit im Formalen ist ebenso extrem wie in der Instrumentalbesetzung oder im Stilistischen. Das Konzertieren eines Solisten oder einer Solistengruppe als Dialog oder Wettstreit gegenüber einer Ripienogruppe, etwa einem kleinen Streichorchester, wird hier sogar gelegentlich auf eine rein formale, nur mehr musikalisch erkennbare Idee reduziert (etwa im langsamen Satz des 5. Konzertes oder im gesamten 3. und im 6. Konzert).

Bach scheint in seinem Widmungsexemplar an den Markgrafen von Brandenburg gleichsam einen Musterkatalog seiner Spannweite als Instrumentalkomponist gegeben zu haben, wobei eben gerade die größtmögliche Verschiedenheit angestrebt war. So erklärt sich die merkwürdige Tatsache, daß nichts anderes diese Concerti verbindet als der Name des Komponisten und der des Widmungsträgers.

Diese sechs Concerti repräsentieren also in jeder Hinsicht ein Höchstmaß an Unterschiedlichkeit, an Variation. Das Verschiedene scheint geradezu die verbindende Idee zu sein, es steht bei ihnen weit über dem Einheitlichen.

Das *1. Brandenburgische Konzert* ist eines der frühesten Werke in der Musikgeschichte, bei dem das Naturhorn in all seinen Möglichkeiten solistisch eingesetzt wird. Der Eintritt dieses Instrumentes in die intime Sphäre der Kunstmusik muß eine Sensation gewesen sein. Das Jagdhorn (Corno di Caccia) diente ja vor allem der Jagdpraxis, um mit Signalen den weit verstreuten Gruppen den Stand des Jagdgeschehens bekannt zu machen. Dieses echte »Freiluft«-Instrument wurde vorwiegend von Jägern und Jagdpersonal geblasen. Auch die ersten Spieler für Bachs Konzert dürften wohl reisende

Jäger-Virtuosen gewesen sein; jedenfalls wird dies durch ihr Entrée im ersten Tutti, einer echten Jagdfanfare, bei der die Achtelnoten dem jagdlichen Triolenrhythmus angepaßt werden, sehr deutlich gemacht. Das übrige Orchester spielt, scheinbar unberührt von den rhythmisch und figurenmäßig so fremdartigen Hornsignalen, ein ganz »normales« Bachsches Orchestertutti. Der konzertierende Dialog zeichnet sich hier im Wechsel des Oboen- und des Streicherchores bereits ab (Takt 6–7); ab Takt 9 werden die Hörner als vollwertige Konzertpartner eingesetzt, wobei Bach von Anfang an auch die intonationsmäßig extremen Naturtöne f, fis und a (den 11. und 13. Oberton) einsetzt. Da in diesem Satz die musikalischen Tongruppen oder »Figuren« allgemein bekannten Formen entsprechen, konnte Bach die unbedingt notwendige Artikulation den Musikern überlassen; er schrieb also keine Artikulationsbögen.

Im ersten Satz kommt zwischen echten Tuttiblöcken das Konzertieren vor allem als ein Gegeneinander (etwa ein heftiger Dialog) der drei Gruppen: Hörner – Holzbläser – Streicher zur Geltung.

Im zweiten Satz imitieren einander, auf einer raffiniert impressionistisch-klanglichen Basis, die Solooboe, das Violino piccolo (eine spitz und fremdartig klingende kleine Geige, die eine kleine Terz höher gestimmt ist) und die Baßgruppe. Hier ist die sehr ungewöhnliche Artikulation vom Komponisten vorgeschrieben. Die ersten vier Takte gehören der Solooboe, deren harmoniebestimmende Töne von der 2. und 3. Oboe und von den Bässen harmonisch verstärkt werden. Die Streicher spielen dazu mit dem damals bei sensitiven Stellen so beliebten Bogenvibrato; diese vier Takte werden in der Oberquinte vom Violino piccolo wiederholt, wobei die Rollen des Bläser- und Streicherchores nun vertauscht sind (das Bogenvibrato ist nun ein »fremissement« der Bläser). Damit ist die durchzuführende Substanz dargelegt. Nun wird in einer dreifachen Sequenz das Motiv erst vom Baß übernommen, wozu Streicher und Bläserchor eine Art von Begleitmotiv in Engführung bringen; dann übernehmen die Solooboe und das Violino piccolo das Motiv in Engführung, worauf ein dreitaktiger Übergang folgt. Diese Abfolge wiederholt sich noch zweimal – man hat den Eindruck, sie könnte sich in alle Ewigkeit wiederholen –, um bei der zweiten Wiederholung nach dem Baßmotiv abrupt abzubrechen – der Beginn der eigentlich erwarteten Engführung wird zu einer Oboenkadenz, und im unerwarteten Abschluß wird die Dreichörigkeit: Baß – Oboen – Streicher, durch abwechselnde Akkorde nochmals hervorgehoben.

Der dritte Satz ist ein echter Concertosatz mit sechs rondeauartigen Tuttiblöcken. Hauptsolist ist das Violino piccolo, sekundiert vom 1. Horn und der 1. Oboe. Das zweite Tutti wird im pianissimo zu einer Klangsensation (in Sätzen dieser Art erwartet man sich jeden Tuttieinsatz im forte), es ist von ungewöhnlichen Oboen- und Violinsoli durchsetzt. Das vierte Solo (Violino piccolo und 1. Ripiengeige) bricht in einen Adagioakkord zusammen; es wird durch einen Scheinansatz des Rondothemas wieder in Schwung gebracht, der eigentliche Tuttieinsatz erfolgt vier Takte später. Obwohl dieser Satz Finalcharakter hat, folgt ihm noch ein Menuett mit den verschiedenartigsten Trio-Kombinationen. Es war zu Beginn des 18. Jahrhunderts durchaus üblich (etwa in Händels Concerti grossi), sehr aufregende Concerti mit einem beruhigenden Menuett abzuschließen, wohl um den Hörer entspannt zu entlassen.

Das *2. Brandenburgische Konzert* zeigt ein sehr reichhaltiges rhetorisches Konzept. Es erweist sich als eine komplizierte musikalische Wechselrede, bei der auch Umkehrungen und andere Kunstgriffe angewendet werden. Immer wieder kommt es zu einem Stimmentausch der Außenstimmen. Die Idiomatik der Instrumente (die Besetzung des *gleichwertigen* Soloquartetts ist ja extrem: eine hohe Naturtrompete, eine Blockflöte, eine Oboe, eine Geige – gleichsam ein Repertoire der Möglichkeiten der Klangerzeugung) bewirkt durch die Übertragung spezifischer Instrumentalfiguren auf andere Instrumente den Eindruck der Imitation.

Im ersten Satz gibt es eine Anzahl von reinen Tuttimotiven und einige andere, die nur von den Soli verwendet werden. Schon allein dadurch entsteht Dialog. Bach hat keine

Dynamik angegeben, was bedeutet, daß er die damals allgemein übliche dynamische Relation erwartete, die allerdings unserer heutigen entgegengesetzt ist: Die Soli wurden piano gespielt, die Tutti in der Regel forte. Der Solist brauchte nicht gegen das Tutti anzukämpfen, weil er ja von ihm nicht begleitet wurde, sondern mit diesem vielmehr in Dialogsituation stand. Auf die auffordernde erste Aussage des Tutti folgen die Einwände der einzelnen Soloinstrumente und darauf die Tuttireaktion. Bei diesen verschiedenen Aussagen ist es wichtig, daß auch in den Stimmen oft *gleichzeitig* verschieden artikuliert wird. Bach notiert dies zuweilen ausdrücklich. Durch eine unterschiedliche Artikulation in den verschiedenen Stimmen wird die Individualität der einzelnen Instrumente deutlicher, der Gesamtklang abwechslungsreicher. Verschiedenheit in der Artikulation erwartet Bach offensichtlich auch, wenn eine Figur mehrmals vorkommt, weil sie dann im rhetorischen Kontext eine jeweils veränderte Bedeutung hat. Analogie im heute üblichen Sinn, daß eine gleichartige Stelle bei jeder Wiederkehr gleichartig auszuführen sei, ist in der Barockmusik nicht üblich. Hier wird, wegen der Verwandtschaft zur Rede, eher die Mannigfaltigkeit der Ausführungsmöglichkeiten gesucht und dargestellt.

Der zweite Satz hat einen doppelten Affekt: der eine kommt vom Baß, der andere von den Soloinstrumenten. Die Bezeichnung »Andante« bezieht sich hier in erster Linie auf den Baß, der in durchgehenden, gleichmäßig zu spielenden Achtelnoten verläuft. Bach setzt diese ostinate Gleichmäßigkeit als Gegengewicht zur starken Expressivität der drei Oberstimmen.

Der dritte Satz beginnt mit einem Trompetensolo, was der Tradition des barocken Konzertsatzes und der Barockrhetorik zuwiderläuft, denn die Aussage, die einen solchen Satz beginnt, wird normalerweise vom Tutti gemacht und vom Solo in Frage gestellt. Hier führt der vorhergehende Satz direkt zu diesem Solo, das somit Antwort auf die letzte Figur des zweiten Satzes ist; daher kann es zwischen diesen beiden Sätzen auch keine Pause geben. Das Tutti spielt im dritten Satz nur Orchestercontinuo, Begleitung, das motivische

Geschehen wird ausschließlich von den Solisten und dem Baß entwickelt. Im Zusammenhang mit der Dramaturgie des Stückes bedeutet das: der ganze Finalsatz ist eine aufzählende Zustimmung zur Aufforderung des ersten Satzes.

Während im 1., 2., 4. und 5. Konzert die verschiedensten Kombinationen von Blech- und Holzblasinstrumenten, Streichern und Cembalo in für die damalige Zeit geradezu bizarr-phantastischer Vielfalt eingesetzt wurden, sind das 3. und das 6. Konzert ausschließlich für Streichinstrumente geschrieben. Im *3. Brandenburgischen Konzert* wird sozusagen die gesamte Violinfamilie präsentiert: Mir ist kein zweites Werk der Musikgeschichte bekannt, in dem dieses Prinzip der Darstellung eines Instrumententypus in derartiger Strenge durchgeführt wäre: drei Violinen, drei Violen (Bratschen) und drei Violoncelli – eine Kombination, die wohl nur aus einer geradezu zahlenbesessenen Konsequenz verständlich ist (die Tuttiabschnitte sind prinzipiell *drei*-stimmig, jede Stimme wird *drei*fach aufgespalten) – konzertieren zu einem begleitenden Basso continuo von Violone (Kontrabaß) und Cembalo.

In diesem Konzert werden alle erdenklichen Möglichkeiten des »Solo«- und »Tutti«-Prinzips genutzt und dargestellt: vom echten Solo eines einzelnen Instruments, über das begleitete Solo, über den konzertierenden Dialog der verschiedenen Instrumentengruppen bis zum dreistimmigen Tutti, bei dem die drei Instrumente jeder der drei Gruppen ihre Stimme gleichsam orchestral im Einklang spielen. Im ersten Tutti (bis Takt 8) beginnt jede Gruppe mit einem anderen Motiv. Diese drei Motive bilden, zusammen mit einem später neueingeführten Motiv (1. Violine, Takt 78/79), das Figurenmaterial, das durch Stimmentausch, vielfältige Aufteilung und Variierung diesem Satz größten Reichtum in harmonischer und rhetorischer Hinsicht gibt. Jedes dieser Motive ist in sich mehrfach unterteilt; wie in der Sprache Haupt- und Nebensätze durch Interpunktionszeichen voneinander abgegrenzt sind. Derartige Abgrenzungen finden sich etwa in der Mitte des zweiten Taktes, am Beginn des vierten Taktes und so weiter. So bemerkt man schon in den ersten acht Takten einen mehrfachen Wechsel von staccato und legato, weil ja die Aussagen der entsprechenden Satzteile verschiedene Grade der Härte und Weichheit erfordern. Diese Forderung der Schulwerke des 18. Jahrhunderts wird immer wieder an den komplex zusammengesetzten Themen der großen Kompositionen bestätigt. Das erste Solo (ab Auftakt zu Takt 9 bis Takt 12) bringt eine solistisch harmonisierte Version des ersten Violinmotivs, das hier, in kleinste Teile zerlegt, durch alle drei Gruppen geführt wird; das zweite bis fünfte Achtel des zehnten Taktes ist ein Tuttieinwurf, auf den die Violinen solistisch mit einem neuen Skalenmotiv reagieren (Takt 10 Mitte bis 12), während die Celli und Bratschen mit einer variierten und harmonisierten Form des zweiten Teiles des ursprünglichen Baß-motives (Takt 2 Mitte bis 4) begleiten. Diese Soloepisode wird von der zweiten Hälfte des Eingangstutti (Takt 4–8) beantwortet (Takt 12–15). Nun folgt das zweite Solo (Mitte 15–19), das ähnlich dem ersten aufgebaut ist, auch hier gibt es eine Tuttiunterbrechung beim zweiten bis fünften Achtel in Takt 17, wobei aber hier und bei dem folgenden Skalenmotiv nun die Bratschen den Violinpart des ersten Solos spielen, während die Violinen und Celli die Variante des harmonisierten Baßmotives als Begleitung spielen. Im folgenden Tutti (Takt 19–20) sind die Stimmen der Anfangstakte vertauscht: Das Violinmotiv spielen jetzt die Bratschen; das Bratschen-motiv die Violinen – die Celli spielen vorerst noch ihr eigenes Motiv. Mit diesen kurzen Erklärungen wollte ich auf einen wenig beachteten Aspekt im Aufbau dieses Konzerts hin-weisen, der mir ganz besonders deutlich die vergleichende Gegenüberstellung der drei verschiedenen Formen der »Gei-gen« zeigt; außerdem wird die Kunst Bachs deutlich, bei einem Werk, bei dem jede Stimme nur einfach besetzt ist, »Solo« und »Tutti« deutlich voneinander abzuheben, obwohl im-mer alle Instrumente spielen, also mit rein musikalischen Mitteln.

Bei diesem Konzert verzichtet Bach auf einen langsamen Satz und stellt als Bindeglied zwischen die beiden Allegrosätze zwei Akkorde, zwischen denen wohl eine kleine Kadenz improvisiert werden soll, die bei diesem reinen Streicher-

konzert nur von einem oder von mehreren der Streicher-
solisten gespielt werden kann.

Im zweiten Allegro gibt es, sehr selten in einem barocken
Konzertsatz, praktisch keinerlei Dialog. Kaleidoskopartig
verschieben sich halbtaktig oder in Vierteln (der $^{12}/_8$-Takt ist
ja als triolischer $^4/_4$-Takt zu verstehen) die Harmonien, wobei
huschende Skalen (in Sechzehnteln), glockenartige Tonwiederholungen (in Achteln) und kompliziert verschachtelte
Spiccato-Dreiklänge (in Sechzehnteln) zwischen den Einzelstimmen und Stimmgruppen hin- und herspringen. Echte
konzertante Soli gibt es nur im zweiten Teil (Takt 15–17) von
der 1. Violine und (Takt 35–37) von der 1. Viola.

Beim *4. Brandenburgischen Konzert* gibt zunächst die Bezeichnung »Flauti d'echo« einige Rätsel auf. Gelegentlich wurden
dafür hohe Oktavflöten verwendet, doch diese sind in ihrer
Wirkung viel lauter als normale Blockflöten, sodaß dann
praktisch das Orchester das Echo wäre. Sicherlich sind
normale Blockflöten gemeint. Im ersten Satz werden die
Rollen des Concertino, der Solistengruppe, eindeutig verteilt: Hauptsolist ist die Violine, sekundiert vom Block-
flötenpaar, das später durch eine lyrische Sologruppe (Takte
157–185 und 285–311) noch hervorgehoben wird. Der
Echoeffekt im zweiten Satz dürfte für Bach so wichtig
gewesen sein, daß er ihn im Titel des Concertos herausstellte.
Die Idee des Echos ist hier eine wiederholte Unterbrechung
der Melodie, die ohne diese Echoeinschübe kontinuierlich
verliefe. Die Echos stehen an jenen Stellen, wo man ein
Komma machen müßte, sie zwingen dadurch zum Aufhorchen. Die von Bach anscheinend beabsichtigte Wirkung
kann nur erzielt werden, wenn die Flöten tatsächlich aus der
Ferne oder aus einem Nebenraum gespielt werden. An
Stellen, wo sie selbständig geführt sind, wie in Takt 40, muß
das Orchester dies durch leiseres Spiel ausgleichen. Die
Andante-Bezeichnung des zweiten Satzes betrifft hier offenbar das Tempo und nicht etwa einen »Andante«-Charakter.
Der langsame Satz soll also eine gewisse Beschleunigung
bekommen, die paarweisen Achtelnoten werden hier ungleichmäßig gespielt. Wesentlich in diesem Satz ist die

vollkommen symmetrische Anordnung, die etwa der Architektur eines Barockpalais entspricht und die Bach auch in
seinen Großwerken immer wieder anwendet. Um ein Herzstück (hier Takt 28–45) gruppieren sich als Umrahmung vier
Außenteile, von denen der erste und der letzte sich nur durch
eine Vertauschung der Außenstimmen unterscheiden. Der
zweite und vierte Teil entsprechen einander ebenfalls, mit
dem Unterschied, daß die Echostellen im vierten Teil
komprimiert wirken. Im Mittelteil findet sich neues Material
und ein neuer Dialog, weil die Blockflöten hier solistische
Einwände machen. Im fünften Teil liegt das Thema im Baß,
die Echos des ihm symmetrisch entsprechenden ersten Teils
unterbleiben, in der Wiederholung hätten sie keinen Sinn,
weil die Wirkung nicht mehr neu wäre. Diese Symmetrie zu
erkennen ist für die Interpretation sehr wichtig: Man
musiziert das Stück anders, als wenn die Teile einfach
aneinandergereiht wären.
Obwohl der dritte Satz direkt an den vorhergehenden
anzuschließen ist, finden die Blockflötisten Zeit, an ihre
Plätze zurückzukehren, weil sie ja erst im Takt 23 einsetzen.
In diesem Satz wird das gesamte Motivmaterial aus den
ersten vier Takten bezogen.

Das *5. Brandenburgische Konzert* ist, sowohl das Instrumentarium betreffend als auch hinsichtlich seiner Form, das
modernste der sechs Konzerte. Es ist das erste »Klavier«-
Konzert der Musikgeschichte (wenn wir Klavier richtig als
Ausdruck für das Tasteninstrument – mit *Klaviatur* – im
allgemeinen sehen). Die beiden anderen Soloinstrumente,
dem Cembalo rangmäßig untergeordnet, sind die Violine –
exemplarisches Soloinstrument seit ihrer Entwicklung – und
die Traversflöte, die damals gerade die brillante Blockflöte
zu verdrängen begann; der Grund dafür war wohl das Auf-
kommen des »galanten« und »empfindsamen« Geschmacks.
Die Querflöte war also als Soloinstrument durchaus modern,
ihr etwas verschleierter Ton mit reichen klanglichen und
dynamischen Schattierungsmöglichkeiten war für die neue
Richtung ideal geeignet; ihre Möglichkeiten waren bis dahin
noch keineswegs voll erkannt oder gar genutzt worden. Die

Flöte wurde dann im Laufe des 18. Jahrhunderts zum beliebtesten aller Soloinstrumente.

Man muß sich vorstellen, welche Rolle dem Cembalo zu Beginn des 18. Jahrhunderts zugeteilt war, um zu ermessen, wie sensationell seine Verwendung im 5. Brandenburgischen Konzert auf den damaligen Hörer gewirkt haben muß, und welche schöpferische Kühnheit Bach auf diese Idee brachte. Das Cembalo wurde damals für reine Solomusik verwendet, ähnlich der Orgel, und war weitgehend mit dieser auch austauschbar. (Dabei ging es vorwiegend um die Darstellung mehrstimmiger, im strengen Satz komponierter Musik; als »Melodieinstrument« hätte man ein Tasteninstrument damals noch nicht sehen können.) Außerdem wurde es in der Kammermusik und Orchestermusik sowie in der Oper zum Basso continuo eingesetzt, das heißt, es hatte jede Baßstimme mitzuspielen und den Satz harmonisch zu füllen und zu deuten. Dabei ergab sich, auf Grund des metallisch gezupften Klanges, als zusätzlicher, erwünschter Effekt ein rhythmisch strukturierendes Element, das für einen Großteil der Musik des 17. und 18. Jahrhunderts notwendig war. Durch diesen im Ensemble durchaus auffallenden Klang ergaben sich für das Continuospiel Regeln, die vor allem ein bescheidenes Zurücktreten fordern, die Begleitung sollte füllen, aber niemals auffallen – auch nicht durch Kunstfertigkeit oder gar Passagenreichtum; Phantasie hatte man in der Spielweise, im Legato, im Arpeggio zu zeigen. Diesem Instrument und natürlich damit auch sich selbst als seinem Spieler widmete Bach also seinen ersten »Versuch«, das Cembalo konzertierend *und* begleitend einem kleinen Orchester und zwei weiteren Solisten gegenüberzustellen. Er fand dafür eine durchaus idiomatische Tonsprache gerade für dieses Instrument, während er der Violine und der Flöte dasselbe Motivmaterial und dieselben musikalischen Figuren zuwies, wodurch der *klangliche* Unterschied dieser Instrumente in den Vordergrund rückte.

Prinzipiell ist dem Ripieno (dem Orchester) und den Soli verschiedenes Motivmaterial zugewiesen. Das erste achttaktige Tutti ist aufgebaut wie eine reich unterteilte rhetorische Aussage:

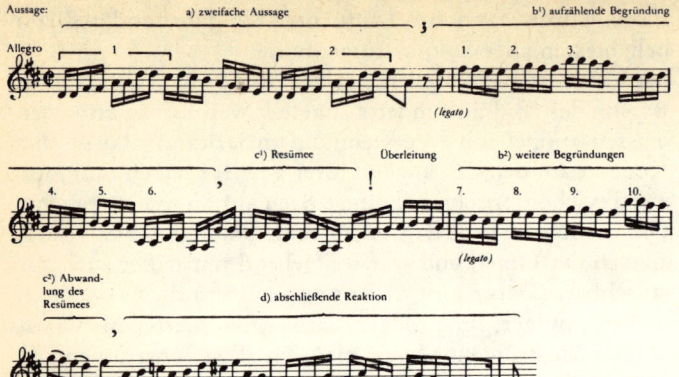

Zum besseren Verständnis will ich einen sprachlichen Vergleich bringen:

a) der Garten ist schön[1]) und groß[2]);

b[1]) (weil) dort wachsen Bäume, Blumen ... (1, 2 etc.),

c[1]) so ist er wohlgelungen!

b[2]) Außerdem gibt's da auch Rehe, Vögel etc. (7, 8)

c[2]) das ist gut

d) wir freuen uns, einen solchen Garten zu haben.

Auch die kurzen Tuttieinwürfe gehen auf die Teile des ersten Tutti zurück:

a) Takt 10, 13, 19, 35–37, 44, 49, 101–102, 109–110, 112–115;

b[1, 2]) Takt 29–30, 40–41, 58, 59;

c) Takt 31, 41 und 60;

dabei ist der erste Teil des Tuttimotivs zweimal durch einen Soloeinwurf unterbrochen (Takt 12 und 113). Die Soloinstrumente reagieren mit neuen, sehr gesanglichen Motiven, die allerdings beim Cembalo idiomatisch in kleine Notenwerte aufgelöst sind. Erst ab Takt 21 spielen Violine und Flöte ein aus b) des Eingangstutti vereinfachtes Seufzermotiv; ab Takt 61 wird auch d) des Tutti (etwas abgewandelt) in das Solovokabular aufgenommen. – Ab Takt 71 wandelt sich die Wechselrede zu einem Klangspiel: Dafür verlangt Bach das von ihm so häufig verwendete Bogenvibrato von den Ripiengeigen und der Viola, während die Flöte und die Solovioline über gehenden Bässen des Cello

220

und Akkordarpeggien des Cembalo einander ein ganz kurzes statisches Motiv zuspielen. Die gegen Ende dieses kaleidoskopartigen Klangspiels in der Flöten- und Geigenstimme notierte Wellenlinie scheint wohl eher ein vibrierendes Glissando – vielleicht mit einem Zweifingervibrato gekoppelt (was etwa einem Vierteltontriller entspricht) – als einen regulären Triller zu fordern. (Bach schreibt dieses Zeichen meines Wissens *nur* über chromatischen Fortschreitungen, was wohl ein Indiz für Glissando ist; französische Zeitgenossen verwenden es für ein sehr ausladendes Vibrato.) Jedenfalls ist dieser chromatische Schritt hier auf erregende Weise, im pianissimo!, hervorgehoben.

Auch der langsame Satz ist streng nach dem Konzertschema komponiert, wobei die gleichbleibende Triobesetzung der besondere Reiz ist: Solo und Tutti werden nur durch unterschiedliche Motivik, Dynamik und verschiedene Spielweise voneinander abgehoben. Bei den Tuttiabschnitten spielt das Cembalo einen Continuosatz im traditionellen Sinn, von Bach durch »accomp.« und Bezifferung gefordert. Fünf Tuttiabschnitten stehen – oberflächlich gesehen – vier Soloabschnitte gegenüber. In Wahrheit sind es aber ebenfalls fünf Soloabschnitte, weil das vierte Solo aus zwei unmittelbar aufeinanderfolgenden Soloabschnitten besteht: Nach dem im Takt 39 endenden vierten Soloabschnitt erwartet man vergeblich den Tutteinsatz; der Hörer wird so aus seiner Erwartungshaltung aufgestört und auf das unmittelbar anschließende Finale präpariert.

Das abschließende Allegro ist vom Rhythmus der Gigue und von Jagdmotiven geprägt. Dieser Grundrhythmus wurde im Laufe des 18. Jahrhunderts sehr modern für symphonische Finalsätze. Bach schreibt diesen $6/8$-Rhythmus im $2/4$-Takt mit Triolen ♫♫ ♫♫ , wobei (♫) punktierte Achtel und Sechzehntel den Triolen anzugleichen sind. Diese Notation ist durch die damals allgemeingültigen Betonungsregeln begründet. $6/8$ ♫♫ ♫♫ müßte mit zwei verschieden starken Betonungen gespielt werden, $2/4$ ♩ ♩ hat einen betonten und einen unbetonten Taktteil. Natürlich hat dies auch Auswirkungen auf das Tempo. In diesem Satz ist das thematische Material für Tutti und Soli dasselbe. Besonders interessant ist die Stelle (nach Takt 79), wo eines der Soloinstrumente (zuerst die Flöte, ab Takt 89 die Solovioline, ab Takt 99 das Cembalo) und später (ab Takt 148) die Ripienvioline und die Viola eine aus dem Themenkopf gebildete Cantabile-Melodie spielen, von zwei oder drei Instrumenten solistisch in Dreiklangszerlegungen begleitet. So nehmen hier auch die Ripienisten Anteil am Sologeschehen. Dieser Satz ist wie eine Da-capo-Arie gebaut: Ab Takt 233 wird von Anfang an wiederholt, die Schlußkorona steht im Takt 78.

Ähnlich einmalig und prinzipiell in der Besetzung und im Stil wie das 3. ist das *6. Brandenburgische Konzert:* Es ist, entgegen jeder barocken Tradition, ausschließlich für tiefe Instrumente geschrieben; Soloinstrumente sind zwei Bratschen – diesen gegenübergestellt, vorwiegend im Tutti, sind zwei Gamben. Bratschen und Gamben haben mehr oder weniger denselben Tonumfang. Also hat Bach sie hier als Exponenten der beiden konkurrierenden Instrumentenfamilien (Violinfamilie – Gambenfamilie) gegeneinander gestellt. Noch mehr: Die Gambe war seit der Mitte des 17. Jahrhunderts neben der Violine das vornehmste Soloinstrument, ihr Klang wurde mit der »nasalen Stimme eines Diplomaten« verglichen, sie wurde niemals im Orchester benutzt, Bach selbst hat außer im 6. Brandenburgischen Konzert *nur* Soli für die Gambe geschrieben; diese aristokratische Sologambe wird hier zu einem plebeischen Tuttiinstrument ausgerechnet von der Bratsche degradiert, einem echten und reinrassigen Orchesterinstrument, für das bis dahin keine Soli geschrieben worden waren, das man als Virtuoseninstrument (wie im ersten und dritten Satz) oder als ausdrucksvolles Melodieinstrument (wie im zweiten Satz) überhaupt nicht kannte. Man hatte in der ersten Hälfte des 18. Jahrhunderts die Rivalität zwischen der vornehmen Gambe – die im Salon zart und nasal für einen erlesenen Hörerkreis gespielt wurde – und der Violine oder dem Violoncello – die mit lautem, extrovertiertem Klang in großen Sälen oder gar im Freien gespielt werden konnten – sehr stark empfunden. Immer wieder wurde darüber geschrieben (Le Blanc: »Verteidigung der Viola da Gamba«), wie die mit dicken Saiten bespannten brutal-vulgären Violinen die Gamben verdrängten. Nun illustriert Bach den Sieg der Violinfamilie mit diesem Konzert, in dem er die Gambe nicht einmal von der Violine, sondern vom allerniedrigsten Instrument der Gattung, der Bratsche, entthronen läßt.

Auch in diesem Konzert ist die Solo-Tutti-Gliederung vor allem mit musikalischen und dynamischen Mitteln, und nicht durch echtes solistisches Spiel, erreicht. Tutti- und Solomotive sind streng unterschieden. Das erste Tutti besteht praktisch aus einem unerbittlichen, fast brutal geführten Wettstreit der beiden Bratschen um das richtige Metrum: Die beiden Stimmen hetzen um nur einen Achtelwert hintereinander her, wobei der Eindruck entsteht, als wollte jedes der beiden Instrumente die Eins, den Taktschwerpunkt, trotzig fixieren. Die übrigen Instrumente spielen eine harte, völlig neutrale Begleitung in gleichmäßig stampfenden Achtelnoten (nur Bach konnte sich diese verpönte Schreibart erlauben), sozusagen keiner der beiden Bratschen recht gebend. Alle sechs Tuttiabschnitte dieses Satzes sind streng nach diesem Prinzip gebaut. – Im ersten Solo, das im Takt 17 vom Violoncello begonnen wird, werden Eleganz und Lautstärke von den imitierenden Gamben bestimmt; hier werden diese also in das Sologeschehen, das im übrigen die Bratschen und das Violoncello unter sich ausmachen, mit einbezogen. – Das zweite Solo endet (Takt 40–46) mit einer neuen Deutung des ersten Solomotives:

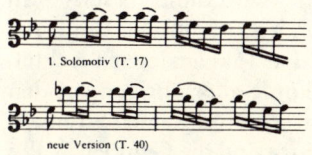

1. Solomotiv (T. 17)

neue Version (T. 40)

Durch den Septimenauftakt (anstelle des Quartsprunges), den Verzicht auf Durchimitation der anderen Stimmen und die weiche, akkordische Begleitung mittels Bogenvibrato im piano wird dieses Motiv nun zu einem echten Solo mit hochexpressivem kantablen Charakter, der somit in extremster Weise mit dem folgenden Tutti kontrastiert. Es ist bemerkenswert, mit welchen Mitteln Bach höchstmögliche Kontraste diesem von vorneherein besonders kontrastarmen Ensemble abzwingt. – Das letzte Tutti wiederholt da-capo-artig das erste, nur um einen halben Takt verschoben. Diese Verschiebung, die bei Bach relativ häufig vorkommt (aber auch noch in den Symphoniesätzen der Wiener Klassik), zeigt, daß der Takt nicht unbedingt vom Takt*strich* abhängt. Die Taktbetonungen müssen hier im ersten und im letzten Tutti gleich sein; Bach hat nur, wohl aus orthographischen Gründen, darauf verzichtet, vor dem letzten Tutti (Takt 114 Mitte) einen $^2/_4$-Takt einzuschieben.

Der zweite Satz ist ein konkurrierender Zwiegesang der beiden Bratschen über einem interessant aufgespalteten Basso continuo: Violone (Kontrabaß) und Cembalo – dieses wohl auch eine Oktave tiefer – spielen einen gegenstimmen-artig konzipierten Baß, der vom Cello in Andante-Viertel diminuiert wird, wodurch einerseits sehr spannende Durch-gangsdissonanzen entstehen, andererseits der Satz einen strengen rhythmischen »Gang« bekommt. Zuletzt (ab Takt 40) übernehmen die Bässe das Thema, worauf die Bratschen sozusagen mit staunender Verwirrung reagieren; schließlich übernimmt, man könnte fast sagen: usurpiert das Cello noch, mittels eines Trugschlusses, die Kadenz (Takt 54/55) – verklingend führt der Abschluß des Satzes nahtlos in das Allegro-Finale. Hier wird bereits im ersten Tutti, ähnlich wie im ersten Satz, Takt und Metrum sehr hart markiert und zugleich in Frage gestellt: Wenn auch der Satz mit einem abspringenden Auftakt beginnt, so wird dieser bereits zum dritten Takt synkopisch angebunden, sodaß der Eindruck entsteht, die Bratschen begännen den Takt am letzten Achtel. Die hart dagegen gespielten Akkorde aller übrigen auf den Taktzeiten ergeben ähnlich wie im ersten Satz einen Streit um den »richtigen« Takt. In diesem Satz sind die Gamben völlig vom Solobereich ausgeschlossen, den vor allem die Brat-schen, aber auch das Cello für sich beanspruchen.

Abschließend noch einige Worte zum Violone: Im 18. Jahr-hundert war die Bezeichnung Kontrabaß äußerst selten, normalerweise nannte man das größte Instrument der Violin- und der Gambenfamilie »Violone«; häufig wurde auch noch das Cello so genannt. Um die Verwirrung vollständig zu machen, gibt es deutsche Quellen aus dem frühen 17. Jahrhundert, die nur die sechssaitige Kontrabaß*gambe* als Violone bezeichnen – und diese sehr spezielle Nomenklatur wurde leider von vielen heutigen Autoren übernommen. Klarheit kann, bei der Quellenlage der Bach-Zeit, wenn überhaupt, nur aus den Noten, also musikalisch, nicht aber aus dem Namen gewonnen werden. Die Hauptfrage ist selbstverständlich, ob die Violonestimme wie eine Cellostimme »loco« zu spielen ist oder oktavierend als *Kontra*baß. Bei den Brandenburgischen Konzerten taucht diese Frage in all ihren Facetten immer wieder auf, zumal Bach die »Violone«-Stimme hier keineswegs einheitlich behandelt hat. So heißt im 1. Brandenburgischen Konzert der Part *»Violono grosso«* und ist stets in der gleichen Lage notiert wie Cello und Fagott. Bach benützt dafür die unterste Partiturzeile und läßt auch das Continuo – also wohl das Cembalo – dieselbe Stimme im 8′ spielen. Beim 2. Brandenburgischen Konzert heißt es »Violone ripieno«, also Orchesterbaß. Diese Stimme ist in der vorletzten Zeile notiert, weil die letzte für Cembalo und Cello bestimmt ist; hier gibt es immerhin einige Solobegleitungen, für die Bach offenbar keinen »Violone« wollte. Ich glaube, daß Bach für alle sechs Konzerte echte *Kontra*bässe wollte, die wohl ursprünglich verschiedene oder wenigstens verschieden gestimmte Instrumente gewesen sein müssen. Die Violonestimmen sind nämlich sehr differenziert notiert: So kann man erkennen, daß Bach für das 1., 2. und 3. Konzert einen Kontrabaß mit tiefem $\bar{C}$ hatte; beim 4. und 5. Konzert war der tiefste Ton des Instruments offenbar $\bar{D}$, was daran zu erkennen ist, daß manche Stellen nach oben umgelegt sind; beim 6. Konzert verlangt Bach sogar ein tiefes $\bar{\bar{B}}$ (im letzten Satz, Takt 45), hier mußte wohl für den Satz oder gar das ganze Konzert die $\bar{C}$-Saite heruntergestimmt werden.

Da normalerweise die Kontrabaßstimme aus der allgemeinen Baßstimme (Cello, Fagott, Cembalo) undifferenziert abgeleitet wird, ist die in den Brandenburgischen Konzerten ausnahmsweise ausgeschriebene Stimme besonders aufschlußreich: So gibt es Stellen (etwa Takt 25/26 und andere im 2. Konzert), wo Bach Cello und Baß in Oktaven schreibt, wo durch den Kontrabaß also Doppeloktaven entstehen (was normalerweise heute nicht bemerkt wird, weil die meisten Kontrabässe nur bis $\overline{E}$ reichen und die Musiker die darunter liegenden Töne stillschweigend nach oben oktavieren). Dieser sehr wichtige und starke Effekt kommt auch im 4. Konzert (Takt 29/30; Takt 154–156), im 5. (an vielen Stellen) und 6. Brandenburgischen Konzert vor. In den beiden letzten gibt es sogar dreifache Oktaven (5. Konzert, Takt 134; 6. Konzert, Takt 65ff.). Gelegentlich ist die Continuo-Baßstimme in der oberen Oktave notiert, was Einklänge ergibt, gelegentlich sogar zwei Oktaven höher, sodaß der Kontrabaß eine Oktave höher als das Cello klingt. – Man kann also gerade bei dieser Partitur sehen, welche Instrumente Bach zur Verfügung hatte oder wünschte (es waren offenbar verschiedene) und wie differenziert er die Registrierung handhabe (ob 8' loco, 4' Oberoktave, 16' Unteroktave oder 32' zwei Oktaven tiefer als die Cellostimme).

Die Johannes-Passion

Schon seit sehr früher Zeit, etwa dem 4. Jahrhundert, war es in der christlichen Kirche üblich, am Palmsonntag und in der Karwoche im Rahmen der Liturgie die Leidensgeschichte Christi mit verteilten Rollen zu lesen oder, besser gesagt, auf Lektionstönen zu singen. Meist waren es vier Geistliche, einer sang die erzählenden Partien, der zweite die Worte Christi, der dritte die Aussprüche verschiedener Personen (Pilatus, Petrus, Hoherpriester, Magd und so weiter) und der vierte die Ausrufe des Volkes. Ab dem 9. Jahrhundert findet sich schon etwas wie Vortragshinweise durch Buchstaben: beim Evangelisten c – celeriter, also beschleunigt, bei den Christusworten t – tenere, zurückgehalten, bei den übrigen Personen s – sursum, hinauf (das heißt, daß diese Stellen höher gesungen werden sollten). Später kamen noch weitere differenzierende Zeichen hinzu. In ähnlicher Weise wurde die Passion auch noch nach der Reformation in der lutherischen Kirche gesungen. Sehr bald danach wurden deutsche Passionskompositionen eingeführt, bei denen einstimmige und mehrstimmige Teile wechselten, die der Pastor und der Chor sangen. Immer mannigfaltiger wurden die Formen; auch freie Nachdichtungen des Passionsgeschehens wurden mehrstimmig komponiert. Gelegentlich kombinierte man die Texte der vier Evangelien.

Von fast allen bedeutenden Komponisten des späten 16. und des 17. Jahrhunderts gibt es deutsche Passionskompositionen. Immer mehr Lieder (Choräle) wurden in den Ablauf der Passion eingeschoben und oft von der Gemeinde gesungen. In der zweiten Hälfte des 17. Jahrhunderts begann man die neuen, aus Italien kommenden musikdramatischen Formen der Barockzeit auch für Passionskompositionen anzuwenden. Den Bibeltexten wurden nun häufig lyrische Dichtungen und betrachtende Lieder eingefügt. Gelegentlich wurden sogar Teile des Bibeltextes frei poetisiert; zuletzt, etwa ab 1700, wurde das ganze Passionsgeschehen in der Art eines Libretto nachgedichtet (Menantes »Der blutende und sterbende Jesus«, B. H. Brockes »Der für die Sünde der Welt gemarterte und sterbende Jesus«), wobei durch die affektvolle Sprache und dramatische Gestaltung der musikalischen Deutung weiteste Möglichkeiten geboten wurden. Daneben existierte natürlich weiterhin die für die Liturgie einzig verwendbare rein biblische Passionskomposition.

Führend in dieser Entwicklung war die Stadt Hamburg, dort wirkten Georg Philipp Telemann, Johann Mattheson, Reinhard Keiser, Georg Friedrich Händel (vor seiner Auswanderung nach England), die dem musikalischen Leben auf allen nur denkbaren Gebieten (Konzert, Oper, Festmusik) die kräftigsten Impulse gaben. In Leipzig lagen die Dinge ganz anders. Hier war der Kantor der Thomasschule zugleich städtischer Musikdirektor, er hatte, in Übereinstimmung mit dem Rat der Stadt, die Musik an vier Kirchen zu besorgen und außerdem die offiziellen Feierlichkeiten der Stadt mit repräsentativer Musik auszustatten; hier gab es keine Oper. Die Struktur des Musiklebens war konservativ – so wurde erst 1721 unter Bachs Vorgänger Johann Kuhnau zum erstenmal eine Passion moderner Art mit Figuralmusik aufgeführt. Bis dahin kannte man hier nur die traditionellen choralischen Passionsaufführungen.

Die *Johannes-Passion* ist das erste großangelegte Werk, das Bach für seine neue Wirkungsstätte in Leipzig schrieb. Ob er sie bereits in Köthen komponierte und am Karfreitag des Jahres 1723, noch vor seinem offiziellen Amtsantritt in Leipzig, aufführte oder erst ein Jahr später, ist nicht restlos geklärt. Sicher ist aber, daß dieses Werk in geistiger und formaler Hinsicht eine Frucht seines Köthener Schaffens ist: Zum erstenmal verwendete hier Bach in einem Kirchenwerk alle Feinheiten des konzertierenden Stils und der Instrumentation, die er in seinen vielen Konzerten, Suiten und Sonaten entwickelt und erprobt hatte.

Da das Werk für die Karfreitagsliturgie (den Vesperpredigtgottesdienst) bestimmt war, bildete der biblische Passionstext – das 18. und das 19. Kapitel des Johannes-Evangeliums –, der lückenlos gebracht werden mußte, das textliche Rückgrat. Bach ergänzte ihn durch zwei Stellen aus dem Matthäus-Evangelium: 26,75 »Da gedachte Petrus an die Worte Jesu ...« und 27,51 »Und siehe da, der Vorhang im Tempel zerriß ...« – Durch Einfügungen von betrachtenden

Texten und Liedstrophen hatte Bach die Möglichkeit, die musikalisch-formalen Akzente, die ja durch die Rollenverteilung des Bibeltextes weitgehend vorgegeben waren, neu zu verteilen. Da er damals mit keinem Dichter zusammenarbeitete, entnahm er diese Texte verschiedenen Passionsdichtungen, die er selbst umdichtete, bis sie seiner Vorstellung entsprachen. Wesentlich war ihm vor allem der betrachtende Charakter dieser Stücke, weshalb er allzu persönliche Wendungen ins Allgemeine umformte und besonders kraß-bildhafte Ausdrücke zu mildern suchte. Seine Hauptquellen waren die Dichtung des Hamburger Ratsherrn Barthold Heinrich Brockes, »Der für die Sünde der Welt gemarterte und sterbende Jesus, aus den vier Evangelien in gebundener Rede vorgestellet«, und eine Johannes-Passion Christian Heinrich Postels. Das Werk Brockes' war durch Vertonungen Keisers, Telemanns, Händels und Matthesons allgemein bekannt, Postels Johannes-Passion war von Händel 1704 komponiert worden, und man weiß, daß Bach sich in Köthen mit diesem Werk beschäftigte. Die Arientexte »Von den Stricken meiner Sünden«, »Eilt ihr angefochtnen Seelen«, »Mein theurer Heiland«, »Mein Herz, in dem die ganze Welt«, »Zerfließe, mein Herze in Fluten der Zähren« und der Schlußchor »Ruht wohl, ihr heiligen Gebeine« entstanden durch Bearbeitung Brockes'scher Texte. Wie Bach so eine Umarbeitung vornahm, soll durch Gegenüberstellung eines Arientextes gezeigt werden:

Brockes:	Bach:
Sind meiner Seele tiefe Wunden	Mein theurer Heiland laß dich fragen
Durch deine Wunden nun verbunden?	Da du nunmehr ans Kreuz geschlagen
Kann ich durch deine Qual und Sterben	Und selbst gesagt: Es ist vollbracht!
Nunmehr das Paradies erwerben?	Bin ich vom Sterben freigemacht?
Ist aller Welt Erlösung nah?	Kann ich durch deine Pein und Sterben
Dies sind der Tochter Zions Fragen	Das Himmelreich ererben?
Weil Jesus nun nichts kann vor Schmerzen sagen	Ist aller Welt Erlösung nah?
So neiget er sein Haupt und winket, Ja.	Du kannst vor Schmerzen zwar nichts sagen.
	Doch neigest du dein Haupt und sprichst stillschweigend Ja.

Der Text des Chorales »Durch dein Gefängnis, Gottes Sohn«
entstammt Postels Passion, wo er Arientext ist. Nur ein Wort
der zweiten Zeile und damit den Sinn dieses Textes änderte
Bach: statt »muß« setzte er »ist uns die Freiheit kommen«.
Wie Friedrich Smend als erster überzeugend dargelegt hat,
folgt der musikalische Aufbau der Johannes-Passion einem
genialen formalen Konzept. Der Choral »Durch dein Gefängnis, Gottes Sohn, ist uns die Freiheit kommen« ist der
Mittelpunkt des »Herzstückes« des ganzen Werkes. Um
diesen Choral, der wie eine lapidare Predigt den Sinn des
ganzen Passionsgeschehens erklären soll, sind symmetrisch
wie die Flügel eines barocken Palastes Chöre gleicher oder
sehr ähnlicher musikalischer Gestaltung gruppiert. Jede der
beiden lyrischen Partien »Betrachte« – »Erwäge« und »Eilt,
ihr angefochtnen Seelen« ist mit zwei flankierenden Chören
zu einer Satzfolge gruppiert, diese Satzfolgen entsprechen
einander genau. Anfang und Ende dieses Herzstückes sind
Choräle:

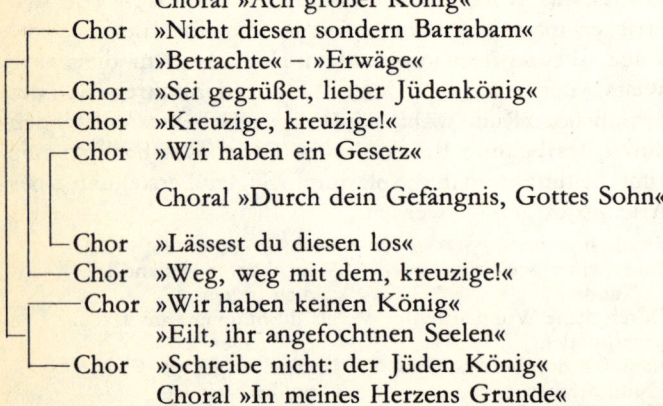

Choral »Ach großer König«
Chor »Nicht diesen sondern Barrabam«
»Betrachte« – »Erwäge«
Chor »Sei gegrüßet, lieber Jüdenkönig«
Chor »Kreuzige, kreuzige!«
Chor »Wir haben ein Gesetz«

Choral »Durch dein Gefängnis, Gottes Sohn«

Chor »Lässest du diesen los«
Chor »Weg, weg mit dem, kreuzige!«
Chor »Wir haben keinen König«
»Eilt, ihr angefochtnen Seelen«
Chor »Schreibe nicht: der Jüden König«
Choral »In meines Herzens Grunde«

Die Teile vor und nach diesem Mittelteil sind natürlich nicht
so absolut konsequent in ihrer Symmetrie, doch sind deutlich
Entsprechungen zu erkennen, die den Charakter eines grandiosen Rahmens unterstreichen: Anfangschor und Schlußchor (der letzte Choral gehört in diesem Sinne nicht dazu,
er soll gleichsam die Gedanken des Christen nach dem
Erleben der Passionslesung darstellen); das Chorpaar »Wäre

230

dieser nicht ein Übeltäter« – »Wir dürfen niemand töten«
steht am Ende des vorderen Rahmenteils, dem der Chor
»Lasset uns den nicht zerteilen« am Anfang des hinteren
Rahmenteils entspricht. Die Häufung der Arien im Anfangs-
und Schlußteil findet so ihre einleuchtende Erklärung.
Dieser gewaltige, architektonisch wunderbar gegliederte
Bau hebt Bachs erstes Passionswerk turmhoch über die
entsprechenden Werke seiner Vorgänger und Zeitgenossen,
die über eine bloße Aneinanderreihung der einzelnen Nummern nicht hinauskommen. Der biblische Passionstext verhält sich ja einer sinnvollen musikalischen Formung gegenüber äußerst spröde, sind doch die gerade für eine hörbare
Gliederung besonders wichtigen Volkschöre keineswegs
nach musikalisch-formalen Gesichtspunkten angeordnet.
Trotz dieser äußerst schwierigen Bedingungen schuf Bach
ein Werk, das nicht nur tiefste musikalische Aussage im
Detail, sondern auch einen überzeugenden monumentalen
Gesamtaufbau zeigt.

Bach hat seine Johannes-Passion im Laufe seines Leipziger
Wirkens etwa viermal aufgeführt. Bei jeder Aufführung
änderte er einiges. Oft handelte es sich dabei um Verbesserungen, manchmal auch um bloße Anpassungen an neue
Gegebenheiten. Diese Änderungen sind uns in verschiedenen Stimmen, die von den Aufführungen Bachs erhalten
sind, überliefert. Sie geben uns eine ziemlich klare Vorstellung, wie er seine Wünsche den praktischen Möglichkeiten
anpaßte. Die endgültige Fassung des Werkes hat er in einer
Partitur niedergelegt, die in seinen letzten Lebensjahren
geschrieben wurde. Die ersten zwanzig Seiten schrieb er
selbst, das übrige schrieb einer seiner Schüler. In diesem Teil
findet man zahlreiche Verbesserungen von seiner Hand.

Da das Bach zur Verfügung stehende Orchester zum Teil aus
Studenten bestand und so ständig in seiner Zusammensetzung wechselte, mußte er die Instrumentation immer wieder
den neuen Verhältnissen anpassen: Statt der Oboen da Caccia
nahm er einmal Oboen d'Amore, statt der Violen d'Amore
sordinierte Violinen, statt der Laute einmal ein Cembalo, ein
anderes Mal die Orgel; das waren natürlich Notlösungen, um
das Werk überhaupt aufführen zu können; sie wurden wieder

rückgängig gemacht, wenn sie nicht mehr nötig waren. Außerdem brachte Bach aber einige echte Verbesserungen an: Er ließ bei allen Chören und bei einigen Arien ein Fagott mit den Celli mitspielen, zur Tenorarie »Ach mein Sinn«, die zuerst nur von Streichern begleitet wurde (auch heute merkwürdigerweise meist), schrieb er »Tutti li strumenti«, das heißt, es sollen alle Instrumente mitspielen, aber, nach einer erhaltenen Fagottstimme zu schließen, wohl nur die Einleitung, die Zwischenspiele und das Nachspiel. Die in dieser Arie sehr genaue Bezeichnung mit forte und piano kann nur, wie in jener Zeit häufig, als Tutti (mit Bläsern) und Soli (nur Streicher) gemeint sein. In den Chören »Sei gegrüßet, lieber Jüdenkönig« und »Schreibe nicht: der Jüden König« ließ er die das Volksgejohle darstellenden Flöten und Oboen, die in dieser für die damaligen Blasinstrumente schwierigen Tonart nicht laut genug gewesen wären, von einigen, »nicht allen« Violinen verstärken.

Man hat in den letzten hundert Jahren viel darüber nachgedacht, wieweit für das Continuo Orgel oder Cembalo verwendet wurde und verwendet werden soll. Wenn die Diskussion darüber auch kaum je verstummen wird, so nimmt man doch heute als ziemlich sicher an, daß Bach bei seinen Kirchenwerken grundsätzlich der Orgel den Vorzug gab, auch für die Rezitative (das Cembalo wurde als »weltliches« Instrument vor allem in der Oper und zur Kammermusik verwendet), daß er aber in Notfällen, wenn eine Orgel ausfiel (bei einer Wiederholung der Matthäus-Passion), oder wenn er keine Laute hatte (bei der zweiten oder dritten Aufführung der Johannes-Passion), das in den Leipziger Kirchen ohnehin vorhandene Cembalo spielen ließ.

Auch über die Frage, ob die Choräle von der Gemeinde mitgesungen wurden oder von Chor und Orchester allein ausgeführt wurden, gab es in der Musikwissenschaft heiße Diskussionen. Eine endgültige Entscheidung war hier umso schwieriger, als man heute weiß, daß an manchen Orten, etwa in Hamburg, zu jener Zeit die allerdings dort betont einfach gesetzten Choräle mitgesungen wurden. Es ist unvorstellbar, daß Bachs Choräle von der Gemeinde mitgesungen wurden. Sie waren in den gedruckten Textbüchern der Passionen gar nicht enthalten. Die Gemeinde hätte auch gar nicht mitsingen können, weil die Choräle im Tonumfang zu verschieden sind, manche sind für einen Volksgesang viel zu hoch. Außerdem könnten die raffinierten Verzierungen Bachs, die bei jedem Choral anders sind, nicht mitgesungen werden. Es ist für einen musikalisch gebildeten Menschen völlig undenkbar, daß die unglaublich feine und oftmals äußerst komplizierte harmonische und rhythmische Struktur der Bachschen Choräle dazu verurteilt gewesen wäre, vom Gemeindegesang überflutet und zerstört zu werden. Man bedenke auch, welch fehlerhafte und verpönte Harmonien durch das Oktavensingen (im Gemeindegesang singen die Männer die Melodie eine Oktave tiefer mit, unterschreiten sogar gelegentlich den Baß!) in diesen wunderbaren Tonsätzen entstünden! Diese Choräle waren niemals Gemeindegesang, wohl aber *symbolisieren* sie im Gesamtwerk der Passionskomposition die Gemeinde. Die Beschreibung, die der sächsische Pastor Christian Gerber in seiner »Historie der Kirchen Zäremonien in Sachsen« 1732 veröffentlichte, hat man mehrmals, sicherlich zu Unrecht, auf eine Bach-Passion gemünzt. Gerber schrieb dort: »Bisher hat man gar angefangen, die Paßions-Historia, die sonst so fein de simplici et plano, schlecht (schlicht) und andächtig abgesungen wurden, mit vielerley Instrumenten auf das künstlichste zu musiciren, und bißweilen ein Gesetzgen aus einem Paßions-Liede einzumischen, da die gantze Gemeine mitsinget, alsdenn gehen die Instrumenta wieder mit Hauffen. Als in einer vornehmen Stadt (wohl Dresden) diese Paßions-Music mit zwölf Violinen, vielen Hautbois, fagots und anderen Instrumenten mehr, zum erstenmal gemacht ward, erstaunten viele Leute darüber und wußten nicht, was sie daraus machen solten. Auf einer Adelichen Kirch-Stube waren viel hohe Ministri und Adeliche Damen beysammen, die das erste Paßionslied aus ihren Büchern mit grosser Devotion sungen: Als nun diese theatralische Music anging, so geriethen alle diese Personen in die größte Verwunderung...« Bachs Musik wurde zu seiner Zeit wohl kaum als theatralisch oder opernhaft empfunden, hingegen als sehr anspruchsvoll; er selbst hätte »theatralische« Musik in der Kirche niemals geduldet. Außerdem war er vertraglich ausdrücklich dazu verpflichtet, »die Musik dergestalt einzurichten, daß sie nicht opernhafftig herauskommen, sondern die Zuhörer vielmehr zur Andacht aufmuntere«. Die »Adelichen Damen« in Dresden wurden also wohl von einer ganz anderen Musik schockiert.

Bach hatte zur Aufführung seiner Werke in Leipzig ein ziemlich zusammengewürfeltes Ensemble. Für die Passionsaufführungen stand ihm ein Chor von höchstens vierundzwanzig Sängern, Knaben und Jünglingen, unter denen sich auch die Solisten befanden, zur Verfügung. Dieser Chor wechselte, wie alle Knabenchöre, ständig in seiner Zusammensetzung. Ein Altist oder Sopranist kann ja bis zu seinem Stimmwechsel höchstens drei bis vier Jahre singen, da es vorher einer gründlichen Ausbildung bedarf.

Es ist anzunehmen, daß jene Gruppe der Thomaner, die Bach für die großen und schwierigen Aufgaben heranzog, von ihm zu einem erstklassigen Instrument geformt worden war, das seine Intentionen weitgehend realisieren konnte. Da die damaligen Chöre ausschließlich Musik ihrer Zeit sangen, gab es für sie kaum stilistische Probleme. Das ständige Singen komplizierter doppelchöriger Motetten, das einen Großteil des Dienstes der Thomaner ausmachte, war eine ausgezeichnete Übung virtuosen polyphonen Chorgesangs. Die heute als besonders schwierig empfundenen Koloraturen waren damals wohl jedem geschulten Chorknaben geläufig.

Das Instrumentalensemble setzte sich aus Stadtpfeifern (den offiziellen Musikern des Leipziger Rats), älteren Thomasschülern und Universitätsstudenten zusammen. Da Bach viele Jahre lang das von Telemann gegründete studentische Collegium musicum leitete, konnte er die besten Musiker dieser Gruppe zur Verstärkung heranziehen. Es gab allerdings auch Zeiten, in denen ihm, vor allem aus Geldmangel, nicht genügend gute Musiker zur Verfügung standen. Eine Klage Bachs über solche Zustände ist sein »Kurtzer, jedoch höchst nöthiger Entwurff einer wohlbestallten Kirchenmusik«. Hier sind die Besetzungswünsche Bachs genau niedergelegt. Die beschriebene Idealbesetzung von je drei

1. und 2. Geigen (Bachs Vorgänger Kuhnau hatte gelegentlich vier), zwei Bratschen, zwei Celli, einem Kontrabaß, drei Oboen, Fagott und nach Bedarf Flöten, Trompeten und Pauken erscheint uns klein (sie entspricht übrigens in ihren Proportionen genau der noch 1752 von Quantz geforderten Zusammenstellung »... zu acht Violinen gehören: zwo Bratschen, zweene Violoncelle, ein Contraviolon, zweene Hoboen, zwo Flöten ...«), wir müssen aber bedenken, daß auch der Chor, gemessen an heutigen Oratorienchören, klein war, daß auf den Kirchenemporen nur sehr wenig Platz war, vor allem aber, daß die klangliche Einheit von Chören, Arien und Rezitativen, die Bach sehr wichtig war, durch eine große Besetzung arg verzerrt worden wäre. Auch verstärkte und verschmolz die Akustik der Kirche den Klang. In vielen Beschreibungen kann man lesen, wie wichtig den Komponisten jener Zeit die Abstimmung ihrer Werke und auch der Besetzungen auf die Räume war. Bachs feines Gefühl für Raumakustik ist sogar ausdrücklich überliefert, so schreibt sein erster Biograph Forkel, der diese Nachricht von Philipp Emanuel Bach hatte: »Ueberhaupt entging dem scharfen Blicke seines Geistes nichts, was nur irgend auf seine Kunst Beziehung hatte, und zur Entdeckung neuer Kunstvortheile genutzt werden konnte. Seine Achtsamkeit auf die Ausnahme großer Musikstücke an Plätzen von verschiedener Beschaffenheit, sein sehr geübtes Gehör, mit welchem er in der vollstimmigsten und besetztesten Musik jeden noch so kleinen Fehler bemerkte ...«

Dieser feine Klangsinn Bachs ist auch die Ursache seiner subtilen und abwechslungsreichen Instrumentation. In jeder Arie der Johannes-Passion wirken andere Instrumente mit. Raffinierte Klangkombinationen, wie Laute und Violen d'Amour oder Querflöte und Oboe da Caccia, unterstreichen den Affekt der betreffenden Arien. Der Affekt, der musikalisch-sprechende Ausdruck, war ja ein wesentliches Gestaltungsprinzip der Barockmusik und Gegenstand einer komplizierten Lehre. Bachs musikalische Ausdeutung der Texte reicht von rhetorisch-eindringlicher Predigt ganzer Sätze (Tenorarie »Ach mein Sinn«) bis zu isolierter Malerei einzelner Worte; sie umfaßt aber auch die gesamte Symbolsprache jener Zeit: musikalisch-bildliche Symbole, wenn durch eine musikalische Phrase eine bildliche Vorstellung geweckt werden soll – Aufsteigen oder Absteigen, Wasser-wogen, Geißelhiebe; Symbole, die aus dem Notenbild hervorgehen, wie der in Noten dargestellte Regenbogen in der Arie Nr. 23

oder auch Zahlensymbole der verschiedensten Bedeutung. So manifestiert sich in Bachs Werken eine schier unfaßbare Mannigfaltigkeit.

Eine lebendige Beschreibung einer Probe zu einem großen Werk hat uns Johann Matthias Gesner, Rektor der Leipziger Thomasschule von 1730 bis 1734, hinterlassen: »Dies alles würdest Du, ..., völlig unerheblich nennen, wenn Du ... Bach sehen könntest – um nur ihn anzuführen, denn er war vor nicht allzu langer Zeit mein Kollege an der Leipziger Thomasschule; wie er mit beiden Händen und allen Fingern etwa unser Klavier spielt, ... oder jenes Grund-Instrument, dessen zahllose Pfeifen von Bälgen angeblasen werden, wie er hier mit beiden Händen, dort mit schnellen Füßen über die Tasten eilt ... sondern auf alle zugleich achtet und von 30 oder gar 40 Musizierenden diesen durch ein Kopfnicken, den nächsten durch Aufstampfen mit dem Fuß, den dritten mit drohendem Finger zu Rhythmus und Takt anhält, ... wie er ganz allen mitten im lautesten Spiel der Musiker, obwohl er selbst den schwierigsten Part hat, doch sofort merkt, wenn irgendwo etwas nicht stimmt; wie er alle zusammenhält ...; wie er den Takt in allen Gliedern fühlt, die Harmonien alle mit scharfem Ohre prüft, allein alle Stimmen mit der eigenen begrenzten Kehle hervorbringt ... glaub' ich doch, daß Freund Bach allein, ... den Orpheus mehrmals ... über-trifft.« Bachs Sohn Philipp Emanuel und sein Schüler Johann Friedrich Agricola schrieben: »Im dirigieren war er sehr accurat, und im Zeitmaße, welches er gemeiniglich sehr lebhaft nahm, überaus sicher.« 1758 schrieb Jacob Adlung: »Diejenigen scheinen Recht zu haben, welche viel Künstler gehört, aber doch alle bekennen, es sey nur ein Bach in der Welt gewesen.«

Die Matthäus-Passion

Unmittelbar nachdem Bach sein erstes großes Passionsorato-
rium, die Johannes-Passion, vollendet hatte, begann er an der
Matthäus-Passion zu arbeiten. Diese Arbeit erstreckte sich
über mehrere Jahre und war selbst bei der Uraufführung am
Karfreitag 1729 noch keineswegs abgeschlossen. Zwar sind
weder Partitur noch Stimmen dieser Aufführung erhalten,
doch weisen unübersehbare Indizien darauf hin, daß das
Werk, wie wir es kennen, wie es uns in einer prachtvoll
angelegten autographen Partitur und einem vollständigen,
größtenteils autographen Stimmensatz überliefert ist, erst
durch eine ganze Reihe von Überarbeitungen und Umstellungen in seine endgültige Form gebracht wurde. Da die
Kenntnis der Architektur des Werkes zum besseren Verständnis beiträgt, soll der Aufbau in seinen verschiedenen
Phasen hier kurz geschildert werden. (Ich folge dabei im
wesentlichen den überzeugenden Darlegungen Friedrich
Smends.)
Die Johannes-Passion ist, ähnlich wie viele Instrumental-
werke Bachs aus der Köthener Zeit, symmetrisch um einen
Mittelpunkt herum gebaut. Zunächst lag es nahe, dieses so
erfolgreiche Prinzip, das der Johannes-Passion eine über-
zeugende Geschlossenheit und eine übersichtliche Architektur gegeben hatte, auch auf das neue Werk anzuwenden.
Tatsächlich hatte Bach die zuerst komponierten Sätze in
diesem Sinne angeordnet. Als Textunterlage für die madrigalischen Teile benutzte er Picanders »Erbauliche Gedancken
auf den Grünen Donnerstag und Carfreitag . . . 1725«. Diese
Texte änderte er allerdings an vielen Stellen.
Um die Symmetrieachse, den Schwerpunkt des Werkes
festzulegen, bot sich die einzige Stelle in der Passionserzäh-
lung des Matthäus, die wörtlich wiederholt wird, an: der Ruf
des Volkes »Laß ihn kreuzigen«. Der architektonische
Mittelpunkt in diesem ersten Konzept des Werkes befindet
sich tatsächlich dazwischen:

Choral: »Wie wunderbarlich ist doch diese Strafe«
Evangelist: »Der Landpfleger sagte«
Pilatus: »Was hat er denn Übels getan?«
Sopran: »Er hat uns allen wohlgetan«
    »Aus Liebe will mein Heiland sterben.«
Diese Stücke sind in jeder Hinsicht aus dem Gesamtwerk
hervorgehoben, textlich (hier wird der Sinn des unschul-
digen Leidens Jesu dargetan) und musikalisch (durch eine
Instrumentation durchwegs mit Blasinstrumenten in Alt-
und Sopranlage, die eine völlig entrückte Stimmung erzeu-
gen). Außerdem fällt auf, daß dieser zentrale Punkt bei
beiden Passionen genau an der inhaltlich gleichen Stelle liegt,
nämlich bei der Sinnwandlung des Pilatus. Um diesen
Mittelpunkt sind in ganz ähnlicher Weise wie bei der
Johannes-Passion Chöre und Arien gebaut, die in hohem
Maße musikalisch aufeinander abgestimmt wurden, sodaß
ein klar überschaubarer Rahmenbau entstand.

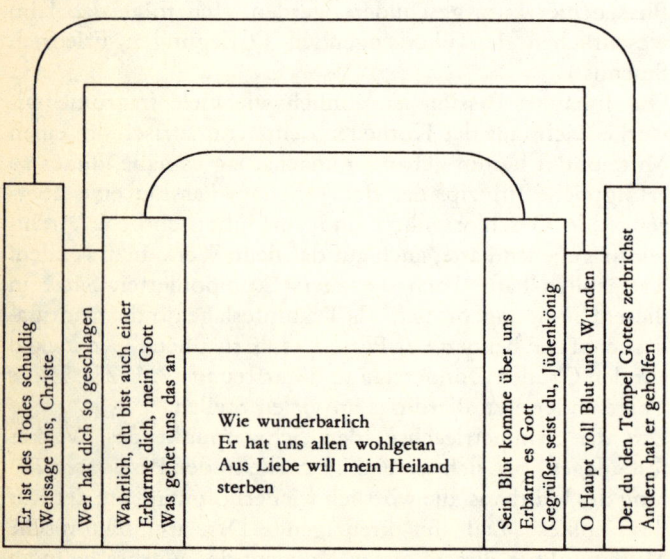

Die übrigen dazwischen liegenden Sätze (»Gebt mir meinen
Jesum wieder«, »Befiehl du deine Wege«, »Können Tränen
meiner Wangen«, »Ja, freilich will in uns das Fleisch und

Blut«, »Komm, süßes Kreuz«) waren in diesem ersten Konzept noch nicht enthalten. Auch der Rahmen des Gesamtwerkes, die Teile vor und nach diesem symmetrischen Mittelblock, war in ähnlicher Weise gestaltet wie bei der Johannes-Passion.

Es ist wahrscheinlich, daß Bach die Arbeit an der Matthäus-Passion dann für mehrere Jahre einstellte. Als er sie wieder aufnahm, hatte er ein gänzlich neues Konzept. Picander hatte seine Dichtung, wohl in Zusammenarbeit mit Bach, um viele Arien erweitert, einige von diesen legte der Komponist nun zwischen die bereits fertigen Teile und zerstörte so die ursprüngliche Symmetrie, sie war offenbar unwesentlich geworden. Vier weitere Choralstrophen nach der Melodie »Herzlich tut mich erfreuen« (»O Haupt voll Blut und Wunden« war bis dahin die einzige gewesen) wurden eingefügt, jede um einen Ton tiefer, bis zum Tod Christi, dem nunmehrigen Zentralpunkt, auf den das ganze Werk zustrebt. »Erkenne mich, mein Hüter« in E-Dur, »Ich will hier bei dir stehen« in Es-Dur, »Befiehl du deine Wege« in D-Dur und »Wenn ich einmal soll scheiden« in C-Dur. In diesen letzten Choral legte er alle Tiefe persönlichster und ergriffenster Gefühle zum Tod Christi. Niemals vorher war ein Choraltext in derart emotionsgeladenen Harmonien musikalisch ausgelegt worden. Dieser Choral und die Worte der Menschen um den Hauptmann, »Wahrlich, dieser ist Gottes Sohn gewesen« – die hier und so gesetzt den Anfang und den Sinn christlichen Glaubens verständlich machen sollen, als Ergebnis des Passionsgeschehens – sind das nunmehrige Herzstück des Werkes.

Den Schlußchor des ersten Teiles, die Choralphantasie »O Mensch bewein dein Sünde groß«, hatte Bach ursprünglich als Anfangschor für die Johannes-Passion komponiert. Nach der endgültigen Überarbeitung dieses Werkes wurde sie durch den Chor »Herr unser Herrscher« ersetzt. Es ist wahrscheinlich, daß Bach sie schließlich deshalb in die Matthäus-Passion einbaute, weil dieser herrliche Satz sonst als Torso verlorengegangen wäre; hier aber paßt er genau hinein.

Die Doppelchörigkeit

Das auffallendste Merkmal der Matthäus-Passion ist die Zweichörigkeit. Wenn man die enormen Schwierigkeiten bedenkt, die Bach überwinden mußte, um seine großen Werke aufzuführen, kann man ermessen, wie wichtig ihm die Doppelchörigkeit gewesen sein muß, wenn er sie trotzdem fordert. Es war schon schwer genug, in Leipzig eine einfache Orchesterbesetzung mit etwa drei 1. und drei 2. Violinen und mit den notwendigen Bläsern zusammenzubringen, hier aber mußte alles zweifach vorhanden sein. Nicht geringer müssen die Probleme hinsichtlich des Chores und der Solisten gewesen sein. Bach bemühte sich ja ständig, den leistungsfähigen Teil seines Chores zu vergrößern, damit er wenigstens zwei oder drei gute Sänger je Stimme einsetzen konnte. Warum hat er es sich hier zusätzlich so schwer gemacht?

Dazu ein paar Worte über die Doppelchörigkeit. Schon der alte antiphonale Gesang in der Liturgie, zwischen Vorsängern und Choralschola, oder auch mehreren Gruppen, oder zwischen Klerikern und Volk, ist im Prinzip doppelchörig – es singen mehrere an verschiedenen Stellen der Kirche aufgestellte Chöre oder Solisten abwechselnd. Die Eindringlichkeit dieser Gesangsart ist besonders groß, wenn etwa die Worte des Vorsängers durch eine große Gruppe wiederholt werden oder wenn mehrere Gruppen sich gleichsam in einem enormen Dialog gegenseitig zusingen. Durch diese Singart wurde dem Kirchenvolk eine lebendige Teilnahme ermöglicht. Es ist kein Wunder, daß diese so überaus festliche und eindringliche Gesangsweise auch von der Kunstmusik aufgegriffen wurde. Um 1550 schrieb der Niederländer Adrian Willaert in Venedig für die Markuskirche seine berühmten »Salmi spezzati«, auf zwei Chöre verteilte Psalmkompositionen. Dieses Werk gilt als der erste große und systematische Versuch mit der Doppelchörigkeit, es begründete die Hochblüte dieser Schreibart in den folgenden hundert Jahren in Venedig. Sicherlich spielte dabei auch der Bau der Markuskirche mit ihrem kreuzförmigen Grundriß und ihren einander gegenüberliegenden Emporen eine Rolle. Der Hauptsinn der Doppelchörigkeit, oder besser der Mehrchörigkeit (bald wurden immer zahlreichere

Klangkörper an den verschiedensten Stellen der Kirchen aufgestellt), war wohl die unerhörte Festlichkeit, die den gesamten Raum aus allen Richtungen klingen machte; ein riesenhafter Dialog, eine echt barocke Idee. Diese Kompositionsweise verbreitete sich sehr schnell, es entstand geradezu ein eigener Stil der mehrchörigen Komposition, nicht nur für die Vokalmusik, sondern auch für Instrumentalmusik. Dabei wurden oft kleinere Gruppen, ja sogar einzelne Solisten großen Orchestern oder Sängerchören gegenübergestellt. Das barocke Concerto, das Miteinander- und Gegeneinander-Musizieren von Solisten und Tuttigruppen, hat hier eine seiner wichtigsten Wurzeln. Eines der ausladendsten Werke dieser Gattung war die berühmte Salzburger Festmesse, die lange Zeit Orazio Benevoli zugeschrieben war (zur Einweihung des Salzburger Domes 1628), die aber wohl erst um 1670 von einem Salzburger Komponisten geschrieben worden war: Ihre dreiundfünfzig Stimmen waren auf zwölf verschiedene Chöre aufgeteilt. Im 17. Jahrhundert wurden auch außerhalb Italiens überall mehrchörige Werke komponiert, in England, Frankreich, Österreich, Deutschland. Ihr Hauptzweck war, in barocker Prachtentfaltung und Theatralik, meist zu besonders festlichen Anlässen, das Dialoghafte der Musik phantastisch multipliziert darzustellen.

Als Bach seine Matthäus-Passion komponierte, war die Mode der Mehrchörigkeit schon abgeklungen, musikalische Qualitäten anderer Art hatten diese Effekte verdrängt. Bach selbst hatte wohl einige doppelchörige Motetten geschrieben, zumeist für festliche Trauerpredigten zum Tod hochgestellter Persönlichkeiten in Leipzig; die Doppelchörigkeit diente dabei aber lediglich der klanglichen Auffächerung und Bereicherung, es sollte also die Festlichkeit unterstrichen werden.

Bei der Matthäus-Passion ist von allem Anfang an wieder etwas anderes maßgebend: der Dialogcharakter. Er liegt auch der Dichtung Picanders zugrunde. Natürlich ist auch in diesem größtdimensionierten Werk Bachs die Entfaltung der denkbar reichsten musikalischen Mittel sicherlich ein Hauptgrund für diese Kompositionsweise. Die Doppelchörigkeit ist aber hier nicht nur als prächtiges Klangspiel eingesetzt, sondern sie soll den Passionstext und die betrachtende dialogische Dichtung als großartiges musikalisches Zwiegespräch zweier Klanggruppen musikalisch-rhetorisch gestalten. Picanders Text über die Passionsgeschichte nach Matthäus ist ein betrachtendes Zwiegespräch der Tochter Zion mit den Gläubigen. Die Tochter Zion, eine Personifizierung Jerusalems im Alten Testament (bei Jesaia), wird von den Christen als Symbol der Kirche gesehen, als Braut des Herrn. Bach hatte ursprünglich wohl alle der »Tochter Zion« in den Mund gelegten Textstellen solistisch singen lassen, so vor allem auch den 1. Chor des Eingangschores. Später hat er das Allgemeine dieser Gestalt stärker hervorgehoben, sie ist nun keine greifbare Persönlichkeit mehr. So konnte er ihre Worte von jedem der Solisten, ja sogar vom Chor singen lassen.

Man kann an den verschiedenen Stadien des Werkes sehen, daß die Doppelchörigkeit, die anfangs nur sehr schwach ausgeprägt war, nach und nach immer mehr in den Vordergrund trat, immer wichtiger wurde. Ursprünglich, wahrscheinlich auch bei der ersten Aufführung in der Thomaskirche 1729, standen wohl die beiden Chöre rechts und links auf der Empore, so konnten sie von einer einzigen Orgel begleitet werden. Bei den Violinsoli in »Erbarme dich« und »Gebt mir meinen Jesum wieder« wurde der Solist des einen Orchesters von den Ripienisten des anderen Orchesters begleitet, das ist nur möglich, wenn sie nicht allzu weit voneinander entfernt stehen. Auch die Gesangssolisten waren aller Wahrscheinlichkeit nach ursprünglich beiden Chören gemeinsam, es gab also nur vier Solisten. Im Laufe der Arbeit wurde die Chortrennung immer radikaler ausgebildet. Bei der zweiten Aufführung im Jahre 1736 wurde nach dem Bericht des Küsters Rost in »St. Thomae bei beyden Orgeln« musiziert, das heißt, die beiden Chöre mit ihren Orchestern standen einander am Ost- und Westende der Kirche gegenüber. Dabei war es unbedingt notwendig, daß jedes Orchester ein eigenes Continuoinstrument bekam. Nun wurden auch die Violinsoli jeweils einem Orchester eingefügt, und, als wichtigster und letzter Schritt, jeder Chor erhielt ein eigenes und vollständiges Solistenquartett. Bei der Aufteilung auf die beiden Chöre gab Bach die Worte der

Tochter Zion grundsätzlich dem 1. Chor, die der Gläubigen dem 2., der Evangelist und Christus gehören zum 1. Chor. Auch bei den einchörigen Arien und Chören ist dieses Prinzip beibehalten. Die Arien und Rezitative des 1. Chores werden gleichsam von der Tochter Zion gesungen (»Du lieber Heiland du – Buß und Reu«, »Wiewohl mein Herz in Tränen schwimmt – Ich will dir mein Herze schenken«, »Erbarme dich«, »Er hat uns allen wohlgetan – Aus Liebe will mein Heiland sterben«, »Ja freilich will in uns das Fleisch und Blut – Komm, süßes Kreuz«, »Mache dich mein Herze rein«). Die Arien des 2. Chores werden von verschiedenen Personifikationen der Gläubigen gesungen (»Blute nur, du liebes Herz«, »Der Heiland fällt vor seinem Vater nieder – Gerne will ich mich bequemen«, »Mein Jesus schweigt zu falschen Lügen stille – Geduld«, »Gebt mir meinen Jesum wieder«, »Erbarm es Gott – Können Tränen meiner Wangen«). Niemals hat Bach Arien bestimmten konkreten Personen zugedacht, etwa dem Petrus »Erbarme dich« oder Judas »Gebt mir meinen Jesum wieder«. Eine solche Einstellung würde das ganze Werk theatralisieren. Die Handlung wird ausschließlich vom Evangelientext getragen, alle madrigalischen Teile sind Betrachtungen aus dem Geist der Situation, die stets allgemeingültig gemeint sind. Bach hat sogar dort, wo Arientexte in der Dichtung von biblischen Personen gesprochen werden, diese Stellen entweder weggelassen oder umgedichtet.

Die Doppelchörigkeit ist also im madrigalischen Teil der Matthäus-Passion ein wesentlicher Bestandteil des musikalischen und dichterischen Konzepts. Wie fügen sich nun die biblischen Texte in diesen Plan? Diese Frage betrifft in der Hauptsache die Chöre der Jünger, Juden und Hohenpriester, da die sprechenden Personen von Haus aus dem 1. Chor zugewiesen wurden – lediglich die beiden falschen Zeugen singen aus dem 2. Chor. Die aufgeregten, zum Teil wilden Chöre der Hohenpriester, Ältesten und des Volkes sind doppelchörig, ohne Dialog, hier wird mittels der von allen Seiten erklingenden Rufe und Schreie der Eindruck einer wilden Volksmenge erzielt (»Ja nicht auf das Fest / Er ist des Todes schuldig / Weissage / Was gehet uns das an / Laß ihn kreuzigen / Sein Blut komme über uns und unsre Kinder / Gegrüßet seist du / Der du den Tempel Gottes zerbrichst / Andern hat er geholfen / Herr wir haben gedacht«). Wo kleinere Gruppen sprechen, singt nur ein Chor; die Jünger werden grundsätzlich vom 1. Chor dargestellt (»Wozu dienet dieser Unrat / Wo willst du / Herr, bin ichs«). Die kleine, Petrus herausfordernde Gruppe im Palast des Hohenpriesters wird vom 2. Chor gesungen (»Wahrlich, du bist auch einer von denen«). Zwei kurze Chöre werden dramaturgisch verteilt, »Etliche« singen (1. Chor): »Der rufet dem Elias«, die »Andern« darauf (2. Chor): »Halt, laß sehen«. – Alle Sätze, die die Gemeinsamkeit aller Christen ausdrücken, werden von beiden Chören gemeinsam gesungen. Diese Sätze sind also tatsächlich einchörig. Bach unterstreicht dies durch die Notation in seiner Partitur: Während alle Doppelchöre, auch solche, in denen die beiden Chöre praktisch identisch sind, von Bach in zwei getrennten Systemen ausgeschrieben wurden, sind alle Choräle, die Choralbearbeitung »O Mensch, bewein dein Sünde groß« und »Wahrlich, dieser ist Gottes Sohn gewesen« nur einfach notiert.

Man sieht also, die Doppelchörigkeit war dem Komponisten außerordentlich wichtig, und er nahm große technische Schwierigkeiten auf sich, um sie konsequent durchführen zu können. Das von ihm selbst geschriebene Notenmaterial zeigt genau, was Bach von wem gespielt und gesungen haben wollte. So wäre es gänzlich unmöglich gewesen, die Gesangssoli des 1. und 2. Chores von denselben Sängern singen zu lassen, weil sie nur in den Chorstimmen des jeweiligen Chores stehen. Ebenso unmöglich wäre es, Instrumentalsoli – etwa die beiden Gambensoli – von einer Stelle aus zu musizieren oder einen Continuospieler beide Chöre begleiten zu lassen; in den jeweiligen, sehr sorgfältig geschriebenen und bezifferten Stimmen stehen bei den Stücken des anderen Chores nur Pausen.

Die Doppelchörigkeit ist aber auch ein Problem der Akustik. Es ist bekannt, daß Bach mit den Fragen der Raumakustik innig vertraut war, und es war zu seiner Zeit noch eine musikalisch-handwerkliche Selbstverständlichkeit, daß man etwa die Schnelligkeit von Harmoniewechsel und Modulationen der Nachhallzeit des Raumes anpassen mußte. Diese Anpassung an den Raum ist natürlich bei einem doppelchörigen Werk mit weit auseinanderliegender Choraufstellung, bei der die Raumakustik in besonderem Maße an der Aufführung mitwirkt, besonders wichtig. Eine gotische Kirche mit halliger Akustik muß die Wirkung eines solchen, dicht harmonisierten Werkes zerstören. Die Thomaskirche in Leipzig hat heute eine ziemlich hallige Akustik, diese wurde gelegentlich von Musikwissenschaftlern als Indiz für sehr langsame Tempi herangezogen. Zur Zeit Bachs hatte sie aber Holzverkleidungen, sodaß sie, wie Berechnungen ergaben, mit einigen hundert Menschen besetzt etwa soviel Nachhall hatte wie ein sehr guter Konzertsaal. Sie war also ideal geeignet für die harmonisch komplizierten Werke Bachs, insbesondere auch für die hohen Anforderungen an Klarheit bei der Matthäus-Passion.

Die totale musikalische Chortrennung ist nur dann sinnvoll, wenn die beiden Chöre auch räumlich total getrennt sind. Wenn sie, wie bei den üblichen Passionsaufführungen, im Konzertsaal dicht nebeneinander, ja oft ineinander verschachtelt, aufgestellt sind, dann ist auch die Bachsche Solistenverteilung sinnlos. Es singt ja auch heute fast stets ein Solistenquartett die Soli des 1. und 2. Chores. Allerdings ist dann auch die Aufteilung auf zwei Orchester und Chöre belanglos, da der Hörer, wenn er nicht in der ersten Reihe sitzt, gar keinen Unterschied der Richtung, aus der der Schall kommt, wahrnehmen kann.

Zum Text

Wenn man nicht nur den Notentext, sondern auch den literarischen Text mit Hilfe der autographen Partitur und der Stimmen neu revidiert und korrigiert, treten zahlreiche Differenzen zum üblicherweise gesungenen Text zutage. Meiner Ansicht nach soll man den Originaltext singen, auch dort, wo ungewohnte, heute nicht mehr gebräuchliche Abwandlungen von Worten vorkommen. Schließlich waren ja schon bisher eine ganze Reihe solcher Worte in der Matthäus-Passion stets gesungen worden, etwa »Ihr *wisset,* daß nach *zween* Tagen Ostern wird«. Die Beibehaltung

einzelner derartiger Formen und die Modernisierung anderer, wie es heute allgemein praktiziert wird, erscheint mir
inkonsequent. Die Matthäus-Passion ist auf diesen Text in
der Diktion, Aussprache und mit den Interpunktionen des
persönlichen Sprachgebrauches komponiert und muß wohl
heute auch so aufgeführt werden. Der wichtigste Unterschied steht in der zweiten Strophe des Chorales »O Haupt
voll Blut und Wunden«, wo es heißen muß und auch bei Bach
heißt: »das große *Weltgewichte* wie bist du so bespeit«. Dieser
Text ist richtig, »das große Weltgerichte« (wie üblicherweise
immer noch häufig gesungen wird) ist eine Verfälschung und
Sinnstörung des Originaltextes. Auch die Interpunktionszeichen sind eben nicht nach der modernen Grammatik oder
dem »Duden« gesetzt, sondern nach dem freieren Gebrauch
des 18. Jahrhunderts. Dies ist für die Aufführung wichtig,
weil sie sehr oft in die Komposition einbezogen sind.

Bemerkungen zu einzelnen Sätzen
Das Werk beginnt in e-Moll, einer Tonart, die Mattheson –
ein Musiker und Musikschriftsteller der Bach-Zeit – ». . . sehr
pensif, tieffdenkend, betrübt und traurig zu machen, doch
so, daß man sich noch dabey zu trösten hoffet . . .« nennt.
Diese Charakterisierung stimmt wie viele der Mattheson-
schen Tabelle genau mit Bachs Anwendung überein. – Es ist
interessant, daß Bach sich zum Thema des Eingangschores
offenbar von einem Tombeau (Trauermusik) von Marin
Marais, dem Hofgambisten Ludwigs XIV., inspirieren ließ –
die Übereinstimmung ist unverkennbar. Man weiß ja, daß er
eine hohe Meinung von den französischen Komponisten
hatte und sich über deren Publikationen auf dem laufenden
hielt. So ist es sehr wahrscheinlich, daß er sich die gedruckten
Gambenwerke Marais' besorgte. Noch ein zweites Indiz
spricht für die Bekanntschaft mit den Werken Marais': Keine
der Bachschen Kompositionen für die Gambe ist, von der
Spieltechnik her gesehen, eigentlich gambenmäßig geschrieben. Die Gambe diente ihm in vielen seiner Werke als
besondere, zärtliche oder traurige Klangfarbe, mit der
wundervolle Kontraste zu den übrigen Streichinstrumenten
und zu den Bläsern, vor allem zu den Blockflöten, zu erzielen

sind. In den beiden Gambenarien der Matthäus-Passion, vor allem in der des 1. Chores »Komm, süßes Kreuz«, wird das Instrument in echt französischer Solistenmanier eingesetzt. Der punktierte Rhythmus, die weiten Sprünge, die raffinierten Läufe, vor allem aber die reichen Akkorde sind, gambistisch gesehen, echt französisch. In dieser Art schrieben Forqueray und Marais ihre Gambensoli. Bach muß also ihre Werke gekannt haben, um plötzlich in einem für ihn so gänzlich neuen Stil zu schreiben. – Der Choral des 1. Chores, »O Lamm Gottes unschuldig«, wurde ursprünglich nicht gesungen, sondern nur auf der Orgel oder auf beiden Orgeln in herausgehobener Registrierung (»Rückpositiv Sesquialtera«) gespielt, in einer frühen Fassung sogar mit Bläserverstärkung. Dies ist keineswegs ungewöhnlich, weil die Melodie ja allgemein bekannt war und jeder Hörer sie als Symbol für ein Textzitat verstehen mußte. In der spätesten Version der Matthäus-Passion hat Bach diesen Choral offenbar singen lassen, wahrscheinlich von einer Knabengruppe, die zum figurierten Gesang noch nicht geeignet war. Dazu schrieb er eine eigene Stimme: »Soprano in ripieno«, die diesen sowie den Choral »O Mensch, bewein dein Sünde groß« enthält, was also zeigt, daß auch diese Choralphantasie ursprünglich mit einer bedeutend verstärkten Soprangruppe gesungen werden sollte.

Bei den Einsetzungsworten »Trinket alle daraus«, ». . . des Neuen Testaments« und »zur Vergebung der Sünden« spielt die Violine ein charakteristisches Motiv, das wohl eine den Kelch zeigende Geste darstellen soll.

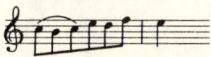

Dieses Motiv wird in der folgenden betrachtenden Arie von den Oboen d'Amore übernommen, gleichsam den Kelch hochhebend, um ihn den Gläubigen zu zeigen.

Beim Dialog »Ich will bei meinem Jesu wachen – so schlafen unsre Sünden ein« zeigt sich wieder besonders schön das Verständnis der alten Tonartenlehre: »c-moll ist ein überaus lieblicher, dabey auch trister Thon . . . soll es eine Pièce sein, die den Schlaff befördern muß . . .« Auch im Schlußchor

(Antwort des 2. Chores) »Ruhe sanfte, sanfte ruh« ist der gleiche Affekt in c-Moll ausgedrückt.

Die Choräle sind, wie immer bei Bach, sehr individuell harmonisiert, wobei oftmals jedes Wort ausdrucksmäßig-harmonisch ausgelegt wird. Bach hat dieses Prinzip schon seit seiner Jugend bei der Choralbegleitung in der Kirche angewandt, ist uns doch eine Kritik an seinem Orgelspiel in Arnstadt 1706 überliefert: ». . . daß er bißher in dem Choral viele wunderliche variationes gemachet, viele frembde Thone mit eingemischet, daß die Gemeinde darüber confundiret worden.« Diese Kritik zeigt uns allerdings auch, wie aufmerksam die damaligen Hörer waren und wie alles, was vom Gewohnten abwich, sofort bemerkt wurde.

In der Choralphantasie »O Mensch, bewein dein Sünde groß« wird das Kreuzmotiv

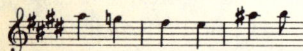

immer wieder von der Violine und Oboe angestimmt, ein imaginäres Kreuz steht über dem ganzen Chor. Da dieser Chor als Eingangschor der Johannes-Passion komponiert worden war, sollte dieses Werk gleichsam mit einem grandiosen Kreuzbild eröffnet werden. In der Matthäus-Passion dient der Satz zwar als monumentaler Abschluß des ersten Teiles (vor der Predigt), doch ist die Kreuzsymbolik an dieser Stelle nicht so zwingend. Bach hatte den Chor nun nach E-Dur transponiert, ». . . E-dur drücket eine verzweiflungsvolle oder ganz tödliche Traurigkeit unvergleichlich wohl aus . . .«

Die Arie »Ach, nun ist mein Jesus hin« war ursprünglich für den Baßsolisten bestimmt, erst bei der letzten Umarbeitung nach 1741 wurde sie dem Altisten zugeteilt. Man kann die Korrektur deutlich in der Partitur sehen. Den Text der Gläubigen (2. Chor) in diesem Dialog hat Picander dem Hohenlied Salomonis (5,17) entnommen: »Wo ist denn dein Freund hingegangen . . .«

Die beiden falschen Zeugen sind besonders drastisch geschildert. Der zweite singt mechanisch hinter dem ersten her, als müßte er achtgeben, ihm den vorher eingetrichterten Text

nachzuplappern. – Eigenartig ist die Textverteilung in der
Judasszene. Die Antwort von Hohenpriestern und Ältesten
wird vom Doppelchor gesungen »Was gehet uns das an«, die
Worte der Hohenpriester aber nur von zwei Solisten: »Es
taugt nicht, daß wir sie in den Gotteskasten legen.« Laut
Lukas-Evangelium gab es damals zwei Hohepriester, Han-
nas und Kaiphas; daher wohl die Zweistimmigkeit. Ihre
Worte sind übrigens in Bachs Partitur rot geschrieben, wie
die aller sprechenden *Einzel*personen.

Das Baßrezitativ »Am Abend, da es kühle war« steht in
g-Moll, einer Lieblingstonart Bachs. »g-Moll ist fast der
allerschönste Thon, weil er nicht nur . . . ziemliche Ernsthaff-
tigkeit mit einer munteren Lieblichkeit vermischet, sondern,
eine ungemeine Anmuth und Gefälligkeit mit sich führet.«

Symbolik
Natürlich ist die Matthäus-Passion wie alle großen Werke
Bachs mit Symbolen, Tonmalereien und Zahlenrätseln
durchsetzt. Wenn uns diese Dinge auch heute nur mehr
wenig sagen – alle Arten von Symbolsprachen sind uns
fremd geworden –, so ist es doch wichtig zu wissen, daß diese
Verschlüsselungen nicht nur für Bach persönlich charakteri-
stisch sind, sondern daß sie zum selbstverständlichen Ge-
dankengut der Zeit gehörten. Die Musik wurde damals viel
unmittelbarer als heute als Sprache empfunden, mit unge-
zählten Möglichkeiten des Ausdrucks. Uns berührt dieses
Vokabular kaum, da wir es nicht mehr kennen und es für uns
daher nicht mehr natürlich ist. Wir können es höchstens in
einzelnen Fällen rekonstruieren. Es ist aber vielleicht doch
gut zu wissen, daß wir nur einzelne Teile der Aussage
Bachscher Musik aufnehmen, daß vieles, was der damalige
Hörer sofort verstand, an uns völlig unbeachtet vorbeizieht.
Am ehesten können wir noch die klangmalerischen Seiten
der Ton-Sprache verstehen. Der Streichersatz der Christus-
Rezitative soll zweifellos eine Aureole darstellen, deren
Glanz kurz vor den Worten Christi aufleuchtet. Diese Figur
etwa

stellt das Schluchzen (»von meiner Augen Tränenflüssen«) dar, das Weinen ist auch in der Arie »Erbarme dich« überaus realistisch dargestellt. Das Violinsolo in »Gebt mir meinen Jesum wieder« malt das Glitzern des auf den Boden geworfenen Geldes. So ließen sich bei jedem einzelnen Stück zahlreiche Beispiele mehr oder weniger deutlicher Klangmalerei zeigen.

Neben Klangmalerei und Tonartencharakteristik bot die spätbarocke musikalische Affektenlehre ein überreiches Vokabular, das Bach souverän beherrschte. So stellt jeder einzelne Satz zusätzlich zur vordergründigen Textauslegung noch gleichsam eine tiefergehende »Predigt in Tönen« dar. Für den heutigen Hörer, der gewohnt ist, vor allem die aesthetische Komponente der Musik zu genießen, der keinerlei Übung hat im Verstehen der barocken »Klangrede«, müßte praktisch jede musikalische Wendung erklärt werden. Jede Zeit hat eine völlig andere Art, Musik zu hören, so kann man immer wieder neue Facetten in so vielschichtigen Werken wie den Oratorien Bachs entdecken. Es ist, als umwanderten die Hörer in Jahrzehnten und Jahrhunderten gleichsam diese kolossalen Werke, wobei sie immer wieder neue Seiten, neue, nie gehörte Schönheiten finden. Niemals jedoch können sie das Werk in allen Einzelheiten und in seiner Gesamtheit überschauen.

Noch schwerer zu erkennen als die musikalisch rhetorischen Absichten des Komponisten sind die Zahlenspiele, die das ganze Werk durchziehen. Man darf Bach keine extreme Sonderstellung als Initiator geheimnisvoller Zahlenkünste zuweisen. Er betont sogar selbst, daß er mit Mathematik nichts zu tun haben will. So schreibt Philipp Emanuel an Forkel: »Der seelige war, wie ich und alle eigentlichen Musici, kein Liebhaber von trockenem, mathematischen Zeuge.« Man betrachtete diese Zahlenspiele niemals als Mathematik, sondern stets als Teil der musikalischen Symbolsprache. Einige Forscher haben in den letzten Jahren viele verschlüsselte Zahlen gefunden (F. Smend, Jansen, S. Helms und andere). Manche sind vom geübten Hörer ohne weiteres zu erkennen, viele aber sind so in die Musik verwoben, daß sie nur aus den Noten herausgezählt werden können. – Die

Juden berufen sich auf das Gesetz in zehn Doppelchören (die vier Chöre der römischen Kriegsknechte werden natürlich nicht mitgezählt), die die Zehn Gebote darstellen. Im fragenden Chor der Jünger, »Herr, bin ichs«, wird das Wort »Herr« elfmal gesungen, für jeden der Apostel außer Judas; statt dessen »Herr« erklingt unmittelbar: »Ich bins, ich sollte büßen . . .« Im Duett der Hohenpriester spielt der Baß bis zum Ende des Melisma »legen« dreißig Töne, die Silberlinge werden gleichsam ausgezählt, erst danach singen die Hohenpriester weiter. – Es gibt aber noch viel kompliziertere und verstecktere Zahlen, so etwa wenn durch die Anzahl von Tönen oder Tonhöhen eine Bibelstelle, die zitiert wurde, angegeben werden soll. Im Rezitativ »Und siehe da, der Vorhang im Tempel zerriß . . .« ergeben die Zweiunddreißigstelnoten im Continuo unterhalb der drei Textstellen: 1. »Und die Erde erbebete«, 2. »und die Gräber täten sich auf«, 3. »und stunden auf viel Leiber der Heiligen, die da schliefen«, jeweils 18, 68 und 104 Töne. In den Psalmen 18, 68 und 104 wird das Erdbeben beschrieben. Solche Zahlenhinweise gibt es nahezu in jedem Stück der Matthäus-Passion. Dabei bediente sich Bach der unterschiedlichsten Methoden. Er verschlüsselte Wörter nach dem Zahlenalphabet, und die dabei herauskommenden Zahlen versteckte er ebenso wie Zahlen im Text oder Hinweise auf Bibelstellen in irgendeiner Form in die Musik. Beachtung verdient diese Seite von Bachs Schaffen wohl vor allem deshalb, weil an keiner einzigen Stelle die Musik durch dieses Prokrustesbett leiden mußte. Seine Beherrschung der Kompositionstechnik war so vollkommen, daß er wohl geradezu mit Lust solche zusätzlichen Schwierigkeiten suchte, um sich an ihnen zu erproben.

Zur Interpretationsgeschichte
von Bachs h-Moll-Messe

Über Bachs eigene Aufführungen der h-Moll-Messe ist uns wenig bekannt. Als sicher dürfen wir annehmen, daß er das Werk niemals als Ganzes aufgeführt hat. Die in jüngerer Zeit aufgestellte These (Friedrich Smend), es handle sich gar nicht um ein zusammenhängendes Werk, sondern um eine zufällige Sammlung von vier kompletten Werken für den lutherischen Gottesdienst, die in einem Sammelband von Bach niedergeschrieben wurden, kann ich in dieser radikalen Form nicht teilen. Der vierte Teil – Osanna, Benedictus, Agnus Dei und Dona nobis pacem – hätte keinen plausiblen Platz im lutherischen Gottesdienst, als Musik während der Austeilung des Abendmahles erscheint er mir wegen seiner aufwendigen und festlichen Instrumentation (mit Doppelchor, Pauken und Trompeten) gänzlich ungeeignet. Zweifellos aber wurde das Werk, dessen einzelne Teile zu weit auseinanderliegenden Zeiten entstanden waren, erst spät, wohl in Bachs letzten Lebensjahren, zu einem Ganzen zusammengefügt. Ich kann nicht an einen Zufall glauben, daß gerade eine komplette lateinische Messe in ihrer richtigen Reihenfolge und in einer sehr einheitlichen Besetzung und Tonart in dieser Partitur »gesammelt« wurde; wobei die Wiederverwendung des Gratias aus dem Gloria im Dona nobis pacem auffällt und wohl nur als eine bewußte Verklammerung des Gesamtwerkes gedeutet werden kann.

Die Partitur der h-Moll-Messe vollendete Bach in den Jahren um 1746 bis 1748, gerade in der Zeit, als er seine großen zyklischen Werke – »Die Kunst der Fuge« und das »Musikalische Opfer« – schrieb. Die Übertragung bereits komponierter Werke (Sanctus) in diese Partitur und die Ergänzung zu einer kompletten Messe durch die Adaptierung geeigneter anderer Kompositionen läßt sich am ehesten so deuten, daß Bach, neben seinen Passionen und anderen großen Zyklen, eine große lateinische Messe hinterlassen wollte. Hat also der orthodoxe Lutheraner Bach eine überkonfessionelle oder gar »katholische« Meßkomposition geschaffen? Für Bach wäre dies durchaus nicht so unvorstellbar, wie man es in späterer Zeit sehen wollte. Er hatte immerhin dem katholischen König August III. in seiner Widmungsvorrede der Missa geschrieben: ». . . ich offerire mich in schuldigsten Gehorsam iedesmahl auf Ew. Königlichen Hoheit gnädigstes Verlangen, in Componirung der Kirchen Musique . . . meinen unermüdeten Fleiß zu erweisen . . .« – hatte ihm also die Komposition *katholischer* Kirchenwerke angeboten.

Was die Aufführungen der Meßteile und deren Entstehung betrifft, überzeugen mich die Argumente Smends: Die Missa, also Kyrie und Gloria, ist demnach wohl am 21. April 1733 anläßlich der Erbhuldigung des neuen Kurfürsten von Sachsen – nach dem Tod Augusts des Starken – erstmals musiziert worden. Sie wurde für diesen Anlaß komponiert. – Das »Symbolum Nicenum«, das Credo, dürfte zur festlichen Neueinweihung der umgebauten Thomasschule am 5. Juni 1732 komponiert worden sein, das Sanctus wurde (Georg von Dadelsen zufolge) zu Weihnachten 1724 erstmals musiziert. Die folgenden Sätze Osanna, Benedictus, Agnus Dei und Dona nobis pacem sind ausnahmslos Umarbeitungen älterer Kompositionen und bei Fertigstellung der Gesamthandschrift in den letzten Lebensjahren Bachs gemeinsam mit dem Sanctus in den Gesamtband eingetragen worden.

Nach Bachs Tod kam der Partiturband in den Besitz seines Sohnes Philipp Emanuel. Dieser führte im Jahr 1786, also etwa vierzig Jahre nach der Entstehung des Werkes, das Credo der h-Moll-Messe auf, wobei er offenbar eingreifende Änderungen für notwendig hielt. Es ist interessant zu beobachten, wie schon die Generation nach Bach, ja seine eigenen Söhne, sich vom alten Klang gelöst hatten und zu einem modernen symphonischen Klang tendierten. Der allgemeine musikalische Geschmack hatte sich schon so weit von den spätbarocken Klangvorstellungen entfernt, daß manches nicht mehr zumutbar erschien. In der autographen Partitur der h-Moll-Messe finden wir Spuren intensiver Eingriffe Philipp Emanuel Bachs. So hat er zahllose Legatobögen in die Originalpartitur seines Vaters eingetragen, außerdem fügte er dynamische Bezeichnungen hinzu und veränderte sogar die Instrumentation. Vor allem mißfiel ihm offenbar die für den barocken Orchesterklang so wichtige Mischung Violine–Oboe. Im Duett »Et in unum Dominum« hat er die Vorschrift »et hautbois« neben Violine 1 und 2 kurzerhand ausgekratzt (diese Streichung ist besonders eingreifend, weil die wichtige konzertante Gliederung in Solo und Tutti geradezu auf dem Hinzutreten beziehungsweise Schweigen der Oboen d'Amore basiert), zu einigen Sätzen komponierte er Einleitungen. Durch all diese Eingriffe wurde das Werk wohl so stark verändert, daß der Hörer es 1786 durchaus als modernes Werk empfinden konnte. Was aber die »Bearbeitung« Philipp Emanuels für uns so besonders interessant macht: Bei aller Angleichung an den geänderten Zeitgeschmack blieb doch die Balance Chor–Orchester und die der einzelnen Chor- und Orchesterstimmen untereinander erhalten. Philipp Emanuel dachte nicht daran, das Orchester oder den Chor zahlenmäßig zu verstärken.

Im Jahr 1800 übernahm Carl Friedrich Zelter die Berliner Singakademie. Als Schüler Faschs und Verehrer Philipp Emanuel Bachs lag ihm die Pflege »alter Meister« besonders am Herzen. So begann die Singakademie schon ab 1811, sich in ihren Proben mit der h-Moll-Messe zu beschäftigen. Zu Aufführungen kam es zunächst nicht, die Schwierigkeiten waren zu groß. Endlich, im Jahre 1827, führte Zelter das »Et incarnatus est« in einem Chorkonzert auf, 1828 der Berliner Opernchef Spontini Teile des Credo. Nach dem Tode Zelters (1832) war der Chor mit dem Werk immerhin schon so vertraut, daß sein Nachfolger Rungenhagen 1834 bereits große Abschnitte der Messe aufführen konnte. Alle diese Aufführungen brachten das Werk in stark bearbeiteter Form, mit hinzukomponierten Einleitungen und total veränderter Instrumentation. Die Bearbeiter hatten nicht mehr, wie Philipp Emanuel Bach, jene enge Beziehung zu dieser Musik, die ihnen Eingriffe in die musikalische Substanz unmöglich gemacht hätte; so setzte man sich über alle aus der Partitur hervorgehenden Balanceforderungen hinweg. Die Chöre waren mit mindestens hundert Personen besetzt. Spontini hatte ein Orchester von je zwölf 1. und 2. Violinen, zwölf Violen, zwölf Violoncelli und acht Kontrabässen, an Bläsern gab es Klarinetten, Hörner, Fagotte, aber keine Oboen und Trompeten! Ähnliche Besetzungen, sowohl was die Zahl der Mitwirkenden betrifft (hundertsiebzig bis zweihundert Personen) als auch in bezug auf die Instrumentation, finden wir bei allen Aufführungen dieser Zeit: Bach im Klanggewande Carl Maria von Webers. Man kann sich gut vorstellen, wie diese diffizile Partitur in einer klanglich derart dicken Instrumentation und Besetzung geklungen haben muß. Zahlreiche obligate Stimmen sind entweder gar nicht gespielt worden oder waren unhörbar. Was blieb, war ein prächtig harmonisiertes Klangmonument. Vielleicht waren die an kunstvolle Polyphonie nicht mehr gewöhnten Hörer jener Zeit zufrieden mit diesem akkordischen Bach-Klang, vielleicht auch hatten die Bearbeiter die Musik als allzu überladen empfunden und den verbleibenden Torso gewaltiger harmonischer Entwicklung ohne komplizierte Verbrämung als die eigentliche musikalische Manifestation von Bachs Genie angesehen? Man darf das den Wiederentdeckern Bachs nicht ankreiden, gab es ja keine direkte Tradition zu seinen eigenen Aufführungen. Nimmt man die noch aus einem völlig anderen Geist entstandene Hamburger Aufführung Philipp Emanuels von 1786 aus, so waren jene Berliner Versuche, siebzig bis neunzig Jahre nach dem Entstehen des Werkes, unter gänzlich neuen musikalischen Voraussetzungen gemacht worden. Niemand hatte je ein Werk Bachs im Sinne des Komponisten gehört. Man war gänzlich zu Hause in der Klangwelt Beethovens, Webers, Mendelssohns. Der Zusammenhang, in den Bachs Chorwerke hineinkomponiert waren – die Thomasschule und -kirche, der kleine Knaben- und Jünglingschor, das kleine Orchester –, war unbekannt und wäre zu dieser Zeit auch unverständlich gewesen. Man hatte gerade den berauschenden Klang des gemischten Massenchores entdeckt und das überwältigende große Symphonieorchester der Romantik aufgebaut. Da konnte das Alte keinen Eigenwert haben, es mußte in diese »viel schönere« neue Klangwelt hineinprojiziert werden! Wir müssen das verstehen, die damalige Zeit strotzte von musikalischer Vitalität.

Allerdings basiert auf diesem damals entstandenen bürgerlichen Konzertleben unser heutiges Musikleben. Das ist, soweit es die Musik der Romantik oder die danach entstandene Musik betrifft, selbstverständlich und gut, gibt es doch eine Aufführungstradition dieser Musik von damals bis heute; diese lückenlose Tradition garantiert uns jedenfalls ein Mindestmaß an instinktiven musikalischen Grundkenntnissen für solche Musik. Ganz anders erging es der Barockmusik, die ebenfalls nach und nach in das romantische Musikleben (das ja heute noch durchaus existiert) eingebaut wurde. Sie wurde ohne weiteres klanglich und formal romantisiert – Bach klang dann so ähnlich wie Brahms oder Bruckner, wurde seine Musik doch auf demselben Instrument, dem Brahms–Bruckner-Orchester, aufgeführt. Später hat man wohl die schwersten Eingriffe in Bachs Partituren rückgängig gemacht, es blieb aber, etwa bei der h-Moll-Messe, der Gesamteindruck eines kolossalen Chorwerkes voll enormer Schwierigkeiten. Die besten Aufführungen hatten und haben stets etwas Riesenhaftes an sich.

Kaum ein Chorwerk der Musikliteratur ist so eng mit der Geschichte der Chorvereinigungen, Singvereine, Singakademien, die am Anfang des 19. Jahrhunderts gegründet worden waren, verknüpft wie die h-Moll-Messe Bachs. Dieses Werk, das zu Lebzeiten Bachs in seiner Gesamtheit niemals aufgeführt worden war, erschien allen Chören mit Recht als größtes und auch schwierigstes Werk ihres Bereiches, und so mußte es wohl allerorten zu einer Auseinandersetzung damit kommen. Belastet mit der zweifachen Aufführungstradition: der des 19. Jahrhunderts und der der Bach-Zeit, stehen wir bei heutigen Aufführungen vor großen Schwierigkeiten. Eine einwandfreie Balance wird wohl nur mit dem historischen Apparat zu erzielen sein. Natürlich soll man diese herrlichen Werke heute nicht vom Repertoire streichen, nur weil sich eine einwandfreie Aufführung kaum realisieren läßt. Aber der meist allzu selbstbewußte Leiter einer heutigen Aufführung sollte sich über den Kompromißcharakter all seiner Entscheidungen im klaren sein. Eine Verringerung der Chor- und Orchesterstärke bringt noch lange keine bessere Balance, die einzelnen Instrumente haben ja in den letzten zweihundert Jahren derart eingreifende Entwicklungen und Veränderungen mitgemacht, daß völlig neue Verhältnisse bestehen.

Bei den heutigen Normalaufführungen wird auf diese Dinge nicht geachtet: Ganze Zeilensysteme der Partitur scheinen wie ausradiert, man hört keinen Ton, und sähe man nicht den Musiker spielen oder die Sänger singen, so könnte man meinen, sie pausierten. Das gleiche ist auch bei vielen Schallplattenaufnahmen der Fall. Wenn etwa eine Chorstimme mit *einem* Blasinstrument in Terzen oder Sexten geführt ist, so erscheint das nur dann sinnvoll, wenn entweder die Chorstimme sehr klein oder aber das Blasinstrument mehrfach besetzt ist. Es gibt zahllose solcher Stellen in der h-Moll-Messe: etwa im Kyrie, Takt 35/36, »Et expecto«, Takt 27, 29, 31, 69, 71, 73. Ähnliche Balanceprobleme ergeben sich auch im »Et resurrexit«, wo die beiden Flöten streckenweise ganz selbständig geführt sind und sowohl dem Chor als auch dem Orchester gegenüber stets hörbar bleiben müssen. Auch die »Verstärkung« der Trompeten durch die Flöten in den Takten 101–105 ist nur dann plausibel, wenn diese von den Trompeten nicht völlig ausgelöscht werden. An diesen wenigen, wahllos herausgezogenen Beispielen kann man sehen, daß die Verteilung der Stimmen und Instrumente, von Bach auf das subtilste ausgewogen, gänzlich ihren Sinn verliert, wenn nur ein einziges Glied in dieser komplizierten Kette verändert wird; das dabei entstehende Chaos könnte wohl nur durch radikale Eingriffe in die Instrumentation einigermaßen abgewendet werden. Hier liegt eine bedeutende Aufgabe für moderne Bach-Interpreten.

Anläßlich unserer Aufnahme von Bachs h-Moll-Messe wurde eine neue Lösung der aufführungspraktischen Probleme dieses Werkes versucht: die Wiederherstellung der ursprünglichen Klanggestalt. Wenn auch allen Beteiligten vollkommen klar war, daß es sich dabei nur um Annäherungswerte handeln kann und daß wir in vielem auf Versuche und Vermutungen angewiesen sind, so bewies doch der Erfolg, nämlich die faktische Erfahrung beim Musizieren, die prinzipielle Richtigkeit dieses Vorhabens. Es hat alle Beteiligten sehr überrascht, daß es bei diesem so komplizierten Werk nahezu keine Balanceprobleme gab. Die Aufnahmetechnik hatte nichts anderes zu tun als aufzunehmen, sie hatte keinerlei korrigierende Funktion – Chor und Orchester wurden mit je einem Stereomikrophon aufgenommen, und alles war hörbar. Die Naturtrompeten übertönten nicht die Traversflöten, das Orchester nicht den Chor und der Chor nicht das Orchester. Jeder Mitwirkende hatte das Werk in anderen Interpretationen schon wiederholt im Konzertsaal gespielt und dabei festgestellt, daß eine sinnvolle Balance nicht zu erzielen war. Die Knabenstimmen in kleinster Besetzung und das Orchester, das ausschließlich Original-instrumente verwendete und genau in den Besetzungsver-hältnissen der Bach-Zeit musizierte, brachten gleichsam von selbst die Lösung aller Probleme der Durchhörbarkeit.

Als Minimalbesetzung eines Chores verlangte Bach in seiner berühmten Eingabe an den Leipziger Rat vom 23. August 1730 drei bis vier Sänger je Stimme, für das Orchester will er zu einfacher Bläserbesetzung zwei bis drei 1. und 2. Violinen, je zwei Violen, Violoncelli und einen Violone. Vergleicht man diese Zahlen mit den Besetzungsangaben bei Quantz (1752) – »zu sechs Violinen nehme man eine Bratsche, einen Violoncell, einen Contraviolon und einen Basson«, »zu acht Violinen gehören zwo Bratschen, zweene Violoncelle« und so weiter – oder etwa mit dem Orchester der Hamburger Oper, 1738: acht Violinen, drei Violen, zwei Violoncelli, zwei Kontrabässe und Bläser, so bemerkt man, daß die von uns gewählte Besetzung von acht Violinen, zwei Violen, zwei Violoncelli, einem Kontrabaß und einfachen Bläsern im Zusammenhang mit der entsprechenden Raum-akustik damals als durchaus festliche Besetzung angesehen wurde.

Besetzungsstärken, die man auch heute als groß bezeichnen würde, findet man in der damaligen Zeit nur bei Freilicht-aufführungen. Die Komponisten schrieben in einem völlig verschiedenen Stil für große oder kleine Besetzungen, für Kirche oder Kammer. So wurde etwa der »Freiluftstil« von Fuxens 1723 in Prag aufgeführter Prunkoper »Costanza e Fortezza« von Quantz geschildert: ». . . eine Oper ward in freier Luft aufgeführt wo hundert Personen sangen und zweihundert spielten . . . obwohl sie größtenteils aus Sätzen bestand, die auf dem Papier steif und trocken genug aussehen mochten, tat sie dennoch in freier Luft und bei so zahlreicher Besetzung eine viel bessere Wirkung als ein mit kleinen Figuren und geschwinden Noten gezierter Gesang getan haben würde.« Die Berücksichtigung der technischen Gegebenheiten, der zur Verfügung stehenden Kräfte wie auch der akustischen Bedingungen gehörte eben zum selbstverständlichen Rüstzeug des Komponisten.

Von Bachs eigenem Musizieren ist überliefert, »wenn er starke Affekten ausdrücken wollte, that er es nicht wie manche andere durch eine übertrieben Gewalt . . ., sondern durch harmonische und melodische Figuren, das heißt: durch innere Kunstmittel«. – Es wird sicher noch eine Weile dauern, bis man allgemein auch die Großwerke Bachs als mehr oder weniger kammermusikalisch konzipierte Kompositionen akzeptieren wird; die hundertfünfzigjährige Bach-Tradition der Romantik mit ihren Massenchören und -orchestern ist noch zu übermächtig. Der uns heute gewohnte große Chorklang verwischt die vom Komponisten sorgsam instrumentierten Klangfärbungen im Colla-parte-Spiel des Orchesters mit dem Chor. In ähnlicher Weise zerstört der symphonische Klang des heute normalerweise eingesetzten Brahms-Orchesters die Balance zwischen den Orchesterstimmen sowie auch zwischen den einzelnen Instrumentengattungen. Darüber hinaus muß im Wechsel von Soloarien und Chorteilen eine sinnvolle Dynamik herrschen, der Gesamteindruck muß sich auf *einer* klanglichen Ebene abspielen. Es dürfen also nicht zarte Vokal- und Instrumentalsoli zwischen machtvollen Chorblöcken versinken, die Musik muß bruchlos weitergehen. Im 18. Jahrhundert wußte man noch um diese Relationen, wenn man zum Beispiel in England bei den kolossal besetzten Händel-Festivals auch die Soli mehrfach besetzte.

Die Dynamik zwischen Chören und Soli setzt sich innerhalb der Chöre fort; in einem Werk wie der h-Moll-Messe, in dem die Chöre derart dominieren, wären sonst die vereinzelten Soli formal nicht verständlich. Wie W. Ehmann eindrucksvoll nachgewiesen hat, basiert die Chorpraxis Bachs auf der alten Einteilung in »Concertisten« und »Ripienisten« – diese

Ausdrücke verwendet Bach noch in seiner obengenannten Eingabe an den Leipziger Rat.

Seit etwa 1600 war es üblich, die geistliche Vokalmusik durch reiche, gleichsam orgelartige Registrierungen zu beleben. Dies geschah einerseits durch die Aufstellung mehrerer getrennter Chöre, andererseits durch verschieden stark besetzte Chorgruppen, vom Soloquartett bis zur vollen Chorbesetzung. Diese Besetzungsvarianten waren gelegentlich ausdrücklich vorgeschrieben, normalerweise aber fielen sie, wie so vieles in der Aufführungspraxis der Barockmusik, in den Kompetenzbereich der Ausführenden. Als Beispiel soll das Autograph des Sanctus genannt werden. Hier findet sich am unteren Rand der Partitur (Takt 88) das Wort »Tutti«. Dieser Vermerk weist jedenfalls auf verschiedene Besetzungsstärken in diesem Stück hin, die so selbstverständlich waren, daß sie nicht eigens angeführt zu werden brauchten. Im Laufe der Zeit hatten sich bestimmte musikalische Schreibarten für diese verschiedenen Chor- und Solobesetzungen entwickelt, sodaß die meisten Chorregistrierungen sich von selbst aus der musikalischen Faktur ergeben und im Partiturbild sofort erkennbar sind. Diese Chorregistrierungen sind durchaus vergleichbar der Freiheit des Organisten, durch entsprechende Registrierung – die fast nie vorgeschrieben ist – ein Werk zu deuten. Ähnlich verhält es sich mit dem Orchester. Auch hier hat man vom Einsatz verschieden großer chorischer Besetzung bis zu rein solistischer Besetzung alle Möglichkeiten ausgenützt, auch hier finden sich oft ausdrückliche Hinweise in den Partituren, vieles ist jedoch dem Ermessen des Leiters überlassen. Oft sind Bezeichnungen wie piano und forte Hinweise auf Solo- und Tuttibesetzung.

Die h-Moll-Messe ist im wesentlichen auf einem fünfstimmigen Chor aufgebaut, mit zwei Sopranen, Alt, Tenor und Baß. Bei den wenigen vierstimmigen Chören ist ausdrücklich das Zusammengehen der beiden Soprangruppen (im Kyrie II, Gratias, Patrem, Dona nobis pacem) oder nur eine der beiden (im Crucifixus) gefordert. Ausnahmen bilden das sechsstimmige Sanctus und das doppelchörige Osanna, bei denen offenbar der Chor weiter aufgespalten werden soll. Auf

Grund dieser Fünfstimmigkeit fordert Bach fünf Solisten: zwei Soprane, Alt, Tenor und Baß. Wenn auch eine Aufteilung der beiden Baßarien auf zwei Bässe wegen ihrer verschiedenen Lage vertretbar wäre, so entspricht die heute übliche Zusammenlegung der beiden Sopranpartien und der Altpartie für eine Sopranistin und eine Altistin nicht dem Willen Bachs. Er hat eindeutig vorgeschrieben, was vom Sopran I, Sopran II und Alt gesungen werden soll. Das »Christe eleison« soll offenbar trotz der tiefen Lage der zweiten Stimme von zwei ähnlich timbrierten Sopranen ausgeführt werden. Eine Individualisierung des Klanges der beiden Stimmen durch verschiedene Stimmtypen, wie sie in »Et in unum Dominum« gefordert wird, ist hier nicht erwünscht. Die Soloarie »Laudamus te« ist der Lage wegen dem Sopran II zugeordnet.

Anmerkungen zu den einzelnen Teilen

Kyrie I, Christe und Kyrie II wurden wahrscheinlich für die obenerwähnte Erbhuldigungsfeier in der Thomaskirche komponiert. Der das ganze Kyrie I durchpulsende Rhythmus ♪ | ♩ ↱♪ ♩ ↱♪ | ♩ ist wohl als eine sehr intensive musikalisch-rhetorische Bittgeste aufzufassen: »Herr, erbarme dich unser«. (Er wird auch von anderen Komponisten im 18. Jahrhundert in diesem Sinne verwendet.) Das Duett »Christe eleison« strahlt Frieden und Einmütigkeit aus, die Stimmung flehenden Bittens des ersten Kyrie scheint gelöst. Diesen Eindruck vermittelt vor allem die Einfachheit des Satzes; die beiden Soprane werden in für Bach durchaus ungewöhnlicher Weise weitgehend homophon geführt, sozusagen *eine* verdoppelte Stimme, was noch durch die Gleichartigkeit der Stimmen unterstrichen wird. Auch der Instrumentalsatz ist denkbar einfach, die Violinen spielen im Einklang reich artikulierte, gleichsam ins Unendliche sich fortspinnende Figuren über einem fast nicht am motivischen Geschehen beteiligten Ostinatobaß. Das Kyrie II ist ein vierstimmiger fugierter Chorsatz im »alten Stil« der niederländischen Polyphonie. Diese Schreibart wurde besonders in Italien seit dem Aufkommen des konzertierenden Stils um 1600 als »Prima prattica« bezeichnet und vor allem in der katholischen Kirchenmusik als offizieller Kirchenstil (Palestrinastil) bis weit ins 18. Jahrhundert konserviert. Die ausschließlich colla parte geführten Instrumente objektivieren einerseits die lebendige Aussage des Chores, andererseits geben sie der strengen Form Kontur und Artikulation und erleichtern so das Verständnis des komplizierten Satzgefüges. Das Gloria sollte wohl die eigentliche Festmusik für den Herrscher sein. Es ist aus einem verschollenen Instrumentalkonzert gearbeitet, wobei Bach den kompletten Instrumentalsatz zuerst in die Partitur schrieb und diesem Satz nachträglich den Chor einfügte. Diese Arbeit gelang derart organisch und überzeugend, daß ein neues und keineswegs überladenes Stück entstanden war. Arnold Schering sagt über diese Methode Bachs: ». . . die spielende Beherrschung alles Technischen gestattete ihm, schier unmöglich scheinende Aufgaben, wie etwa das Hinzukomponieren eines Chorsatzes in einen vorhandenen Instrumentalsatz, mit Leichtigkeit zu lösen.« – Das »Et in terra pax« ist freilich eine Neukomposition, die fugenlos dem Gloria angeschlossen wurde. Die wogenden Achtelpaare – leicht inégale gespielt und gesungen – sollen Frieden und Beruhigung darstellen. In einer grandiosen Steigerung übernehmen in diesem Stück die verschiedenen Instrumentengruppen bald einzeln, bald gemeinsam Phrasen des Chorsatzes in so sprechender Weise, daß sie sich gleichsam die Friedensbotschaft gegenseitig zurufen, bis schließlich im Glanz der Clarintrompeten der Friede als endgültiger Sieg dargestellt ist. – Das »Laudamus te« ist wohl als himmlisch schwebender Engelsgesang zu verstehen. Die für damalige Begriffe sehr hoch geführte Solovioline jubelt über einem durchsichtigen Streichersatz ohne das tiefe Fundament des Kontrabasses; alles ist Glückseligkeit, Freude – ohne jeden lauten Überschwang. Die fast instrumentalen Koloraturen der Sopranstimme wetteifern mit der Violine, ein Wettstreit himmlischen Lobgesanges. – Für das »Gratias« verwendete Bach den Eingangschor seiner Kirchenkantate 29. Dieser Chor paßt musikalisch und die Aussage betreffend an dieser Stelle ideal in den neuen Rahmen. Der deutsche Text des Kantatenchors ist geradezu eine Übersetzung des lateinischen:

»gratias agimus tibi – propter magnam gloriam tuam« (Wir danken dir, Gott, wir danken dir – und verkündigen deine Wunder). Durch kleine Veränderungen der Melismatik veränderte Bach die Betonungen: »und ver<u>kün</u>digen deine <u>Wun</u>der« wird zu »propter magnam <u>glo</u>riam tuam« umgeformt.

Wenn auch der Chorsatz im Prinzip gleichblieb, so wurde er doch durch zahlreiche kleine Änderungen dem neuen Text so völlig angepaßt, daß man eine Originalkomposition vor sich zu haben glaubt. Alle Parodien – Bearbeitungen aus anderen Werken – in der h-Moll-Messe, besonders die in Gloria und Credo, sind mit derartiger Sorgfalt ausgewählt und ausgeführt, daß in den meisten Fällen das Urbild durch die Neufassung übertroffen wird. Man hat den Eindruck, erst hier wäre der Satz an seinem endgültig richtigen Platz. – Das Notenmaterial zum »Domine Deus« gibt uns einen interessanten Einblick in die Aufführungspraxis. Obwohl in sämtlichen modernen Partituren alle Sechzehntelnoten der Soloflöte gleichmäßig, viele davon zu zweit gebunden, notiert sind, so weicht die von Bach selbst geschriebene Flötenstimme durch andere Rhythmisierung davon ab. Dieser Rhythmus steht nur im ersten Takt und ist ein wichtiger Hinweis darauf, daß auch bei Bach oftmals gleichmäßige Notenwerte ungleichmäßig vorzutragen sind. Nun wurden gerade absteigende Zweierbindungen sehr oft »lombardisch« (so nennt man diese umgekehrte Art der Punktierung) ausgeführt, ohne daß dies besonders vorgeschrieben werden mußte. Diese Rhythmisierung tritt nicht nur in der Solostimme auf, sondern sie steht auch in den Originalstimmen der 2. Violine und der Bratsche, allerdings nur dort, wo die entsprechende Figur zum erstenmal auftritt. Es gibt meines Wissens keine Partitur, in der diese sehr wichtige und interessante Rhythmisierung gedruckt oder auch nur beschrieben ist. Der »lombardische« Rhythmus soll wohl nur bei diesem absteigenden Sechzehntelmotiv gespielt werden und nicht, in Quasi-Analogie, über den ganzen Satz verteilt werden, weil die heute oft geforderte prinzipielle Gleichartigkeit »analoger« oder ähnlicher Stellen durchaus nicht der barocken Praxis entspricht.

Direkt aus diesem Satz hervor geht das »Qui tollis«. Obwohl es in den Stimmen mit Lente oder Adagio überschrieben ist, bleibt doch das *Tempo* annähernd gleich wie im vorhergehenden Satz, die *Bewegung* verlangsamt sich allerdings, da die Achtelbewegung im Baß nun in ein konstantes Pochen in Viertelnoten übergeht. Die *harmonischen Schwerpunkte* sind noch weiter auseinandergezogen: im »Domine Deus« auf den Viertelnoten – nun im »Qui tollis« ganztaktig (die italienische Tempobezeichnung drückt also hier keine absolute Verlangsamung aus, sondern eine auskomponierte). Dieser Satz ist aus der Kirchenkantate 46 übernommen. Auch hier finden wir eine tiefe Übereinstimmung von altem und neuem Textinhalt: »Schauet doch und sehet, ob irgend ein Schmerz sei wie mein Schmerz, der mich troffen hat« (Klagelieder Jeremiae, Kap. 1/12). Der evangelische Theologe Friedrich Smend sagt: »Der Text aus den Klageliedern kann von der lutherischen Theologie und Kirche nicht besser, nicht tiefer ausgelegt werden, denn als Prophetie auf den Retter, zu dem die Christenheit betet: Qui tollis – Der Du die Sünden der Welt hinwegnimmst, erbarme dich unser . . .« Hier finden wir größere Eingriffe in die ursprüngliche Komposition; das instrumentale Vorspiel und der Mittelteil wurden weggelassen, die durchgehenden Viertelnoten des Violoncellos hinzugefügt, das ganze Stück um eine Terz tiefer gelegt. Die neue musikalische Ausformung geriet so vollkommen, daß ich überzeugt bin, die Übernahme aus einer bestehenden Komposition kann nicht aus ökonomischen Gründen erfolgt sein, sondern weil Bach sich keine bessere musikalische Form für diesen Inhalt denken konnte.

Die beiden folgenden Arien – »Qui sedes« und »Quoniam« –

gehören zusammen, da die zweite textlich die Antwort auf die erste darstellt. Die Instrumentation und das Satzprinzip kann man sich kaum unterschiedlicher denken: Im »Qui sedes« konzertiert der Vokalalt mit dem Instrumentalalt (der Oboe d'Amore) in thematischer und musikalischer Gleichartigkeit; die Streicher bilden lediglich ein artikuliertes und vollstimmiges Obligatcontinuo. Dagegen wird das »Quoniam« von vier gleichwertigen, aber durchaus unterschiedlichen Partnern getragen: der Baßstimme, dem Naturhorn, den beiden Fagotten, die stets gemeinsam eingesetzt werden, und dem Basso continuo. Jede dieser Gruppen hat eine völlig andere, nur ihr zugehörende Motivik. Das Horn soll wohl, vor allem in seinem markanten Kopfthema, die Majestät Christi ausdrücken. In dieser Arie ist die Artikulation besonders gründlich vorgezeichnet. (Es gibt hier, wie übrigens auch an anderen Stellen des Gesamtwerkes, viele ausgeschriebene, rhythmisch schwebende Vibrati der Instrumente.) Nahtlos geht diese Huldigung an Christus in den jubelnden Schlußchor »Cum Sancto Spiritu in gloria Dei patris, Amen«, über. Die Instrumente des Herrscherglanzes, die Clarintrompeten und Pauken, überstrahlen wieder das reiche Satzgefüge, die musikalische Parallele zum Gloria ist unüberhörbar. Wie zwei gewaltige Barockpfeiler umrahmen diese beiden Chöre das gesamte Gloria.

Ebenso wie das Gloria besitzt auch das Credo des Symbolum Nicenum eine in sich abgerundete Architektur. Diese ist wie bei fast allen größeren Werken Bachs symmetrisch angelegt.

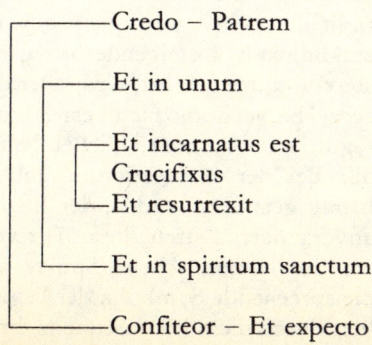

Credo – Patrem

Et in unum

Et incarnatus est
Crucifixus
Et resurrexit

Et in spiritum sanctum

Confiteor – Et expecto

Die einander entsprechenden Sätze sind in Form und Gewicht aufeinander abgestimmt. Der Block »Incarnatus – Crucifixus – Resurrexit« will als Ganzes, gleichsam als Kern des Credo, gesehen werden. – Im Credo wird die gregorianische Melodie vom fünfstimmigen Chor und den beiden Violinen siebenstimmig durchgeführt über einem die Festigkeit im Glauben ausdrückenden Andante-Baß. – Das »Patrem« ist eine Bearbeitung aus einem Kantatenchor (Kirchenkantate 171), »Gott wie dein Name, so ist auch dein Ruhm bis an der Welt Ende«. Smend weist nach, daß auch von theologischer Sicht »die Wahl des Urbildes nicht zufällig, sondern mit großem Bedacht getroffen« ist.

Besondere Aufmerksamkeit beansprucht das Duett »Et in unum Dominum«, da es von diesem Stück in der autographen Partitur zwei Fassungen gibt. Wir haben für unsere Interpretation die erste Fassung gewählt, in der der Text bis einschließlich »et incarnatus est de Spiritu sancto ex Maria virgine et homo factus est« auskomponiert ist. Darauf folgte ursprünglich das »Crucifixus«. Später fügte Bach den Chor »Et incarnatus est« ein und schrieb (wohl um die Textwiederholung zu vermeiden) eine Neufassung der beiden Singstimmen des »Et in unum Dominum«, wobei der Text so weit auseinandergezogen wurde, daß er nun bei »descendit de coelis« endete. Ein Verlust an Geschlossenheit von Text und Musik ist nicht zu überhören. Die Texteinteilung wird in der ursprünglichen Fassung von den accompagnierenden Soloinstrumenten durch musikalisch »sprechende« Wendungen kommentiert. So etwa Takt 59/60 die absteigenden Terzen der Streicher bei »descendit de coelis«; oder die schon im ersten Teil bei »natus« anklingende absteigende Skala, die nun bei »et incarnatus est« voll durchgeführt wird; oder der unerwartete Tonartenwechsel bei »et homo factus est«, durch den die Wandlung von göttlicher zu menschlicher Natur symbolisiert werden soll. Bei der Neutextierung mußte einiges an der Stimmführung geändert werden, der Instrumentalsatz aber blieb unverändert. Durch diese Textverschiebung geraten Worte der »himmlischen« Sphäre zur Musik der »irdischen«; die sprechende Symbolik der begleitenden Instrumente verliert durch diese Inkonsequenz ihren ursprünglichen Sinn. Es spricht einiges dafür, daß Bach diese Änderung wieder rückgängig gemacht hat. Die Wiederholung der Worte »Et incarnatus est« im nachfolgenden Chor erscheint mir besonders schön und sinnvoll, damit soll wohl die Annahme dieses Glaubenssatzes durch die Menschheit dargestellt werden. Dieser Chor hat die musikalische Geste des vom Himmel-herab-Steigens (Takt 59/60 des vorangegangenen Duetts) als bestimmendes Motiv. Die unisono geführten Violinen wiederholen eine durch Vorhalte verzierte Form dieses Abstieges das ganze Stück hindurch, gleichsam auch den übrigen Text unter das Motto der ersten drei Worte stellend. Das folgende »Crucifixus«, im gleichen Zeitmaß wie das »Et incarnatus« stehend – nur die Notenwerte sind verdoppelt –, ist eine Passacaglia. Es mag uns heute merkwürdig anmuten, daß Bach ausgerechnet an dieser Stelle eine Tanzform wählte, verbinden wir doch den Tanz stets mit Freude und Heiterkeit. Ursprünglich aber war er ein elementares menschliches Ausdrucksmittel, das allen Stimmungen gerecht werden konnte. (Für den Schlußchor der Matthäus-Passion wählte Bach sogar die Form des Menuetts!) Diese Passacaglia, die aus dem Kantatenchor »Weinen, Klagen, Sorgen, Zagen ist der Christen Tränenbrot« entstand, stellt sich als leiderfüllte Totenklage dar. Die unerwartete harmonische Wendung des e-Moll-Stückes, sechs Takte vor Schluß, und die abschließende Kadenz nach G-Dur lassen diese Trauermusik hoffnungsvoll und tröstlich ausklingen. Der Auferstehungschor »Et resurrexit« ist, wie das Gloria, aus einem verschollenen Instrumentalkonzert entstanden, nur daß hier viel tiefgreifendere Änderungen nötig waren; an Stelle des Baßsolos »Et iterum venturus est« stand wahrscheinlich ursprünglich ein Instrumentalsolo. Das starke Übergewicht des Instrumentalen in diesem Satz läßt uns daran denken, daß man zu Bachs Zeit das Spielen eines Instruments als eine Art des Sprechens in Tönen gesehen hat, so daß es dem Singen durchaus gleichwertig war. Die Instrumente stimmen, auf ihre Weise den Text formend, in den Jubel der Sänger ein. Die Baßarie »Et in spiritum sanctum Dominum« nimmt in Klang und Form den Ton des Duetts »Et in unum Dominum« wieder auf. Diesmal sind die beiden Oboen d'Amore, die dort nur als Färbung des Tuttiklanges auftreten, als Soloinstrumente gleichwertige Partner der Singstimme. Die Relation der beiden Stücke hatte übrigens auch Bachs Sohn Philipp Emanuel betont, als er beim ersten die Bezeichnung »hautbois« auskratzte und beim zweiten dazuschrieb »*auch* ohne Hoboen mit 2 Violinen«. Ähnlich wie im einleitenden Credo wird im »Confiteor« der fünfstimmige reine Chorsatz von einem in unerschütterlich festen Viertelnoten pochenden Andante-Baß getragen, bis dieser sich bei »peccatorum« in ganztaktig akzentuiertes Bogenvibrato auflöst. Diese Stelle ist auch, um den Wechsel des Ausdrucks darzutun, mit Adagio überschrieben. Der folgende Text »expecto resurrectionem mortuorum« – »ich erwarte die Auferstehung der Toten« schließt diesen Satz ab, wobei der musikalische Akzent auf »mortuorum« liegt. Der gleiche Text wird zu Beginn des unvermittelt folgenden, mit Vivace e Allegro bezeichneten Satzes nochmals wiederholt: Plötzlich, gleichsam als werde erst jetzt der volle Sinn des Textes klar, daß ja nicht von den *Toten,* sondern von der *Auferstehung* der Toten die Rede ist, bricht der Jubel mit allen zur Verfügung stehenden Kräften los. Dieser Schlußchor des Credo ist eines der großartigsten Beispiele für Bachs Um- und Endformungen aus vorhandenen Werken. Das Urbild dieses Chores ist »Jauchzet ihr erfreuten Stimmen, steiget bis zum Himmel nauf« der Kantate 120. Von diesem Chor wurde nur der Hauptteil benutzt und auch hier vieles durch Streichungen und Hinzufügungen geändert. Am tiefgreifendsten ist wohl die Hinzufügung einer fünften Stimme zum vierstimmigen Chorsatz, wobei die Fugatoeinsätze – nun fünf statt vier auf demselben Raum – Bachs unglaubliche technische Meisterschaft besonders deutlich zeigen. In diesem Satz gibt es drei musikalische Motive:

»Expecto«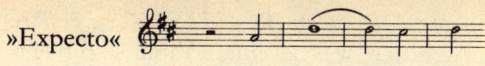

die Erwartung ausdrückend,

»Jauchzet«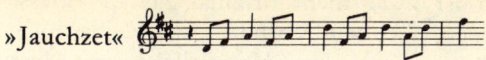

ein primär instrumentales Motiv, das aber auch
vom Chor übernommen wird, und

»Steiget«

das die erwartete Auferstehung des Menschen
musiksymbolisch darstellt.

Das Sanctus war schon lange vor der Zusammenstellung der
Messe komponiert worden. Es ist das einzige Stück, von dem
sich mehrere Aufführungen Bachs mit Sicherheit nachweisen
lassen. Die ♩♪ -Gruppen sind natürlich als Triolen zu
spielen, sodaß der ganze erste Teil in durchgehendem
Triolenrhythmus erklingt. Als Alternative gäbe es nur
Überpunktierung, ♩♪ , was aber nach der damaligen Praxis
durch die Bindebogen ausgeschlossen wurde. Die musikalische Form des Sanctus ist dem »Adagio / Fugato Allegro«-
Paar der Kirchensonate angelehnt, stammt also aus der
Instrumentalmusik.

Der einzige doppelchörige Satz der Messe ist das Osanna. Es
ist eine Umarbeitung des Eingangschores der Huldigungskantate »Preise dein Glücke gesegnetes Sachsen« (215), von
dem Bach nur den Hauptteil, aber ohne Vorspiel, verwendete. In diesem Chor verzichtete er auf Änderungen, die
nicht unbedingt durch den neuen lateinischen Text nötig
waren. Der doch sehr »weltlichen« Gottesvorstellung des
Barock entsprechend, konnte eine grandiose Huldigungsmusik für den Landesfürsten ohne weiteres als Huldigungsmusik für Christus dienen.

Beim Benedictus ist das Soloinstrument nicht angegeben.
Für diese Lage kommen nur Violine und Traversflöte in
Betracht, da das Stück für die Oboe der Bach-Zeit zu hoch
liegt. Wir haben uns (mit Smend) für die Flöte entschieden,
weil das Stück ausgesprochen ungeigerisch liegt, dagegen

gut für die Traversière. Der tiefste Ton (d′) der Traversière wird niemals unterschritten, was bei einem Violinsolo Bachs kaum vorkommt.

Das Agnus Dei ist zwar nicht original für die Messe komponiert worden, aber sein Vorbild »Ach bleibe doch, mein liebstes Leben« aus dem Himmelfahrtsoratorium (BWV 11) weicht ganz entscheidend von diesem Satz ab. Derart weitreichende Änderungen überschreiten den Rahmen einer bloßen Umtextierung.

Für das »Dona nobis pacem« hat Bach die Musik des »Gratias« aus dem Gloria notengetreu übernommen. Man hat diese Übertragung mehrfach als unglücklich und sorglos ausgeführt bezeichnet, sowohl die Textierung betreffend als auch, weil man diesen Satz – einen Mittelsatz des Gloria – als nicht geeignet für den Abschluß des Gesamtwerkes beurteilte; die prachtvollen Abschlüsse einzelner Teile (des Gloria und des Credo) überträfen den der ganzen Messe. – Ich meine, daß Bach, der überlegene musikalische Architekt, mit all dem Für und Wider gerade bei der neuerlichen Verwendung bereits komponierter Stücke besser vertraut war als irgendeiner seiner Kritiker, und daß er mit gründlicher Überlegung gerade diesen Satz gewählt hat: Das wunderbar eindringliche Dankgebet im Gloria mußte sich jedem Hörer tief eingraben; warum sollen die Worte »Gib uns den Frieden« nicht mit denselben Tönen tiefsten Dankes erklingen; Dank für den Frieden mit der Bitte um Frieden zu verbinden, gibt es einen sinnvolleren Abschluß für das letzte große Chorwerk Bachs?

Wolfgang Amadeus Mozart

WERKBESPRECHUNGEN

Mozarts Dramaturgie im Spiegel der »Idomeneo«-Korrespondenz

Es kommt sehr selten vor, daß ein Komponist während der Arbeit an einem Werk schriftlich Kommentare zu dieser Arbeit abgibt. Eine dieser seltenen Gelegenheiten zu einem Einblick in seine Werkstatt ist Mozarts Briefwechsel mit seinem Vater im Winter 1780/81. In dieser Zeit komponierte er in München den »Idomeneo«, während sein Vater zu Hause in Salzburg den Kontakt zum Textdichter hielt. Zum ersten Mal in seinem Leben war Mozart völlig sich selbst überlassen, er war allein von Salzburg nach München gefahren. Bis dahin war er in einem hohen Grad von seinem Vater abhängig gewesen. Im Gegensatz zu vielen modernen Psychologen finde ich an dieser Bindung nichts Negatives. Mozarts Vater widmete sich der Erziehung des unerziehbar genialen Sohnes mit größter Feinfühligkeit und hohem Verantwortungsbewußtsein. Natürlich mußte irgendwann der Augenblick kommen, zu dem dieser Sohn unabhängig wird; musikalisch war er es ja längst. Gewiß, der Vater hat ihm Anregungen gegeben; Mozart griff die väterlichen Ideen auf, wo sie mit dem eigenen Konzept übereinstimmten, er verwarf sie frei und selbstbewußt, wo dies nicht der Fall war. Abhängig war er in den Dingen des täglichen Lebens, und der Vater befürchtete nicht zu unrecht, daß er, allein auf sich gestellt, mit den Anforderungen des Alltags seine Schwierigkeiten haben werde.

Während der Entstehung des »Idomeneo« finden wir den jungen Mozart also in München. Er hielt sich monatelang dort auf, während er die Oper komponierte, und schrieb fast jeden zweiten Tag einen Brief an seinen Vater. Der gesamte Vorgang der Komposition – der ja nicht in Salzburg stattfinden konnte, weil man eine Oper damals sozusagen »nach Maß« komponierte, wofür die Sänger anwesend sein mußten – ist in diesem Briefwechsel mit dem Vater dokumentiert. Es ist der interessanteste und vollständigste Briefwechsel über ein musikalisches Werk, den ich kenne (glücklicherweise sind ja auch die Briefe des Vaters erhalten). Er endet – selbstverständlich – an dem Tage, an dem der Vater zur Premiere nach München kam. Das ist für uns bedauerlich, weil die letzten Veränderungen des Werkes dadurch nicht mehr dokumentiert sind.

»Idomeneo« bleibt für Mozart zeitlebens eines seiner am meisten geliebten und ihn persönlich berührendsten Werke. Er fühlte wohl in der liebevollen Spannung zwischen Idomeneo und Idamante eine Parallele zu seiner eigenen Situation seinem Vater gegenüber. Er identifizierte sich offenkundig mit Idamante, schon bei der Komposition des Werkes. Das sogenannte Todesquartett empfand er bis zu seinem Lebensende als etwas Besonderes, Persönliches. In einem sehr glaubwürdigen Bericht über eine häusliche Aufführung dieses Quartettes, viel später, in seinen Wiener Jahren, heißt es, er selbst habe – vermutlich im Falsett – den Idamante gesungen und sei dabei so von Rührung übermannt worden, daß er nicht habe weitersingen können. Diese Oper ist mit der Lebensgeschichte Mozarts so eng verbunden wie keines seiner anderen Werke.

Mozart spricht in seinen Briefen aus München sehr oft über seine Probleme mit den Sängern sowie über Stil und Technik des Gesanges, wie er ihn sich vorstellte. Zu den wichtigsten Fragen gehört dabei die nach der Grenze zwischen Sprechen und Gesang, zwischen Sprache und Musik (es ist dies seit Caccini und Monteverdi das entscheidende Problem des Musikdramas). Diese Frage behandelt er ausführlich in einem Brief über das eben genannte Todesquartett »Andrò ramingo e solo . . .«

». . . mit dem Quartett habe izt eine Noth mit ihm (Raaff, Sänger des Idomeneo) gehabt. – das quartett, wie öfter ich es mir auf dem theater fürstelle, wie mehr Effect macht es mir. – und hat auch allen die es noch so am Clavier gehört haben, gefallen. – der einzige Raaff meint es wird nicht Effect machen. er sagte es mir ganz allein.«

(27. Dezember 1780)

Der Grund für Raaffs Einwände: Es gibt in diesem Stück keine cantable Melodie. Diese Kritik ist sehr interessant, denn man sieht, daß schon damals das Legato ein Hauptanliegen der Sänger war. Der Komponist will den Text mehr gesprochen haben, der Sänger will die große melodische Linie, mit der er seine Stimme zeigen kann.

»–non c'è da spianar la voce – es ist zu Eng (Raaffs Kritik am Quartett) – als wen man in einem quartetto nicht viel mehr reden als singen sollte« – (Diese Aussage Mozarts müßte man heute noch jedem Sänger als eine Art Credo ans Herz legen; auch hier finden wir die enge Verwandtschaft zu den Äußerungen Caccinis und Monteverdis aus der Frühzeit der Oper.) – »dergleichen sachen versteht er gar nicht. – ich sagte nur; liebster freund! – wenn ich nur eine Note wüste, die in diesen quartetto zu ändern wäre, so würde ich es sogleich thun. – allein – ich bin noch mit keiner sache in dieser oper sozufrieden gewesen wie mit diesen quartett; – und hören sie es nur einmal Zusamm – dann werden sie gewis anders reden–«

(27. Dezember 1780)

Mozart wünscht also hier ausdrücklich eine sprechende Gesangsweise. Dieses »sprechende Singen« (cantar recitando im Sinne Caccinis) oder vielmehr »singende Sprechen« (recitar cantando) war bei der Rezitativgestaltung für Mozart und seine Zeitgenossen geradezu der Angelpunkt. Als er 1779 in Mannheim ein »Duodrama« (Melodram) hörte, war er begeistert:

»–sie wissen wohl, daß da nicht gesungen, sondern Declamirt wird – und die Musique wie ein obligirtes Recitativ (Accompagnato) ist . . . wissen sie was meine Meynung wäre? – man solle die meisten Recitativ auf solche Art in der opera tractiren – und nur bisweilen, wenn die wörter gut in der Musick auszudrücken sind, das Recitativ singen.«

(12. November 1778)

Diese Briefstellen sind auch aufschlußreich für das Verhältnis zwischen Sänger und Komponist. Raaff pocht auf sein angestammtes Recht, seinen Part nach seinem Geschmack und seinen Wünschen geändert zu bekommen; Mozart aber sagt deutlich:

»ich habe mich bey ihren 2 Arien alle mühe gegeben sie recht zu Bedienen – werde es auch bey der dritten thun – und hoffe es zu stande zu bringen – aber was terzetten und

Quartetten anbelangt muß man dem Compositeur seinen freyen Willen lassen – darauf gab er sich zufrieden.«

(27. Dezember 1780)

Daraus geht klar hervor: Im Ensemble geht es um das Drama, nicht um Schöngesang, da läßt sich Mozart absolut nichts dreinreden. Wir müssen uns die Situation zwischen den beiden vorstellen: Raaff war ein weltberühmter sechzig-jähriger Sänger mit einer ungeheuren Autorität, Mozart war ein halbes Kind, ein ganz junger Mensch, dessen Autorität ausschließlich auf seinem Können beruhte und nicht auf seinem Alter. Aber er wußte ganz genau, wie das Musik-drama, das er sich vorstellte, geformt sein mußte. Mit Raaff hatte Mozart, seinen Briefen zufolge, am meisten »Noth«. Er war in seinen jungen Jahren einer der Stars des italienischen Ziergesanges gewesen. Diese vom Publikum verwöhnten Künstler hatten ein überdimensioniertes Selbstbewußtsein, und so tyrannisierten sie häufig die Komponisten. Ein Sänger konnte dem Komponisten damals vorschreiben, wie er seine Arien komponiert haben wollte! Hätte dieser die Wünsche seiner Sänger nicht erfüllt, wäre er getadelt worden, ja er wäre eigentlich als Komponist zu jener Zeit ungeeignet gewesen. Im Verhältnis zwischen Sänger und Komponist war der Sänger der Star, für den der Komponist zu arbeiten hatte.

Raaffs Änderungswünsche waren zahlreich, so lehnte er die Schlußarie Idomeneos ab, weil in ihren letzten Versen fünf i vorkamen, die bekanntlich nicht gut klingen und schwierig zu singen sind.

>>neülich war er ganz unwillig über das wort in seiner lezten aria; – rinvigorir – und ringiovenir – besonders vienmi à rinvigorir – fünf i – es ist wahr beym schluß einer aria ist es sehr unangenehm.–«

(27. Dezember 1780)

Der Vater kennt in dieser Hinsicht weniger Bedenken, denn er antwortet darauf:

>>Was das Vieni a rinvigorir betrifft ist es wahr, daß es 5 i sind, aber es ist auch wahr, daß ich es mit der grössten Leichtigkeit und geschwindigkeit 20 mahl ohne unbe-quemmlichkeit aussprechen will . . . basta! ohnangenehm

hin unangenehm her, der Teufel möchte ewig ändern und
wieder ändern. Sgr: Raaff ist gar zu heickel.«

(29. Dezember 1780)

Außerdem verlangte Raaff, daß die Schlußarie genau seiner
Vorstellung von lyrischem Gesang entspreche. Weil er mit
Varescos Dichtung nicht zufrieden war, schlug er Mozart
vor, eine Friedensarie aus einer Metastasio-Oper zu verwenden, mit der er schon große Erfolge gehabt hatte. Mozart
möge diesen Text dort hineinkomponieren – eine schlimme
Beleidigung für den Librettisten Varesco. Mozart sah als
einzige Rettung aus diesem Debakel: ein neuer, besserer Text
muß geschrieben werden. Schließlich, nach einem mißglück-
ten Versuch (»die überschickte Arie für Raaff gefällt mir
und ihm gar nicht . . . Ueberdies ist sie auch gar nicht so wie
wir sie gewünscht haben . . .«) (29. November 1780), bekam
er von Varesco einen Text, mit dem auch Raaff einverstanden
war. Mozart komponierte die wundervolle Arie »Torna la
pace«, Raaff war begeistert. Dann – am Ende der Probenzeit
– strich er diese so mühsam errungene Arie aus dramaturgischen Gründen! Als er das vollendete Werk in seinem
dramatischen Ablauf vor sich hatte, strich er noch einige
weitere Arien, Accompagnati und Rezitative. Man stelle sich
vor: Der Komponist verwendet alle Mühe, Zeit und Phantasie auf diese herrlichen Arien und opfert sie doch rücksichtslos, sobald er erkennt, daß diese einschneidenden Straffun-
gen für das Gesamtwerk notwendig sind. (Das Moment der
dramatischen Richtigkeit geht Mozart bei dieser Entscheidung über das rein quantitativ musikalische.) Auch ist ihm
der dramatische Ausdruck (das, was Monteverdi die Wahr-
haftigkeit genannt hatte) wichtiger als rein musikalische
Schönheit.

Das geht nun schon eineinhalb Monate hin und her: Der
Sohn schreibt, dies oder jenes müsse geändert werden, der
Vater muß dann zum Dichter gehen – der lebt ja als
Hofkaplan in Salzburg – und diese Änderungen durchsetzen.
Beim Quartett, wie überhaupt in den meisten Fragen der
Interpretation, sind Vater und Sohn einer Meinung:

»wegen den Quartetten etc will gar nichts sagen, dazu
gehört Declamation und Action und keine grosse Sing-

kunst oder das ewige Spianar la Voce, da gehört Handlung und reden her.« (29. Dezember 1780)

Aus diesem Briefwechsel ersehen wir, wie genau Mozarts Vorstellungen waren, wie er unterscheidet, was dem Sänger zusteht und was für den Komponisten unverzichtbar sein muß, wo er den Wünschen des Sängers nachgeben kann und wo er – im Interesse des dramatischen Aufbaues – seine Autorität als Komponist unbeirrbar durchsetzen muß.

Interessantes findet sich in diesem Briefwechsel nicht nur über die Beziehung des Komponisten zu den Sängern, sondern auch über das Verhältnis Komponist–Librettist. In der älteren Mozart-Literatur, sowohl des vorigen als auch dieses Jahrhunderts, heißt es immer wieder, Mozart sei wohl ein großartiger Komponist gewesen, aber in seinen musikalischen Phantasien so befangen, daß er wahllos schlechte Texte komponiert habe. Wie könne man ein so albernes Stück wie »Lucio Silla« oder »Così fan tutte« – das albernste von allen! – heute noch aufführen. Man müsse umtextieren, wenn man die Musik »retten« wolle. Der arme Mozart habe eben von Texten überhaupt nichts verstanden. Heute kommt man allmählich dahinter, daß man voreilig und falsch geurteilt hat, daß man diese Opern mißverstanden hat, weil es dabei um Tiefen und Schärfen der Diktion geht, die weit über das hinausgehen, was man im vorigen Jahrhundert von einer Oper erwartete. Und man entdeckt auch, daß Komponisten wie Mozart oder Schubert, oder auch Verdi (denen man dasselbe vorgeworfen hat), an jedem einzelnen Wort aufs höchste interessiert waren.

Vielleicht ist hier ein kleiner Rücksprung zu Monteverdi angebracht. Er hat jede Oper, die er komponierte, gemeinsam mit dem Textdichter erarbeitet. Bei einigen der Opern wohnte der Textdichter in der Nähe des Komponisten, sodaß die beiden ständig miteinander arbeiten, korrigieren, an kleinsten Feinheiten feilen konnten. – Eine ähnliche Arbeitsweise verband Mozart mit seinen Librettisten, besonders mit Da Ponte, aber auch mit Stephanie (»Die Entführung aus dem Serail«) und Schikaneder (»Die Zauberflöte«). Bei der Zusammenarbeit mit allen dreien ist ein erheblicher Anteil des Komponisten an der Textgestaltung erkennbar.

Die frühe italienische Opera seria war formal prinzipiell vom neuen Musikdrama unterschieden. Mozart hatte in seiner Jugend in Mailand solche Werke zu schreiben und verwendete dabei fertige Libretti, die gelegentlich auch anderen Komponisten gedient hatten. Die Technik der Opera seria verlangte in erster Linie die Lösung bestimmter, schematisch vorgegebener Probleme: das Liebesduett, die Rachearie, die Friedhofszene ... usw. Die Texte, die lediglich gewissen allgemeinen Regeln zu genügen hatten, waren weitgehend austauschbar. (Der oben erwähnte Wunsch Raaffs, eine Friedensarie Metastasios zu verwenden, illustriert diese Idee am durchaus ungeeigneten Beispiel »Idomeneo«.) Die Ideen, die Mozart für das neue Musikdrama vorschwebten, waren innerhalb dieser Seria-Schematik nicht realisierbar. Es ist bezeichnend und wichtig, daß Mozart sein erstes neuartiges Werk – »Idomeneo« – nicht mehr als Opera seria, sondern als Dramma per musica bezeichnet. Hier sieht er sich, erstmalig, für das gesamte Werk verantwortlich, für den Text genauso wie für die Musik, und er schreibt keinen Ton Musik über Worte, die er nicht voll akzeptiert. Wir können also sagen, jede seiner nach dem »Idomeneo« geschriebenen Opern ist – auch vom Text her – ganz Mozart. Denn wenn Mozart mit dem Text nicht einverstanden war, dann bestand er auf einer Änderung und änderte so lange mit dem Dichter, und nötigenfalls sogar allein, bis das herauskam, was er sich vorstellte. Dies können wir aus der Korrespondenz zu »Idomeneo« genau verfolgen.

Wenn wir also heute sagen, die Musik sei gut, nur der Text schwach, dann sprechen wir damit praktisch gegen Mozart – wir sollten ein derartiges Urteil sehr sorgfältig überprüfen. Mozart hat den Text akzeptiert, und zwar so akzeptiert, wie er in der letztgültigen Version aufscheint. Findet man einen von Mozart komponierten Operntext albern, dann ist das zugleich eine Anklage gegen Mozart. Er hätte ja, wenn ihm etwas nicht gefallen hätte, jederzeit Änderungen verlangen können, und er hat dies auch immer wieder getan. Seine dramaturgische Ader bezieht sich keineswegs nur auf die Musik, sondern auf jede seiner Opern als Ganzes. Als der Librettist Varesco für die zahlreichen Änderungen vom

Münchner Intendanten einen Extralohn verlangt, schreibt Mozart:

> »sagen sie unterdessen dem varesco in meinem Nammen, daß er von graf Seau keinen kreützer mehr als accordirt worden, bekömmt – denn die veränderungen hat er nicht ihm, sondern mir gemacht . . .«

(18. Jänner 1781)

So wie damals nur durch die konsequente Zusammenarbeit des Komponisten mit dem Textdichter ein sinnvolles Musik-drama entstehen konnte, so kann ein derartiges Werk heute nur durch selbstlose Zusammenarbeit des Dirigenten mit dem Regisseur sinnvoll realisiert werden. Leider wird so eine gemeinsame Arbeit in der Beurteilung häufig auseinander-dividiert: Die Regie war bedeutend, aber die Ausführung der Musik . . . oder umgekehrt. – Der musikalische Leiter ist mitschuldig, wenn es zu einer musikalisch nicht fundierten Regie kommt, er hat ja bei der Probenarbeit das Konzept des Komponisten zu vertreten. Ein musikalischer Regisseur wird gerne auf seinen Rat hören. Wenn aber der Dirigent erst kurz vor der Premiere eintrifft und die bereits nahezu fertig geprobte Aufführung vorfindet – und das ist durchaus üb-lich –, kann er nur noch resignieren. Er meint dann: Auf der Bühne soll geschehen was will, wir spielen unsere schöne Musik dazu. Diese weit verbreitete Einstellung ist eine Katastrophe für die Oper. Es dürfte keine Aufführungen einer Oper geben, bei der Regisseur und Dirigent nicht auf das engste zusammenarbeiten, bei der nicht jeder der beiden die gesamte Aufführung bejaht, auch den Anteil des Part-ners! Die Symbiose Regisseur/Dirigent ähnelt durchaus der der Autoren: des Komponisten und des Librettisten.

Noch ein Beispiel zu Mozarts Anteil an der Textgestaltung:

> »–Nun – in der letzten scene im 2.ten Ackt hat Idomeneo zwischen den Chören eine Aria oder vielmehr art von Cavatina – hier wird es besser seyn – ein blosses Recitativ zu machen, darunter die Instrumenten gut arbeiten können – denn, in dieser scene die : wegen der action und den Gruppen, wie wir sie kürzlich mit le grand verabredet haben : die schönste der ganzen opera seyn wird, wird ein solcher lärm und Confusion auf dem theater seyn, daß eine

aria eine schlechte figur auf diesem Platze machen würde –
und überdieß ist das donnerWetter – und das wird wohl
wegen der Aria von H: Raaff nicht aufhören? – und der
Effect; eines Recitativs, zwischen den Chören ist ungleich
besser.«   (15. November 1780)

Hier handelt es sich um das Schlußaccompagnato Idomeneos
im zweiten Akt, »Eccoti in me barbaro Nume«, zwischen den
Chören »Qual nuovo terrore« und »Corriamo fuggiamo«.
Mozart bezeichnet diese Szene als die »schönste der ganzen
Oper« – in Wirklichkeit ist es die schrecklichste. Aber: sie
drückt genau das aus, was er sagen will, *darum* ist sie schön.
Schön heißt bei ihm also nicht primär angenehm. In dieser
Szene, einem scheinbaren Monolog Idomeneos, bekennt sich
dieser als der an allem Unheil allein Schuldige: Er hat
Nettuno das Opfer versprochen, nun, da es sich um seinen
Sohn Idamante handelt, vermag er den Schwur nicht
einzulösen. Dieser Monolog ist in Wahrheit ein grandioser
Dialog zwischen Idomeneo und Nettuno. Der furchtbare
Meeresgott spricht in der ganzen Oper kein Wort und ist
doch in der Sprache des Orchesters von der Ouverture an
stets präsent; in diesem Accompagnato hört man sein
schreckliches »Nein« auf die zage Bitte Idomeneos, er möge
auf das unschuldige Opfer verzichten. Es ist ein gewaltiges
Beispiel für die wortlose Sprache in Tönen. – »Schön«
bedeutet also in der Sprache Mozarts (wie in der Monteverdis) noch etwas wie *richtig* oder *wahr*.

Das gleiche Streben nach »Verdichtung« finden wir auch in
seiner Korrespondenz zum dritten Akt:

> »man hat gefunden daß er die 2 Erstern Ackte noch um
> viel übertrift. – Nur ist die Poesie darinn gar zu lang, und
> folglich die Musick auch; welches ich immer gesagt habe,
> deswegen bleibt die aria vom Idamante, Nò, la morte io
> non pavento, weg – welche ohnedieß ungeschickt da ist –«
>   (18. Jänner 1781)

Gemeint ist natürlich »ungeschickt« im dramaturgischen
Sinne, weil die anderen Sänger, wenn Idamante die Arie
sänge, auf der Bühne sinnlos »herumstehen« müßten. Mozart
ist sich im klaren, daß derartige Striche, so notwendig sie
sind, musikalisch einen Verlust bedeuten:

»worüber aber die leute die sie in Musick gehört haben, darüber seüfzen – und die letzte von Raaff auch – worüber man noch mehr seüfzt – allein – man muß aus der Noth eine tugend machen.«

»Die letzte von Raaff« ist nun ausgerechnet jene Arie, die Mozart mit so vieler Mühe und Konflikten geschaffen hatte, um den Sänger zufriedenzustellen: »Torna la pace«. Sie folgte auf das große Accompagnato des Idomeneo, das mit den Worten »Oh Creta fortunato, Oh me felice« endet. – Der Hörer erwartete damals nach einem Orchesterrezitativ (Accompagnato) unbedingt eine Arie, die wenigen Ausnahmen von dieser formalen Selbstverständlichkeit empfand man als Sensation. – Nachdem Mozart die Arie gestrichen hatte, war dieses letzte Rezitativ (Resignation, schmerzhafter Rücktritt Idomeneos) zugleich das Ende der Oper! Das Fehlen der alles in Glück und Entspannung auflösenden Arie wird durch den nun unmittelbar folgenden Jubelchor noch viel deutlicher spürbar. Dieser Chor gehört ja formal ausdrücklich nicht zur eigentlichen Handlung, sondern ist der Beginn des großen Schlußdivertissements: Chormarsch »Scenda Amor«/Ballettchaconne. Dieser Schlußjubel wirkt nun aufgesetzt, schmerzhaft; er unterbricht ja abrupt den offensichtlich noch nicht beendeten Monolog des Idomeneo, und sagt damit: Genug, deine Zeit ist vorbei. Der vorzeitige Jubel läßt uns erschrecken, die Schuld Idomeneos hat ihm jede Initiative aus der Hand genommen, er darf nicht einmal mehr seine beglückte und beglückende Schlußarie singen.

Auch hier empfinden wir den rein musikalisch bedauerlichen Strich als große dramatische Verdichtung, wobei die Wirkung gerade vom Musikalischen ausgeht, vom schockierenden Aufeinanderprallen des Accompagnato mit der Schlußapotheose. Auch von der Tonart her steht das letzte Accompagnato des Idomeneo isoliert im Finale: auf Elettras Raserei, die in d-Moll schließt, folgt ein fremdartig störender und zugleich beruhigender Es-Dur-Akkord, dem die dominierenden Klarinetten und Hörner einen mysteriös-romantischen Klang geben. Das Accompagnato des Idomeneo endet in B-Dur, der Tonart der gestrichenen Arie. Ohne diese wirkt der Schluß des Rezitativs wie ein Atemholen für etwas, das dann nicht folgt, sondern brutal durch den D-Dur-Jubelchor zur Seite geschoben wird.

Es ist merkwürdig und höchst konsequent, daß Mozart die einzige Arie dieser Oper, die einen vollkommen entspannten, glücklichen Affekt hat, schließlich wieder herausnahm. Das ganze Werk wird von Bedrohung (Nettuno), Konflikt (Griechen/Kreter), Spannung (Vater/Sohn, die beiden Rivalinnen Ilia und Elettra) und Angst bestimmt. Glück und Seelenfrieden werden stets ersehnt, sind aber kaum jemals greifbar; sie sind stets von allen Seiten bedroht. Dies kann man auch an den wenigen glücklichen Momenten des Idamante, ebenso wie an jenen der Ilia oder Elettra, erkennen. Für Idomeneo selbst gibt es keine solchen Momente, weil immer der drohende Schwur hinter ihm steht. Es gibt in dem ganzen Stück keine einzige ruhige Andante- oder Adagio-Arie, bei der man sagen könnte: alles ist ruhig, alles ist schön. Die Musik der Schlußarie des Idomeneo hätte wohl der große Ruhepunkt der Oper werden sollen. Und gerade den muß Mozart zum Schluß wieder herausreißen, weil dieses Werk sich eben nicht zu einem friedvollen Schluß entwickeln kann. Bis zuletzt wirkt der Keim des Tragischen. Eine Fortsetzung würde wohl wieder eine ähnliche Tragödie werden. – In diesem Ringen um den adaequaten Schluß der Oper können wir Mozart wirklich in die Werkstatt schauen, können wir ahnen, was er in all den Diskussionen mit dem Textdichter, im Hin und Her der musikalischen Fassungen anstrebt.

Die Suche nach der adaequaten Form der Orakelszene gibt uns einen tiefen Einblick in Mozarts dramaturgisches Konzept.

»Sagen Sie mir, finden Sie nicht, daß die Rede von der unterirdischen Stimme zu lang ist? Ueberlegen Sie es recht. – Stellen Sie sich das Theater vor, die Stimme muss schreckbar seyn – sie muss eindringen – man muss glauben, es sey wirklich so – wie kann sie das bewirken, wenn die Rede zu lang ist, durch welche Länge die Zuhörer immer mehr von dessen Nichtigkeit überzeugt werden?«

Das ist erstaunlich dramaturgisch gedacht. Etwas Schreckliches, Aufregendes verliert immer mehr an Spannung, wenn es in einer langen Rede dargestellt wird. Man wird zunächst, beim ersten Akkord, aufhorchen, doch je länger diese unterirdische Stimme spricht, desto mehr wird das anfängliche Interesse abgeschwächt und die Wirkung geht verloren. Daß ein derart junger Komponist diese Art von Wirkung, die doch Lebenserfahrung voraussetzt, so genau abschätzen kann, finde ich nahezu unglaublich.

Er fährt fort:

»Wäre im Hamlet die Rede des Geistes nicht so lang, sie würde von noch besserer Wirkung seyn – Diese Rede hier ist auch ganz leicht abzukürzen, sie gewinnt mehr dadurch, als sie verliert.«

(29. November 1780)

Man sieht, Mozart kennt seinen Shakespeare nicht nur, er kritisiert ihn sogar kompetent. Als ihm die Kürzungsvorschläge Varescos nicht genügen, schreibt er:

»der orackel spruch ist auch noch viel zu lange – ich habe es abgekürzt – der varesco braucht von diesem allem nichts zu wissen, denn gedruckt wird alles wie er es geschrieben.«

(18. Jänner 1781)

Zu diesem Zeitpunkt hatte er schon zwei Kürzungen des Orakels durchgesetzt, und es war ihm immer noch zu lang. Die weiteren Kürzungen besorgte der Komponist selbst, ohne den Librettisten. Das Libretto sollte, Varesco zuliebe, ungekürzt gedruckt werden. Es kam dann nicht dazu, weil der Intendant darauf bestand, daß wegen der allzu großen Unterschiede nur die tatsächlich gespielte Variante im endgültigen Textbuch gedruckt wurde. Es war damals üblich, daß das Publikum das Textbuch einer neuen Oper vor der Aufführung erwerben konnte, es sollte ihm Gelegenheit geboten werden, das Werk wenigstens vom Inhalt her vorher kennenzulernen. So mußte der Hörer während der Aufführung nicht seine ganze Aufmerksamkeit dem bloßen Handlungsablauf zuwenden.

Von der besagten unterirdischen Stimme gibt es schließlich vier Fassungen, von denen jede kürzer als die vorhergehende ist. Mozart wollte dieser Rede einen geisterhaften, irrealen Charakter geben. So ließ er sie von zwei Hörnern und drei

Posaunen, die wie der Sänger hinter der Bühne stehen sollten, begleiten. Diese drei Posaunen sollten in der ganzen Oper nur diese wenigen Akkorde spielen. Der Intendant des Münchner Theaters verweigerte Mozart die Posaunen als zu teuer. Der Komponist mußte, nach einer harten Auseinandersetzung, nachgeben.

»–Ich habe – nebst vielen andern kleinen streittigkeiten, einen starcken Zank mit dem Graf Seeau wegen den Posaunen gehabt – ich heiss es einen starcken streitt weil ich mit ihm hab müssen grob seyn, sonst wär ich nicht ausgekommen.«   (11. Jänner 1780)

Mozart ist leider nicht »ausgekommen«, denn bei der Uraufführung wurde »La Voce« von Holzbläsern begleitet. Das war ein großer Verlust – auch wenn man vom Klanglichen absieht –, weil die Holzbläser aus dem Orchesterraum spielen mußten und nicht hinter der Bühne sein konnten. Dies ist einer der Punkte, wo ich finde, die Uraufführungsversion (mit den Holzbläsern) sei nicht die richtige. Man weiß aus den Briefen ja, daß sie für Mozart nur eine Notlösung war.

Nach wenigen Münchner Aufführungen hat Mozart seinen »Idomeneo« nie wieder szenisch aufgeführt. Er wollte es immer wieder tun, doch gelang es nie. In Wien wurde eine Bühnenaufführung 1781 durch Gluck verhindert, da in diesem Jahr seine »Iphigenie« auf deutsch und seine »Alceste« auf italienisch aufgeführt wurden, sodaß alle guten Sänger besetzt waren. Außerdem war der »treffliche Poet« Alxinger, der »Idomeneo« ins Deutsche übertragen sollte, durch die Arbeit für Gluck ausgelastet; Mozart wollte seine Oper nicht nur in deutscher Sprache, sondern in einer ganz neuen Version mit einem Bassisten (Fischer) als Idomeneo und einem Tenor (Adamberger) als Idamante, aufführen. – Schließlich konnte Mozart 1786 eine konzertante Aufführung im Palais Auersperg durchsetzen, bei der aber verschiedene gesellschaftliche Notwendigkeiten Änderungen erzwangen. Idamante wurde bei dieser Gelegenheit von einem Tenor gesungen, auch mußte ein großes Geigensolo für einen im Wiener Konzert- und Gesellschaftsleben sehr maßgeblichen Geiger, den Grafen Hatzfeld, eingefügt werden, dessen Frau die Elettra sang. Die für diese Aufführung nachkomponierten Stücke sind wunderschöne Musik; die sogenannte »Wiener Fassung« ist eine echte Konzertversion, wenn es auch sehr viele Opernhäuser gibt, die diese Fassung für die Bühne verwenden.

Wir sehen, durch diesen unschätzbaren Briefwechsel werden uns viele Entscheidungen Mozarts auf das eindringlichste erklärt. Dieser Einblick in seine musikdramatische Denk- und Arbeitsweise ist natürlich für die heutige Interpretation außerordentlich wichtig: So werden wir auch die verschiedenen Fassungen der späteren Opern anders beurteilen, wenn wir den Schlüssel für Mozarts Eingriffe besitzen. Wir werden uns aber auch vor schnellen Urteilen hüten, weil wir gesehen haben, wie selbstkritisch und gewissenhaft Mozart arbeitete.

Mozarts Requiem, sein einziges Werk mit autobiographischem Bezug

Gedanken und Eindrücke

Ich möchte hier keine analytischen oder musikwissenschaftlichen Studien zu diesem Werk machen, sondern Eindrücke wiedergeben, die mich beim Erarbeiten von Mozarts Requiem als Musiker unmittelbar berührten. Zunächst empfand ich – trotz der fragmentarischen Überlieferung und trotz der vielfach so hart kritisierten Ergänzung durch Mozarts Schüler Süßmayr – das Zusammenhängende, den großen Wurf des Ganzen, die Architektur des Gesamtwerkes bei weitem zwingender als jemals früher: die ergänzten Teile kann ich musikalisch keineswegs als Fremdkörper sehen, sie sind im Wesen mozartisch. Es ist für mich völlig abwegig und unmöglich, zu glauben, ein inferiorer Komponist wie Süßmayr, dessen Kompositionen niemals über ein banales Mittelmaß hinausreichen, hätte aus eigenem das Lacrimosa vollenden und dieses Sanctus, Benedictus und Agnus Dei komponieren können. Selbst eine vom übrigen ausstrahlende Inspiration, die Süßmayr gleichsam beflügelt hätte, kann mir eine solche Herkunft dieser Musik nicht glaubhaft machen. Für mich sind diese Sätze eben auch von Mozart, sei es, daß Süßmayr entsprechendes Skizzenmaterial zur Verfügung hatte, sei es, daß ihm diese Kompositionen, im Laufe der Zusammenarbeit, von Mozart eindringlich vorgespielt worden waren. Auch die deutliche qualitative Diskrepanz zwischen der Komposition und der Süßmayrschen Instrumentation dieser Sätze bestärkt mich in meiner Überzeugung.

Wir wissen aus Mozarts Briefen, daß Gedanken an den Tod und gläubige Auseinandersetzung damit für ihn vertraut und selbstverständlich waren. So schreibt er 1787, also mit 31 Jahren, an seinen kranken Vater: ». . . da der Tod, genau zu nemmen, der wahre Endzweck unsers lebens ist, so habe ich mich seit ein Paar Jahren mit diesem wahren, besten freunde des Menschen so bekannt gemacht, daß sein Bild nicht allein nichts schreckendes mehr für mich hat, sondern recht viel beruhigendes und tröstendes! und ich danke meinem gott, daß er mir das glück gegönnt hat mir die gelegenheit . . . zu verschaffen, ihn als den schlüssel zu unserer wahren Glückseeligkeit kennen zu lernen. – ich lege mich nie zu bette ohne zu bedenken, daß ich vielleicht, so Jung als ich bin, den andern Tag nicht mehr seyn werde . . .«

Schon das Todesquartett aus »Idomeneo«, das Mozart zehn Jahre vor dem Requiem geschrieben hatte, wirkt auf mich wie eine erste, sehr persönliche Auseinandersetzung mit dem eigenen Tod. Mozart, der sich ja mit Idamante identifizierte, hatte zu dieser Oper, besonders aber zu diesem Quartett, zeit seines Lebens eine ungewöhnlich starke emotionale Beziehung. Es ist überliefert, daß es ihn so sehr zu Tränen rührte, daß er nicht weitersingen konnte, als er es gelegentlich in Wien musizierte, wobei er wohl den Idamante sang. Ähnliches wird uns über eine Art Probe des Requiems berichtet, bei der kurz vor seinem Tod die bereits fertigen Teile ausprobiert wurden, wobei Mozart beim Lacrimosa in Tränen ausbrach und nicht mehr weiter konnte.

Das gesamte Werk wirkt auf mich wie eine zutiefst persönliche Auseinandersetzung; erschreckend und erschütternd bei einem Komponisten, der normalerweise sein persönliches Leben und Erleben geradezu auffallend von seiner Kunst trennte. Das instrumentale Vorspiel ist eine Totenklage (Bassetthörner und Fagotte), zu der die tiefen und hohen Streicher abwechselnd gleichsam schluchzende Figuren spielen, die in Mozarts Musik das Weinen darstellen. Diese ruhige Trauer wird aufgerissen durch die Forteschläge der Posaunen, Trompeten und Pauken im siebenten Takt: Der Tod ist nicht nur ein milder Freund, sondern der Schritt zum gefürchteten Gericht. – Hier empfinde ich zum erstenmal, vielleicht wie Mozart selbst, wie der offizielle liturgische Text zu persönlichster aufwühlender Auseinandersetzung wird: Der Tod trifft jeden einmal – aber was wird mit *mir*! – Oder wie nach »luceat eis« (das Licht soll ihnen ewig leuchten) im Takt 17 bis 20 die inständige allgemeine Bitte in ein beglückendes Trostmotiv mündet, gleichsam: Alles wird gut werden, weil es Erbarmen gibt. – Das Kyrie, die Bitte um das göttliche Erbarmen, steigert sich aus der allgemeinen

Fuge in immer persönlichere, geradezu fordernde homophone Rufe: Herr, *Du mußt* mich begnadigen! – Besonders stark ist die Gegenüberstellung des Allgemeinen zum Persönlichen in der Sequenz: Das Dies Irae malt erbarmungslos die Schrecken des letzten Gerichtstages, die Strenge des Richters (»cuncta stricte discussurus!«), das Tuba mirum die Erweckung der Toten zum Gericht: nichts blieb ungerächt (»nil inultum remanebit«) – rührend persönlich darauf die ängstliche Frage: »Was werde ich Armer dann wohl sagen?« ... Oder die krasse Gegenüberstellung des gewaltigen Königs im Rex tremendae mit dem Ich, mit mir: »rette mich, Quell der Gnade« – die im Recordare, einem Satz, der Mozart nach dem Zeugnis Constanzes besonders wichtig war, in ein eindringliches und zutiefst vertrauendes Gebet mündet: »Du hast mich doch durch Dein Leiden erlöst, solche Mühe darf doch nicht vergeblich sein.« Ich verstehe die besondere, wohl religiös-musikalische Einstellung Mozarts zu diesem Satz, weil er das Persönliche der Beziehung zu Gott so stark hervortreten läßt, die Möglichkeit der liebevollen Milde des vorher als unerbittlich streng geschilderten Richters innig darstellt: dies besonders an zwei Stellen »der Du Maria-Magdalena begnadigt hast, *laß auch mich hoffen* (Takt 83–93) – »laß mich zu Deiner Rechten bei den Schafen sein« (Takt 116 – Ende). – Im Confutatis, das von vornherein die Gegenüberstellung *Alle – Ich* beinhaltet, wird die innig-persönliche Beziehung zu Gott im letzten Satz »sei bei mir, wenn ich sterbe!« sowohl harmonisch als auch in einer sicher-vertrauensvollen musikalischen Textausdeutung hervorgehoben. Hier höre ich Mozart selbst, für sich selbst sprechen, mit aller ihm zu Gebote stehenden bewegenden Eindringlichkeit, wie ein krankes Kind, das vertrauensvoll seine Mutter ansieht, und die Angst schwindet.

Diskographie

Nikolaus Harnoncourt
exklusiv auf TELDEC-SCHALLPLATTEN

JOHANN SEBASTIAN BACH

Johannes-Passion, BWV 245
Gesamtaufnahme
Equiluz, von t'Hoff, van Egmond
u. a., Wiener Sängerknaben,
Chorus Viennensis,
Concentus musicus Wien
LP 6.35018 (3 LPs) DX
DMM
CD 8.35018 (2 CDs) ZA
GRAND PRIX DU DISQUE

Matthäus-Passion, BWV 244
Gesamtaufnahme
Solisten der Wiener Sänger-
knaben, Esswood, van Egmond,
Schopper, King's College Choir,
Cambridge, u. a.,
Concentus musicus Wien
LP 6.35047 (4 LPs) EK
DMM
CD 8.35047 (3 CDs) ZB
PREMIO DELLA CRITICA DISCO-
GRAFICA ITALIANA, EDISON-PREIS

Matthäus-Passion, BWV 244
Arien und Chöre
Concentus musicus Wien
LP 6.42536 AH

Matthäus-Passion, BWV 244
Gesamtaufnahme
Equiluz, Holl, Augér, Greenawald,
Rappe, van Nes, Rosenshein, van der
Meer, Scharinger,
Concertgebouw Orchestra Amster-
dam und Chor
LP 6.35668 (3 LPs) GK
DMM DIGITAL
MC 4.35668 (3 MCs) MR CrO$_2$
CD 8.35668 (3 CDs) ZB

Messe h-Moll, BWV 232
»Hohe Messe«
Hansmann, Iiyama, Watts, Equiluz,
van Egmond u. a.
Concentus musicus Wien
LP 6.35019 (3 LPs) EK
DMM
CD 8.35019 (2 CDs) ZA
DEUTSCHER SCHALLPLATTENPREIS,
GRAND PRIX DU DISQUE

Messe h-Moll, BWV 232
»Hohe Messe«
Blasi, Ziegler, Rappe,
Equiluz, Holl
Arnold-Schönberg-Chor, Wien
Concentus musicus Wien
LP 8.35716 (2 LPs) ZA
MC 4.35716 (2 MCs) MH
CD 6.35716 (2 CDs) EX

Missa 1733, Kyrie – Gloria
Hansmann, Iiyama, Watts, Equiluz,
van Egmond, Wiener Sängerknaben,
Chorus Viennensis,
Concentus musicus Wien
CD 8.41135 ZK

Weihnachtsoratorium,
BWV 248
Gesamtaufnahme
Esswood, Equiluz, Nimsgern,
Wiener Sängerknaben, Chorus
Viennensis,
Concentus musicus Wien
LP 6.35022 (3 LPs) EK
DMM
CD 8.35022 (3 CDs) ZB

Die Weihnachtsgeschichte
aus dem Weihnachtsoratorium,
BWV 248
Solisten der Wiener Sängerknaben,
Esswood, Equiluz, Nimsgern,
Wiener Sängerknaben, Chorus
Viennensis,
Concentus musicus Wien
LP 6.42102 AQ

DAS KANTATENWERK
Erste Gesamtaufnahme in authentischer Besetzung. Mit umfangreicher
Werkeinführung, vollständigen Kantatentexten und Partituren.
ERASMUS-PREIS

Das Kantatenwerk – Folge 1
Kantaten BWV 1–4
Wiener Sängerknaben, Chorus
Viennensis,
Concentus musicus Wien
LP 6.35027 (2 LPs) EX
DMM
CD 8.35027 (2 CDs) ZL
DEUTSCHER SCHALLPLATTENPREIS

Das Kantatenwerk – Folge 2
Kantaten BWV 5–8
Wiener Sängerknaben, Chorus
Viennensis, Concentus musicus
Wien, King's College Choir,
Cambridge, Leonhardt-Consort/
Leonhardt
LP 6.35028 (2 LPs) EX
CD 8.35028 (2 CDs) ZL

Das Kantatenwerk – Folge 3
Kantaten BWV 9–11
Wiener Sängerknaben, Chorus
Viennensis, Concentus musicus
Wien, King's College Choir,
Cambridge, Leonhardt-Consort/
Leonhardt
LP 6.35029 (2 LPs) EX
CD 8.35029 (2 CDs) ZL

Das Kantatenwerk – Folge 5
Kantaten BWV 17–20
Wiener Sängerknaben, Chorus
Viennensis,
Concentus musicus Wien
LP 6.35031 (2 LPs) EX
CD 8.35031 (2 CDs) ZL
DEUTSCHER SCHALLPLATTENPREIS

Das Kantatenwerk – Folge 6
Kantaten BWV 21–23
Wiener Sängerknaben, Chorus
Viennensis, Concentus musicus
Wien, Tölzer Knabenchor, King's
College Choir, Cambridge, Leonhardt-Consort/Leonhardt
LP 6.35032 (2 LPs) EX
DC 8.35032 (2 CDs) ZL

Das Kantatenwerk – Folge 7
Kantaten BWV 24–27
Wiener Sängerknaben, Chorus
Viennensis,
Concentus musicus Wien
LP 6.35033 (2 LPs) EX
CD 8.35033 (2 CDs) ZL

Das Kantatenwerk – Folge 8
Kantaten BWV 28–30
Wiener Sängerknaben, Chorus
Viennensis,
Concentus musicus Wien
LP 6.35034 (2 LPs) EX
CD 8.35034 (2 CDs) ZL

Das Kantatenwerk – Folge 9
Kantaten BWV 31–34
Wiener Sängerknaben, Chorus
Viennensis, Concentus musicus
Wien, Knabenchor Hannover,
Leonhardt-Consort/Leonhardt
LP 6.35035 (2 LPs) EX
CD 8.35035 (2 CDs) ZL

Das Kantatenwerk – Folge 10
Kantaten BWV 35–38
Wiener Sängerknaben, Chorus
Viennensis,
Concentus musicus Wien
LP 6.35036 (2 LPs) EX
CD 8.35036 (2 CDs) ZL

Das Kantatenwerk – Folge 11
Kantaten BWV 39–42
Wiener Sängerknaben, Chorus
Viennensis, Concentus musicus
Wien, Knabenchor Hannover,
Leonhardt-Consort/Leonhardt
LP 6.35269 (2 LPs) EX
CD 8.35269 (2 CDs) ZL

Das Kantatenwerk – Folge 12
Kantaten BWV 43–46
Wiener Sängerknaben, Chorus
Viennensis, Concentus musicus
Wien, Knabenchor Hannover,
Leonhardt, Consort/Leonhardt
LP 6.35283 (2 LPs) EX

Das Kantatenwerk – Folge 13
Kantaten BWV 47–50
Wiener Sängerknaben, Chorus
Viennensis,
Concentus musicus Wien
LP 6.35284 (2 LPs) EX

Das Kantatenwerk – Folge 14
Kantaten BWV 51–52, 54–56
Kweksilber, Kronwitter, Solisten
des Tölzer Knabenchores,
Esswood, Equiluz, Schopper,
Knabenchor Hannover,
Leonhardt-Consort/Leonhardt
LP 6.35304 (2 LPs) EX

Das Kantatenwerk – Folge 15
Kantaten BWV 57–60
Tölzer Knabenchor,
Concentus musicus Wien
LP 6.35305 (2 LPs) EX

Das Kantatenwerk – Folge 16
Kantaten BWV 61–64
Tölzer Knabenchor,
Concentus musicus Wien
LP 6.35306 (2 LPs) EX

Das Kantatenwerk – Folge 17
Kantaten BWV 65–68
Tölzer Knabenchor, Concentus
musicus Wien, Knabenchor
Hannover, Collegium Vocale,
Leonhardt-Consort/Leonhardt
LP 6.35335 (2 LPs) EX

Das Kantatenwerk – Folge 18
Kantaten BWV 69a– 72
Tölzer Knabenchor,
Concentus musicus Wien
LP 6.35340 (2 LPs) EX

Das Kantatenwerk – Folge 19
Kantaten BWV 73–75
Knabenchor Hannover, Collegium
Vocale, Leonhardt-Consort/
Leonhardt
LP 6.35341 (2 LPs) EX

Das Kantatenwerk – Folge 20
Kantaten BWV 76–79
Tölzer Knabenchor, Concentus
musicus Wien, Knabenchor
Hannover, Collegium Vocale,
Leonhardt-Consort/Leonhardt
LP 6.35362 (2 LPs) EX

Das Kantatenwerk – Folge 21
Kantaten BWV 80–83
Huttenlocher, Tölzer Knabenchor,
Concentus musicus Wien
LP 6.35363 (2 LPs) EX

Das Kantatenwerk – Folge 22
Kantaten BWV 84–90
Tölzer Knabenchor, Concentus
musicus Wien, Knabenchor
Hannover, Collegium Vocale,
Leonhardt-Consort/Leonhardt
LP 6.35364 (2 LPs) EX

Das Kantatenwerk – Folge 23
Kantaten BWV 91–94
Tölzer Knabenchor, Concentus
musicus Wien, Knabenchor
Hannover, Collegium Vocale,
Leonhardt-Consort/Leonhardt
LP 6.35441 (2 LPs) EX

Das Kantatenwerk – Folge 24
Kantaten BWV 95–98
Tölzer Knabenchor, Concentus
musicus Wien, Knabenchor
Hannover, Collegium Vocale,
Leonhardt-Consort/Leonhardt
LP 6.35442 (2 LPs) EX

Das Kantatenwerk – Folge 25
Kantaten BWV 99–102
Tölzer Knabenchor, Concentus
musicus Wien, Knabenchor
Hannover, Collegium Vocale,
Leonhardt-Consort/Leonhardt
LP 6.35443 (2 LPs) EX

Das Kantatenwerk – Folge 26
Kantaten BWV 103–106
Tölzer Knabenchor, Concentus
musicus Wien, Knabenchor
Hannover, Collegium Vocale,
Leonhardt-Consort/Leonhardt
LP 6.35558 (2 LPs) EX

Das Kantatenwerk – Folge 27
Kantaten BWV 107–110
Tölzer Knabenchor, Concentus
musicus Wien, Knabenchor
Hannover, Collegium Vocale,
Leonhardt-Consort/Leonhardt
LP 6.35559 (2 LPs) EX

Das Kantatenwerk – Folge 28
Kantaten BWV 111–114
Tölzer Knabenchor, Concentus
musicus Wien, Knabenchor
Hannover, Collegium Vocale,
Leonhardt-Consort/Leonhardt
LP 6.35573 (2 LPs) EX

Das Kantatenwerk – Folge 29
Kantaten BWV 115–117, 119
Tölzer Knabenchor, Concentus
musicus Wien, Knabenchor
Hannover, Collegium Vocale,
Leonhardt-Consort/Leonhardt
LP 6.35577 (2 LPs) EX

Das Kantatenwerk – Folge 30
Kantaten BWV 120–123
Tölzer Knabenchor, Concentus
musicus Wien, Collegium Vocale,
Leonhardt-Consort/Leonhardt
LP 6.35578 (2 LPs) EX
DMM

Das Kantatenwerk – Folge 31
Kantaten BWV 124–127
Tölzer Knabenchor, Concentus
musicus Wien, Collegium Vocale,
Leonhardt-Consort/Leonhardt
LP 6.35602 (2 LPs) EX
DMM

Das Kantatenwerk – Folge 32
Kantaten BWV 128–131
Tölzer Knabenchor, Concentus
musicus Wien, Knabenchor
Hannover, Collegium Vocale
Leonhardt-Consort/Leonhardt
LP 6.35606 (2 LPs) EX
DMM DIGITAL

Das Kantatenwerk – Folge 33
Kantaten BWV 132–135
Knabenchor Hannover, Collegium
Vocale, Leonhardt-Consort/
Leonhardt
LP 6.35607 (2 LPs) EX
DMM DIGITAL

Das Kantatenwerk – Folge 34
Kantaten BWV 136–139
Tölzer Knabenchor,
Concentus musicus Wien
LP 6.35608 (2 LPs) EX
DMM

Das Kantatenwerk – Folge 35
Kantaten BWV 140, 143–146
Tölzer Knabenchor, Leonhardt-
Consort, Concentus musicus
Wien u. a.
Leitung: Leonhardt – Harnon-
court
LP 6.35653 (2 LPs) EX
DMM DIGITAL

Das Kantatenwerk – Folge 36
Kantaten BWV 147–151
Concentus musicus Wien
LP 6.35654 (2 LPs) EX
DMM DIGITAL
MC 4.35654 (2 MCs) ME CrO$_2$
CD 8.35654 (2 CDs) ZL

Das Kantatenwerk – Folge 37
Kantaten BWV 152–156
Tölzer Knabenchor,
Concentus musicus Wien
LP 6.35656 (2 LPs) EX
DMM DIGITAL
MC 4.35656 (2 MCs) ME CrO$_2$
CD 8.35656 (2 CDs) ZL

Das Kantatenwerk – Folge 38
Kantaten BWV 157, 158, 159,
161, 162, 163
Tölzer Knabenchor, Collegium
Vocale,
Leonhardt-Consort/Leonhardt
Concentus musicus Wien
LP 8.35657 (2 LPs) ZL
CD 6.35657 (2 CDs) EX

Das Kantatenwerk – Folge 39
Kantaten BWV 164–169
Concentus musicus Wien
Leonhardt-Consort/Leonhardt
LP 8.35658 (2 LPs) ZL
CD 6.35658 (2 CDs) EX

Famous Cantatas
Auf Christi Himmelfahrt allein,
BWV 128; Gelobet sei der Herr,
mein Gott, BWV 129; Herr
Gott, dich loben alle wir, BWV
130
Leonhardt-Consort/Leonhardt,
Concentus musicus Wien
CD 8.43096 ZK

Mer han en neue Oberkeet,
BWV 212 (»Bauern-Kantate«);
Schweigt stille, plaudert nicht,
BWV 211 (»Kaffee-Kantate«)
Hansmann, Equiluz, van
Egmond,
Concentus musicus Wien
LP 6.41359 AH DMM
MC 4.41359 CH CrO$_2$
CD 8.43631 ZS

Motetten
Singet dem Herrn ein neues Lied,
BWV 225; Der Geist hilft unserer
Schwachheit auf, BWV 226; Jesu,
meine Freude, BWV 227; Fürchte
dich nicht, BWV 228; Komm,
Jesu, komm, BWV 229; Lobet
den Herrn, BWV 230
Bachchor Stockholm,
Concentus musicus Wien
LP 6.42663 AZ
DMM DIGITAL
MC 4.42663 CY CrO$_2$
CD 8.42663 ZK
DEUTSCHER SCHALLPLATTENPREIS
CAECILIA-PREIS

Der zufriedengestellte Äolus
Zerreißet, zersprenget, zertrümmert
die Gruft, BWV 205
Kenny, Lipovšek, Equiluz, Holl,
Arnold-Schönberg-Chor, Concentus
musicus Wien
CD 8.42915 ZK

ORCHESTERWERKE

Brandenburgische Konzerte Nr. 1–6
Concentus musicus Wien
LP 6.35620 (2 LPs) FD
DMM DIGITAL
MC 4.35620 (2 MCs) MH

Brandenburgische Konzerte Nr. 1, 2, 4
Concentus musicus Wien
LP 6.42823 AZ
DMM DIGITAL
MC 4.42823 CY CrO$_2$
CD 8.42823 ZK

Brandenburgische Konzerte Nr. 3, 5, 6
Concentus musicus Wien
LP 6.42840 AZ
DMM DIGITAL
MC 4.42840 CY CrO$_2$
CD 8.42840 ZK

Brandenburgische Konzerte Nr. 1–6
Concentus musicus Wien
LP 6.35043 (2 LPs) DX
GRAND PRIX DU DISQUE

Brandenburgische Konzerte Nr. 1, 3, 4
Concentus musicus Wien
LP 6.41191 AQ
CD 8.43626 ZS
GRAND PRIX DU DISQUE

Brandenburgische Konzerte Nr. 2, 5, 6
Concentus musicus Wien
LP 6.41192 AQ
CD 8.43627 ZS
GRAND PRIX DU DISQUE

Suite Nr. 1 C-Dur, BWV 1066,
Suite Nr. 2 h-Moll, BWV 1067
Concentus musicus Wien
LP 6.43051 AZ
DMM DIGITAL
MC 4.43051 CY CrO$_2$
CD 8.43633 ZS

Suite Nr. 3 D-Dur, BWV 1068,
Suite Nr. 4 D-Dur, BWV 1069
Concentus musicus Wien
LP 6.43052 AZ
DMM DIGITAL
MC 4.43052 CY CrO$_2$
CD 8.43634 ZS

Suiten Nr. 1–4
Concentus musicus Wien
LP 6.35046 (2 LPs) DX
DEUTSCHER SCHALLPLATTENPREIS
GRAMMY

Musicalisches Opfer, BWV 1079
Concentus musicus Wien
LP 6.41124 AZ
DMM
MC 4.41124 CY CrO$_2$
CD 8.41124 ZK
EDISON–PREIS

Violinkonzerte – Vol. 1
Konzert für zwei Violinen d-Moll
BWV 1043; Violinkonzerte
E-Dur, BWV 1042; a-Moll,
BWV 1041
Alice Harnoncourt und Walter
Pfeiffer, Violine,
Concentus musicus Wien
CD 8.41227 ZK

Magnificat D-Dur, BWV 243
Georg Friedrich Händel:
Utrechter Te Deum
Palmer – Lipovšek – Langridge
u. a.
Wiener Sängerknaben,
Arnold-Schönberg-Chor
Concentus musicus Wien
LP 6.42955 AZ
DMM DIGITAL
MC 4.42955 CY CrO$_2$
CD 8.42955 ZK

GEORG FRIEDRICH HÄNDEL

Alexander's Feast
oder Die Macht der Tonkunst
(Cäcilien-Ode von 1736)
Palmer, Rolfe-Johnson, Roberts,
Bachchor Stockholm,
Concentus musicus Wien
LP 6.35440 (2 LPs) EK
DMM
CD 8.35671 (2 CDs) ZA

Belshazzar, Oratorium,
Gesamtaufnahme
Tear, Palmer, Lehane, Esswood
u. a., Concentus musicus Wien
CD 8.35326 (3 CDs) ZB
EDISON–PREIS

Jephtha, Gesamtaufnahme
Hollweg, Linos, Gale, Esswood,
Tomaschke, Sima u. a.,
Concentus musicus Wien
LP 6.35499 (4 LPs) GK
DMM
CD 8.35499 (3 CDs) ZB
DEUTSCHER SCHALLPLATTENPREIS

Ode for St. Cecilia's Day
Palmer, Rolfe-Johnson,
Bachchor Stockholm,
Concentus musicus Wien
LP 6.42349 AZ
MC 4.42349 CY CrO$_2$
CD 8.42349 ZK

Der Messias, Gesamtaufnahme
Gale, Lipovšek, Hollweg,
Kennedy, Stockholmer Kammer-
chor, Concentus musicus Wien
LP 6.35617 (3 LPs) FR
DMM DIGITAL
MC 4.35617 (3 MCs) MU
CD 8.35617 (3 CDs) ZB

Alexanderfest-Konzert,
Konzerte für Orgel, Oboe,
Violine
Alice Harnoncourt, Jürg Schaeft-
lein, Herbert Tachezi
Concentus musicus Wien
CD 8.43050 DIG ZK

Concerti grossi, op. 3
Nr. 1, 2, 3, 4a, 4b, 5, 6; Oboen-
konzert Nr. 3 g-Moll
Concentus musicus Wien
LP 6.35545 (2 LPs) EX
DMM
CD 8.35545 (2 CDs) ZA

Concerti grossi, op. 6
Concerti Nr. 1–12
Concentus musicus Wien
CD 8.35603 (3 CDs) ZB

Orgelkonzerte, op. 4 & op. 7
Herbert Tachezi, Orgel,
Concentus musicus Wien
CD 8.35282 (3 CDs) ZB

Orgelkonzerte – Vol. 1
op. 4, Nr. 1–4
Herbert Tachezi, Orgel,
Concentus musicus Wien
LP 6.42658 AG
DMM

Orgelkonzerte, op. 7
Konzerte Nr. 1–6
Herbert Tachezi, Orgel,
Concentus musicus Wien
LP 6.42520 AZ
DMM DIGITAL
MC 4.42520 CX

Wassermusik
Gesamtaufnahme
Concentus musicus Wien
LP 6.42368 AZ
DMM DIGITAL
MC 4.42368 CY CrO$_2$
CD 8.42368 ZK

Utrechter Te Deum
J. S. Bach:
Magnificat D-Dur, BWV 243
Palmer, Lipovšek, Langridge u. a.
Wiener Sängerknaben,
Arnold-Schönberg-Chor,
Concentus musicus Wien
LP 6.42955 AZ
DMM DIGITAL
MC 4.42955 CY CrO$_2$
CD 8.42955 ZK

JOSEPH HAYDN

Die Schöpfung
Gesamtaufnahme
Holl, Protschka, Gruberova,
Arnold-Schönberg-Chor
Wiener Symphoniker
LP 8.35722 (2 LPs) ZA
MC 4.35722 (2 MCs) MH
CD 6.35722 (2 CDs) EX

Symphonie Nr. 68 B-Dur
Symphonie Nr. 100 G-Dur
»Militär-Symphonie«
Concertgebouw Orchestra, Amster-
dam
LP 8.43301 ZK
MC 4.43301 AZ
CD 6.43301 AZ

CLAUDIO MONTEVERDI

L'Orfeo, Gesamtaufnahme
Berberian, Kozma, Hansmann,
Katanosaka, Rogers, Equiluz,
Egmond, Villisech u. a.,
capella antiqua, München,
Concentus musicus Wien
LP 6.35020 (3 LPs) EK
CD 8.35020 (2 CDs) ZA
DEUTSCHER SCHALLPLATTENPREIS
EDISON-PREIS

L'Orfeo, Gesamtaufnahme
Original Soundtrack,
Unitel Film & TV Production
Huttenlocher, Yakar, Schmidt,
Hermann, Franzen u. a., Monte-
verdi Ensemble Opernhaus Zürich
LP 6.35591 (2 LPs) EK

Il Ritorno d'Ulisse in Patria,
Gesamtaufnahme
Eliasson, Wyatt, Baker-Genovesi,
Hansmann, Lerer, Esswood,
Equiluz, Rogers, van Egmond,
Dickie, Mühle u. a.,
junge kontorei,
Concentus musicus Wien
LP 6.35024 (4 LPs) EX
CD 8.35024 (3 CDs) ZB

Il Ritorno d'Ulisse in Patria,
Gesamtaufnahme
Original Soundtrack,
Unitel Film & TV Production
Hollweg, Schmidt, Araiza, Estes,
Esswood, Huttenlocher, Minetto,
Pery u. a. Monteverdi Ensemble
Opernhaus Zürich
LP 6.35592 (3 LPs) FK

L'Incoronazione di Poppea,
Gesamtaufnahme
Donath, Söderström, Berberian,
Esswood, Langridge, Equiluz u. a.
Concentus musicus Wien
CD 8.35247 (4 CDs) ZC
DEUTSCHER SCHALLPLATTENPREIS
GRAND PRIX DU DISQUE, PREMIO
DELLA CRITICA DISCOGRAFICA
ITALIANA
ART FESTIVAL PRICE, JAPAN
GRAND PRIX DU DISQUE, CANADA

L'Incoronazione di Poppea,
Gesamtaufnahme
Original Soundtrack,
Unitel Film & TV Production
Yakar, Tappy, Esswood, Schmidt,
Salminen, Perry, Minetto, Hutten-
locher, Araiza u. a., Monteverdi
Ensemble Opernhaus Zürich
LP 6.35593 (3 LPs) FK

L'Orfeo
L'Incoronazione di Poppea u. a.
Arien
Cathy Beberian, Mezzosopran
Concentus musicus Wien
CD 8.43635 ZS

Vespro della beata Vergine
Marien-Vesper 1610
Hansmann, Jacobeit, Rogers,
van't Hoff, van Egmond,
Villisech, Solisten der Wiener
Sängerknaben, Monteverdi Chor,
Hamburg,
Concentus musicus Wien
LP 6.35045 (2 LPs) DX
GRAND PRIX DU DISQUE

Vespro della beata Vergine
Marien-Vesper 1610
Marshall, Palmer, Langridge,
Equiluz, Hampson, Korn
Arnold-Schönberg-Chor, u. a.
Concentus musicus Wien
LP 8.35710 (2 LPs) ZA
MD 4.35710 (2 MCs) EX
CD 6.35710 (2 CDs) EX

Aus dem 8. Madrigalbuch
*Combattimento di Tancredi e
Clorinda – Lamento dell ninfa*
u. a.
Schmidt, Palmer, Hollweg u. a.
Concentus musicus Wien
LP 6.43054 AZ
DMM DIGITAL
MC 4.43054 CY CrO$_2$
CD 8.43054 ZK

WOLFGANG AMADEUS MOZART

Die Entführung aus dem Serail
Gesamtaufnahme
Kenny, Watson, Schreier, Gamlich,
Salminen, Reichmann
Chor des Opernhauses Zürich
Mozart-Orchester des
Opernhauses Zürich
LP 8.35673 (3 LPs) ZB
MC 4.35673 (3 MCs) MR
CD 6.35673 (3 CDs) GK

Idomeneo, Gesamtaufnahme
Hollweg, Schmidt, Yakar, Palmer,
Equiluz, Tear, Estes, Mozart-
orchester & Chor des Opern-
hauses Zürich
LP 6.35547 (4 LPs) GX
DMM DIGITAL
CD 8.35547 (3 CDs) ZB
PRIX MONDIAL DU DISQUE
CAECILIA–PREIS
PREIS DER DEUTSCHEN SCHALL-
PLATTENKRITIK

Große Messe c-Moll, KV 247
Laki, Equiluz, Holl,
Wiener Staatsopernchor,
Concentus musicus Wien
LP 6.43120 AZ
DMM DIGITAL
MC 4.43120 CY CrO$_2$
CD 8.43120 ZK

Der Schauspieldirektor, KV 486
Nador, Laki, Hampson,
van der Kamp .
Antonio Salieri:
Prima la Musica, Poi le Parole
Holl, Hampson, Alexander, Hamari
Concertgebouw Orchestra,
Amsterdam
LP 8.43336 ZK
MC 4.43336 AZ
CD 6.43336 AZ

Thamos, König von Ägypten
KV 345
Thomaschke, Perry, Mühle, van
Altena, van der Kamp, Nieder-
ländischer Kammerchor, Collegium
Vocale, Concertgebouw Orchestra
Amsterdam
LP 6.42702 AZ
DMM DIGITAL
CD 8.42702 ZK
PREIS DER DEUTSCHEN SCHALL-
PLATTENKRITIK

Requiem d-Moll, KV 626
Yakar, Wenkel, Equiluz, Holl,
Wiener Staatsopernchor,
Concentus musicus Wien
LP 6.42756 AZ
DMM DIGITAL
MC 4.42756 CY CrO$_2$
CD 8.42756 ZK

Serenade Nr. 7 D-Dur, KV 250,
(»Haffner-Serenade«),
Marsch D-Dur, KV 249
Staatskapelle Dresden
LP 6.43062 AZ
DMM DIGITAL
MC 4.43062 CY CrO$_2$
CD 8.43062 ZK DIG

Serenade Nr. 11 Es-Dur,
KV 375,
Serenade Nr. 12 c-Moll, KV 388
(»Nachtmusique«)
Wiener Mozartbläser
LP 6.43097
DMM DIGITAL
MC 4.43097 CY CrO$_2$
CD 8.43097 ZK

Symphonie Nr. 25 g-Moll,
KV 183,
Symphonie Nr. 40 g-Moll,
KV 550
Concertgebouw Orchestra
Amsterdam
LP 6.42935 AZ
DMM DIGITAL
MC 4.42935 CY CrO$_2$
CD 8.42935 ZK

Symphonie Nr. 29 A-Dur,
KV 201,
Symphonie Nr. 39 Es-Dur,
KV 543
Concertgebouw Orchestra
Amsterdam
LP 6.43107 AZ
DMM DIGITAL
MC 4.43107 CY CrO$_2$
CD 8.43107 ZK

Symphonie Nr. 32 G-Dur,
KV 318,
Symphonie Nr. 36 C-Dur,
KV 425 (»Linzer«),
Ouvertüre zu »Lucio Silla«
Concertgebouw Orchestra Amsterdam
LP 6.43108 AZ
DMM DIGITAL
MC 4.43108 CY CrO$_2$
CD 8.43108 ZK

Symphonie Nr. 33 B-Dur,
KV 319,
Symphonie Nr. 31
D-Dur, KV 297 (»Pariser«)
Concertgebouw Orchestra
Amsterdam
LP 6.42817 AZ
DMM DIGITAL
MC 4.42817 CY CrO$_2$
CD 8.42817 ZK

Symphonie Nr. 34 C-Dur,
KV 338,
Symphonie Nr. 35 D-Dur,
KV 385 (»Haffner«)
Concertgebouw Orchestra
Amsterdam
LP 6.42703 AZ
DMM DIGITAL
MC 4.42703 CY CrO$_2$
CD 8.42703 ZK

Symphonie Nr. 38 D-Dur,
KV 504 (»Prager«),
Symphonie Nr. 41. C-Dur,
KV 551 (»Jupiter«)
Concertgebouw Orchestra
Amsterdam
LP 6.48219 (2 LPs) DX
DMM DIGITAL
MC 4.48219 CY CrO$_2$
CD 8.48219 (2 CDs) ZL

Symphonie Nr. 40 g-Moll,
KV 550,
Symponie Nr. 25 g-Moll,
KV 183
Concertgebouw Orchestra
Amsterdam
LP 6.42935 AZ
DMM DIGITAL
MC 4.42935 CY CrO$_2$
CD 8.42935 ZK

»Posthorn-Serenade«, KV 320,
Märsche D-Dur, KV 335,
Nr. 1 und 2
Peter Damm, Posthorn,
Staatskapelle Dresden
LP 6.43063 AZ
DMM DIGITAL
MC 4.43063 CY CrO$_2$
CD 8.43063 ZK

Gran Partita, Serenade Nr. 10
B-Dur, KV 361 (170a)
Wiener Mozart-Bläser
LP 6.42981 AZ
DMM DIGITAL
MC 4.42981 CY CrO$_2$
CD 8.42981 ZK

Konzert für 2 Klaviere und
Orchester Nr. 10 Es-Dur,
KV 365 (316a); Chick Corea:
Fantasy for two pianos; Friedrich
Gulda: Ping-pong fot two pianos
Friedrich Gulda, Chick Corea,
Klavier,
Concergebouw Orchestra
Amsterdam
LP 6.42961 AZ
DMM DIGITAL
MC 4.42961 CY CrO$_2$
CD 8.42961 ZK

Klavierkonzert Nr. 23 A-Dur,
KV 488,
Klavierkonzert Nr. 26 D-Dur,
KV 537 (»Krönungskonzert«)
Friedrich Gulda, Klavier,
Concertgebouw Orchestra
Amsterdam
LP 6.42970 AZ
DMM DIGITAL
MC 4.42970 CY CrO$_2$
CD 8.42970 ZK

Hornkonzerte Nr. 1–4
Hermann Baumann, Naturhorn,
Concentus musicus Wien
LP 6.41272 AZ
DMM
MC 4.41272 CY CrO$_2$
CD 8.41272 ZK

Sämtliche Orgelwerke
Veroneser Allegro, KV 72a –
Kirchensonate F-Dur, KV 244, u. a.
Herber Tachezi, Orgel
Alice Harnoncourt, Walter
Pfeiffer, Barockvioline
Nikolaus Harnoncourt,
Barockcello
LP 8.43442 ZK

HENRY PURCELL

Dido und Aeneas
Murray, Yakar, Scharinger,
Schmidt, v. Magnus-Harnoncourt,
Gardow, Esswood, Köstlinger,
Arnold-Schönberg-Chor,
Concentus musicus Wien
LP 6.42919 AZ
DMM DIGITAL
MC 4.42919 CX
CD 8.42919 ZK

JEAN-PHILIPPE RAMEAU

Castor und Pollux,
Gesamtaufnahme
Souzay, Scovotti, Lerer, Vander-
steene, Schéle u. a., Stockholmer
Kammerchor,
Concentus musicus Wien
LP 6.35048 (4 LPs) GK TIS
CD 8.35048

ANTONIO SALIERI

Prima la Musica, Poi le Parole
Holl, Hampson, Alexander, Hamari
Wolfgang Amadeus Mozart:
Der Schauspieldirektor, KV 486
Nador, Laki, Hampson,
van der Kamp
Concertgebouw Orchestra,
Amsterdam
LP 8.43336 ZK
MC 4.43336 AZ
CD 6.43336 AZ

FRANZ SCHUBERT

Symphonie Nr. 8 h-Moll,
D 759 (»Unvollendete«),
»Zauberharfe-Ouvertüre«, D 644,
»Rosamunde«-Ballettmusiken
Nr. 1 und 2, D 797
Wiener Symphoniker
LP 6.43187 AZ
DMM DIGITAL
MC 4.43187 CY CrO$_2$
CD 8.43187 ZK

JOHANN STRAUSS

Ouvertüre zu »Der Zigeunerbaron«
Geschichten aus dem Wienerwald
An der schönen blauen Donau
Unter Donner und Blitz u. a.
Concertgebouw Orchestra,
Amsterdam
LP 8.43337 ZK
MC 4.43337 AZ
CD 6.43337 AZ

GEORG PHILIPP
TELEMANN

Ouvertüre D-Dur & C-Dur
Concentus musicus Wien
LP 6.42589 AZ
DMM
CD 8.42589 ZK

Ouvertüren g-Moll & d-Moll
Concentus musicus Wien
CD 8.42986 ZK

ANTONIO VIVALDI

Il Cimento dell'Armonia e
dell'Inventione
12 Concerti op. 8: Die vier
Jahreszeiten, La Tempesta di
Mare, Il Piacere, La Caccia u. a.
Concentus musicus Wien
LP 6.35386 (2 LPs) EK
DMM
GRAND PRIX DU DISQUE

Die vier Jahreszeiten,
La Tempesta di Mare,
Il Piacere
Concerti op. 8, Nr. 1–6
Alice Harnoncourt, Violine,
Concentus musicus Wien
LP 6.42985 AZ
DMM DIGITAL
MC 4.42985 CY CrO$_2$
CD 8.42985 ZK

Il Cimento dell'Armonia
e dell'Inventione
Concerti op. 8, Nr. 7–12
Alice Harnoncourt, Violine,
Jürg Schaeftlein, Oboe,
Concentus musicus Wien
CD 8.43094 ZK

Concerti für Blockflöte
D-Dur, g-Moll, C-Dur, u. a.
Frans Brüggen, Jürgen Schaeftlein,
Otto Fleischmann, Alice Harnon-
court, Walter Pfeiffer, Nikolaus
Harnoncourt, Gustav Leonhardt
(mit Originalinstrumenten)
CD 6.43515 AH

SAMMELPROGRAMME

Blockflötenwerke des Barock –
Vol. 1
Vivaldi: Konzert c-Moll, Corelli:
Variationen über »La Follia«,
Loeillet: Sonata c-Moll u. a.
Brüggen-Consort,
Concentus musicus Wien
LP 6.41357 AH
MC 4.41357 CH

Blockflötenwerke des Barock –
Vol. 2
Vivaldi: Blockflötenkonzert F-Dur,
Naudot: Blockflötenkonzert
G-Dur, Telemann: Sonate F-Dur,
Bach: Triosonate G-Dur
Concerto Amsterdam,
Concentus musicus Wien
LP 6.41360 AH
MC 4.41360 CH

Blockflötenwerke des Barock –
Vol. 3
Vivaldi: Concerto D-Dur, Con-
certo F-Dur, Telemann: Konzert
F-Dur
Frans Brüggen, Blockflöte,
Concerto Amsterdam,
Concentus musicus Wien
LP 6.42324 AH
MC 4.42324 CH

Special Edition zum Jahr der Musik 1985

BACH-EDITION, Vol. 11
Ein Musicalisches Opfer
BWV 1079
Sonaten für Viola da Gamba
und Cembalo
BWV 1027–1029, u. a.
Nikolaus Harnoncourt, Gambe
Herbert Tachezi, Cembalo
Concentus musicus Wien
LP 6.48241 (2 LPs) DM
DMM
MC 4.48241 (2 MCs) MC CrO$_2$

GERNOT GRUBER

Mozart und die Nachwelt

Mozart in seiner Wirkung durch zwei Jahrhunderte − und nicht wie üblich in Leben und Werk − zu betrachten, ist die Absicht dieses Buches. Ein Mozart »an sich« ist uns nicht verfügbar; was sich bei dem Versuch, ihn und seine Musik zu verstehen, an bestimmten Bildern, unterschiedlichen Deutungen und bleibenden Problemen herauskristallisiert hat, greift weit über die Musik hinaus in die Bereiche von Dichtung, Philosophie, bildender Kunst und Theologie. Das Unbegreifliche des Genies Mozart beschäftigte so unterschiedliche Persönlichkeiten wie Goethe, E. T. A. Hoffmann, Mendelssohn, Mörike, Wagner, Ingres, Delacroix, Weill und Barth, Strawinsky und Hesse, Chagall und Bergman.

Nach wie vor ist es ein Rätsel, warum Mozarts Reputation in seinen letzten Lebensjahren nachließ; nicht weniger rätselvoll ist der bald nach seinem Tod einsetzende enorme Erfolg seiner Werke. Den Wandel des Mozart-Bildes vom Vergessenen zum »göttlichen Jüngling«, die romantisierenden, verniedlichenden und heroisierenden Versuche eines Verständnisses im 19. Jahrhundert, die neu erlangte Aktualität im Kampf gegen das Erbe Wagners, all dem geht der Autor ebenso nach wie den Tendenzen unseres Jahrhunderts, die sich in einer fast beängstigenden Breite der Erscheinungen äußern, von der Suche nach dem authentischen Mozart-Stil bis zur bloßen Vermarktung des Namens.

Geschrieben ist das Buch für den kulturhistorisch interessierten Musikliebhaber, jedoch verwertet der Autor selbstverständlich die Ergebnisse der Mozart-Forschung. Auf die in der Rezeptionsgeschichte übliche Datenfülle und auf Musikanalysen wird im Text zumeist verzichtet, nicht jedoch auf deren Resultate.

Residenz Verlag

Musik im Taschenbuch

Biographisches

Bach · Mozart · Schubert · Schütz ·
Robert Schumann · Clara
Schumann · Wagner

Werkbeschreibungen

Bach-Kantaten · h-moll-Messe ·
Johannes-Passion · Weihnachts-
Oratorium · Wohltemperiertes
Klavier · Aribert Reimann's »Lear« ·
Schubert-Lieder · Schumann-Lieder

Handbücher

dtv-Atlas zur Musik · Geschichte der
Musik · Musikinstrumente · Oper ·
Schubert-Werkverzeichnis

edition MGG

Einzeldarstellungen aus der
Enzyklopädie »Die Musik in
Geschichte und Gegenwart«:
Musikgeschichte · Musikalische
Gattungen · Musikinstrumente

Musiktheorie
Musikwissenschaft

Kontrapunkt · Harmonielehre ·
Formenlehre · Gehörbildung ·
Stimmbildung · Stilkunde · Musik-
ästhetische Texte · Musikgeschichte ·
Musiksoziologie · Musiktherapie ·
Musikrezeption

Essay

Nikolaus Harnoncourt ·
Hans Werner Henze

Lieder und Texte

Deutsche Liedertexte ·
Weihnachtslieder · Mozart
zweisprachig · Wagner-Dramen ·
Biermann · Brauer · Heller ·
Kreusch-Jacob · Cowboylieder

Pop-Musik

Beatles-Repertoire · The Who-Texte

Memoiren

Yehudi Menuhin · Die Menuhins ·
Gerald Moore · Gregor Piatigorsky ·
Hermann Prey

Cartoons

Gerard Hoffnung

Quartettspiele

Kennst du diese Komponisten? ·
Kennst du diese Opern?

Bärenreiter Studien-
und Taschenpartituren

Bach · Beethoven · Händel · Haydn ·
Mozart

Das Buch

Den musikalischen Dialog zwischen den einzelnen Stimmen des Orchesters und den imaginären Dialog zwischen Musik und Zuhörer stellt Nikolaus Harnoncourt in den Mittelpunkt seiner Überlegungen zu Fragen der Musik, seit er diesen Dialog, wegweisend für seine eigene Aufführungspraxis, als wesentliches Ausdrucksmittel der Komponisten zwischen 1600 und 1800 erkannt hat. In ausführlichen Analysen der großen Werke Monteverdis und Bachs zeigt er, wie dieser musikalische Dialog heute in Ansätzen wieder verständlich gemacht werden kann. Der Praktiker Harnoncourt gibt Rechenschaft darüber, wie er bei seinen Aufführungen die vom Komponisten angestrebte geistige Veränderung des Hörers durch die Musik zu erreichen versucht. Im Abschnitt über Mozart weist der Autor anhand wichtiger Beispiele die Fehlinterpretation nach, die der im Kern immer dramatischen und von starken Kontrasten geprägten Musik Mozarts durch allzu glättende und nivellierende Aufführungen widerfahren ist.

Der Autor

Nikolaus Harnoncourt, 1929 in Berlin geboren, gründete 1953 sein Ensemble für Alte Musik, den »Concentus musicus«, mit dem er zahlreiche Konzerttourneen unternommen und international ausgezeichnete Platten eingespielt hat. Gemeinsam mit Jean-Pierre Ponnelle realisierte er am Opernhaus Zürich beispielgebend Werke von Monteverdi und Mozart. 1981 begann er mit dem Concertgebouw Orchester Amsterdam die Einspielung sämtlicher Mozart-Symphonien. Seit 1972 ist Nikolaus Harnoncourt Professor am Mozarteum in Salzburg. 1980 wurde er für seinen Beitrag zu einem neuen Musikverständnis mit dem Erasmus-Preis geehrt; seit 1983 ist er Mitglied der Königlich Schwedischen Akademie der Künste in Stockholm.